Español en
Acción

Elaine Higgins

LEAVING CERTIFICATE SPANISH HIGHER AND ORDINARY LEVEL

© 2013 Elaine Higgins

Illustrations on pp.38, 98–9, 217 and 231 by Marc Diamond

ISBN 978-1-78090-201-2

Produced by:

Folens Publishers
Hibernian Industrial Estate
Greenhills Road
Tallaght
Dublin 24

contents

Introduction

Español en Acción is a Leaving Certificate course aimed at both Ordinary and Higher levels and is suitable for a streamed or a mixed-ability class. It incorporates the four language skills required for Leaving Certificate: Reading, Writing, Listening and Speaking. There is also a grammar section included in each unit. Each unit has a theme, in line with the syllabus, with clear learning objectives. Each unit also provides extensive practice in each component of the examination and reading and listening comprehensions have graded questions for Ordinary Level and Higher Level. The topics in the book are modern and relevant to students using today's vocabulary and idioms. The use of the Situation question is to provide teachers with a springboard to incorporate everything learnt in that particular unit.

Here is a list of the icons and instructions for each task in the book.

 Comprehension

Read the text.

 Writing

Write...

 Listening

Listen to the CD.

 Oral

Oral work

 Dialogue

Read the dialogue.

Grammar

 Pairwork

Work in pairs.

 Groupwork

Work in groups.

 Vocabulary list

Learn the vocabulary.

 **RECUERDA**

Remember!

Watch out for...

La vuelta al colegio

At the end of this unit you will be able to:

- Talk about the return to school
- Say what you like/don't like about school
- Talk about your resolutions for the new school year

Vocabulary:

- School materials

Exam practice:

- Reading comprehension
- Listening comprehension
- Informal writing: letter/email
- Diary entries
- Oral practice

Grammar:

- The future tense
- Nouns and plurals of nouns

Vuelta al colegio

El mes de septiembre ha llegado y las vacaciones se han terminado. Ahora tenemos que prepararnos para volver al colegio. En toda Irlanda miles de estudiantes están disfrutando de los últimos días de vacaciones y pronto estarán sentados en las aulas. Muchos estudiantes vuelven al colegio con sentimientos encontrados: tensión, preocupación, felicidad, entusiasmo. La vuelta al colegio después de unas vacaciones llenas de diversión puede ser difícil. El nuevo año académico conlleva muchos cambios en la vida de los estudiantes: la rutina, el tiempo libre, la disciplina. El colegio es una etapa muy importante en la vida de los adolescentes porque durante estos años hacen amistades que duran para siempre y aprenden cosas que pueden ayudarles en el futuro.

 ## Nota cultural

En España el calendario escolar es diferente al de Irlanda. Las clases en primaria y secundaria empiezan alrededor del 15 de septiembre y terminan alrededor del 22 de junio.

 ## Comprehension

Higher Level and Ordinary Level

Lee lo que Juan y Ana tienen que decir sobre la vuelta al colegio y contesta las preguntas correspondientes.

Experiencias (Mi Blog) (Sígueme) (Archivos descargables)

Juan

No estoy contento de volver al colegio por muchas razones: las reglas sin sentido que hay, las clases aburridas y los deberes. Me encantan las vacaciones porque la vida en mi casa es más relajada y puedo hacer lo que quiero, por ejemplo: puedo dormir hasta el mediodía, puedo acostarme tarde, puedo pasar horas viendo la televisión o jugando a los videojuegos en vez de estudiar. Este año he pasado dos semanas con mis primos en Inglaterra y lo pasé fenomenal. Para mí, la vuelta al colegio después del verano es dura porque me cuesta levantarme temprano y organizar bien mi tiempo.

1. What **three** things does Juan not like about school?
2. Mention **three** things Juan likes to do during the holidays.
3. Where did he go on holidays this year? (Give full details.)
4. Why does he find returning to school difficult?

Experiencias

(Mi Blog) (Sígueme) (Archivos descargables)

Ana

Bueno, la verdad es que tengo muchas ganas de* volver al colegio porque me lo paso muy bien. Hay un ambiente fantástico y todo el mundo se lleva bien. En mi cole los profesores son excelentes y muy dedicados y nos tratan muy bien. No estoy triste porque las vacaciones se hayan terminado. La verdad es que quiero ver a mis amigos ya que no los he visto en todo el verano. También me encanta aprender cosas nuevas. Durante las vacaciones me aburrí un poco. No he ido de vacaciones este año y por eso, he pasado mucho tiempo en casa. Para mí, es más divertido estar en el cole con mis compañeros de clase y participar en todas las actividades extraescolares.

1. What does Ana say about her teachers?
2. Why is she not sad that the holidays are over?
3. How did she spend the summer?

GLOSARIO

tener (muchas)
ganas de + infinitivo

to really want to do something

Práctica

1. **Busca en los blogs anteriores una palabra, expresión o frase que signifiquen lo siguiente:**

   (a) now
   (b) thousands
   (c) changes
   (d) for ever
   (e) senseless rules
   (f) boring classes
   (g) I had a fantastic time
   (h) I'm not sad that
   (i) I really want to
   (j) I'm not happy to

2. **Expresa las siguientes frases en inglés.**

   (a) sentimientos encontrados
   (b) puede ser difícil
   (c) es más divertido
   (d) en vez de
   (e) me cuesta
   (f) hay un ambiente fantástico
   (g) todo el mundo se lleva bien
   (h) me aburrí un poco
   (i) puedo hacer lo que quiero

¡OJO!

En español hay palabras que se abrevian y se usan de manera coloquial. Algunas de las más comunes son:

(el) boli = bolígrafo; **(el) cole** = colegio; **(el/la) compi** = compañero/compañera de clase; **(el) cumple** = cumpleaños; **(el) finde** = fin de semana; **(las) mates** = Matemáticas; **(el/la) profe** = profesor/a.

Listening

La vuelta al colegio

Track 1.02–03

Higher Level and Ordinary Level

Escucha lo que estas dos personas tienen que decir sobre la vuelta al colegio y responde las preguntas que siguen:

A (a) Is this person happy to go back to school?

    (b) What does she say about Transition Year?

    (c) Why is she going to work hard this year?

    (d) What does she say about the teachers in her school?

B (a) How does this person feel about school?

    (b) What thing annoys him most about school?

    (c) How do some of the other students behave?

    (d) How does this behaviour affect him?

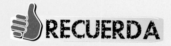
RECUERDA

In Spanish the oral exam is worth 25 per cent of the total marks for Higher Level and 20 per cent for Ordinary Level. Preparing well from the very beginning will help you secure high marks. Try to practise speaking Spanish as much as you can. Organise yourself well and start a notebook to keep all your sample questions and answers.

Práctica

Expresa las siguientes frases en español.

(a) I enjoyed the holidays but now I have prepare myself for the return to school.

(b) It's not easy to return to school after the long holidays.

(c) The good thing about school is that you can learn lots of new things.

(d) I am happy to return to school because I really want to see my friends but I think that the majority of the rules are senseless.

(e) During the holidays, I slept late, I relaxed and I enjoyed myself.

(f) I don't want to return to school because the teachers are boring and they give us lots of homework every day.

Pairwork

Higher Level and Ordinary Level

Pregunta a tu compañero/a:

1. ¿Estás contento/a de volver al colegio?
2. ¿Lo pasaste bien durante las vacaciones?
3. ¿Qué te gusta más del colegio?
4. ¿Hay algo del colegio que no te gusta?
5. ¿Vas a trabajar mucho este año?

Repaso – El material escolar

Higher Level and Ordinary Level

Repasa este vocabulario y asegúrate de que entiendes todas las palabras.

VOCABULARIO

(el) bolígrafo	(la) grapadora	(el) portameriendas
(la) calculadora	(los) lápices de colores	(la) regla
(la) carpeta	(el) lápiz	(el) rotulador
(los) clips	(el) libro	(el) sacapuntas
(el) cuaderno	(la) mochila	(las) tijeras
(el) estuche	(el) papel	
(la) goma	(el) pegamento	

RECUERDA

Informal writing

Informal writing appears on the Ordinary Level exam where you are asked to write a letter or an email to your Spanish friend. There are usually five points to cover with a mixture of tenses being asked for. There is no informal letter or email on the Higher Level paper but it is advisable for Higher Level students to practise this section of the exam as it will help prepare them for the oral exam and for other sections of the written paper.

LAYOUT Don't forget to lay out your letter or email correctly:

For letters: Put the place and date on the right-hand side. Remember to use a small letter for the month. Cork, 7 de julio de 2012

For emails: The date is not necessary since it is already included.

To start your letter or email you could use **Querido** for a boy, **Querida** for a girl, **Queridos** or **Queridas** for plural. You could also use **Hola**.

To end your letter or email use **Besos/Un abrazo/Hasta pronto/Un fuerte abrazo/Besos y abrazos/Afectuosamente/Con todo mi cariño.**

Higher Level and Ordinary Level

Lee el siguiente correo electrónico y fíjate en el formato.

Get Mail	View	New Message	Reply	Forward	Flag	Attach	Junk	Search

De: Kerry

A: María

Asunto: Hola desde Irlanda

Querida María:

Espero que estés bien. Yo estoy muy contenta porque volví al colegio ayer después de tres meses de vacaciones. Lo pasé muy bien durante el verano pero la verdad es que estaba muy contenta de volver al colegio porque me aburrí un poco durante las vacaciones. No hice muchas cosas durante el verano. Intenté buscar trabajo pero con la crisis económica en Irlanda es casi imposible. Por eso, no tenía dinero para salir. Pasé la mayoría del tiempo en casa, escuchando música, viendo la tele, y navegando por Internet. ¡Qué aburrido! Mi hermana pequeña me enfadaba de vez en cuando porque quería que jugara con ella todo el tiempo y si no lo hacía, mi madre se enfadaba conmigo.

Al volver al colegio, estaba muy contenta de ver a todos mis amigos y escuchar todas las novedades*. Por supuesto, lo malo del colegio son los deberes y los profesores estrictos pero tengo mucha suerte porque el ambiente en mi colegio es muy bueno y todo el mundo se lleva bien. He decidido que voy a trabajar mucho este año y no voy a perder el tiempo en clase porque quiero sacar buenas notas en los exámenes de junio. Y tú, ¿cuándo vas a volver al colegio? Pienso que las clases empiezan más tarde en España, ¿verdad?

Escríbeme pronto y cuéntame todas tus novedades.

Un abrazo,

Kerry

GLOSARIO

(las) novedades	news

Práctica

Letter/email

Write a letter or an email to your Spanish friend Enrique, including all of the following details:

- Tell him that you have just gone back to school.
- Tell him your feelings about the return to school.
- Tell him one thing you like about school and one thing you don't like.
- Say how you spent the summer.
- Ask him when he is going back to school.

 # Comprehension

Higher Level and Ordinary Level

1. **Antes de leer el texto, relaciona en tu cuaderno las palabras y expresiones en español con sus equivalentes en inglés.**

   (a) (la) llegada number,   figure

   (b) (la) vuelta   footwear

   (c) (los) problemas financieros   to save

   (d) (la) cifra   second hand

   (e) (la) edad   sales

   (f) (el) calzado   arrival

   (g) añadir   age

   (h) de segunda mano   expenses

   (i) ahorrar   to take into account

   (j) (las) rebajas   return

   (k) (los) gastos   the average cost

   (l) (el) coste medio   financial problems

   (m) tener en cuenta   to add

2. **Ahora, lee el texto de la página siguiente y contesta las preguntas.**

El coste de la vuelta al colegio

Cada septiembre, con la llegada de la vuelta al colegio, vuelven los problemas financieros para las familias españolas. La vuelta al colegio es una época de muchos gastos porque los niños necesitan muchas cosas para el nuevo curso escolar. En estos tiempos de crisis económica, no es fácil para muchas familias afrontar estos gastos. El coste medio por hijo es de 1,000€ en las grandes ciudades como Madrid o Barcelona pero el coste puede ser menor en otras partes del país. La cifra varía también dependiendo de la edad del niño y del tipo de colegio al que vaya.

Para volver a las aulas, es necesario comprar los libros de texto, el uniforme o la ropa, el calzado, el material escolar (carpetas, cuadernos, bolígrafos, mochila) y la ropa deportiva. Hay que añadir a esta lista, el coste del comedor (entre 50€ y 90€ al mes) y el coste del transporte escolar (entre 30€ y 70€ al mes). El uniforme es lo más caro con una media de 240€ por niño. En los colegios públicos no hay uniforme pero los niños necesitan ropa y calzado también. Para ahorrar dinero se pueden comprar libros de segunda mano y buscar ropa en las rebajas. Es fundamental comparar los precios y es importante tener en cuenta que los productos sin marca son más baratos. Tampoco es necesario comprar mochilas o estuches nuevos cada año si los del año anterior están en perfectas condiciones.

Higher Level and Ordinary Level

1. What kind of problems do Spanish families encounter in September and why does this happen?

2. Why are Madrid and Barcelona mentioned?

3. Mention **six** things that have to be bought for going back to school.

4. What costs between E50 and E90 a month?

5. How much does school transport cost?

6. How can money be saved? (Give two details.)

7. What advice is given about buying a new pencil case or schoolbag?

8. Make a list of all the things you need to go back to school.

Higher Level

Busca un sinónimo en el texto para:

(a) el regreso   (b) el número   (c) los zapatos   (d) cuestan menos   (e) previo

 # El futuro – The future tense

In Spanish, like in English, there are two ways of expressing the future:

1. With the 'going to' structure.
2. the 'will' future tense structure.

1. The 'going to' structure

To form this structure we use the present tense of **ir + a + infinitive**. It expresses the intention of doing or a plan to do something.

ir		
voy		
vas		charlar
va	a	comer
vamos		recibir
vais		
van		

Consider the following:

> <u>Voy a estudiar</u> esta noche.
>
> Elena <u>va a comprar</u> un regalo para su madre.
>
> Los chicos <u>van a jugar</u> al fútbol después del colegio.
>
> ¿<u>Vas a salir</u> este fin de semana?
>
> No <u>vamos a ir</u> de vacaciones este verano.

This is a very simple structure to use because there are no irregulars. However, when we are using reflexive verbs, we must change the pronoun at the end of the infinitive or before the conjugated verb (**voy**, **vas**, etc.) to match the subject of the sentence.

> Voy a levantar**me**./**Me** voy a levantar.
>
> Vas a levantar**te**./**Te** vas a levantar.
>
> Va a levantar**se**./**Se** va a levantar.
>
> Vamos a levantar**nos**./**Nos** vamos a levantar.
>
> Vais a levantar**os**./**Os** vais a levantar.
>
> Van a levantar**se**./**Se** van a levantar.

Práctica

1. Escribe la forma correcta del futuro del verbo entre paréntesis.

(a) Yo (hacer) mis deberes esta tarde.

(b) Mi padre (cocinar) una cena especial para el cumpleaños de mi hermano.

(c) Mi hermano (recibir) muchos regalos.

(d) Mis amigos y yo (ir) al centro mañana después del colegio.

(e) Miguel y Pedro (estar atentos) en laclase de historia.

(f) Las chicas (maquillarse) antes de salir.

(g) Los alumnos no (charlar) en clase.

(h) ¿Tú (llegar) a tiempo?

2. Traduce al español las siguientes frases.

(a) We are going to be attentive in class.

(b) The girls are going to study hard.

(c) My mother is going to learn Spanish this year.

(d) Next weekend we are going to go to the cinema.

(e) The students are going to learn lots of new things in school.

(f) I am going to get up early in the morning.

(g) The boys are going to participate in extracurricular activities.

(h) It's going to rain tomorrow.

(i) Are you going to behave well in class?

2. The 'will' future tense

To form this tense we take the infinitive, e.g. **bailar**, and add the following endings.

The endings are the same for -ar, -er and -ir verbs.

bail**aré**	I will dance
bail**arás**	you will dance
bail**ará**	he/she will dance
bail**aremos**	we will dance
bail**aréis**	you (plural) will dance
bail**arán**	they will dance

Irregular future tense verbs

There are 12 common verbs that are irregular in the future tense. They are listed here in the first person singular. This is the form you should learn and then just change the ending for the relevant person.

caber (to fit)	**cabré**
decir (to say, tell)	**diré**
hacer (to do, make)	**haré**
poder (to be able)	**podré**
poner (to put)	**pondré**
querer (to wish, want)	**querré**
saber (to know)	**sabré**
salir (to go out)	**saldré**
tener (to have)	**tendré**
valer (to be worth)	**valdré**
venir (to come)	**vendré**

The future tense of hay (there is/are) is habrá (there will be).

Práctica

1. Pon los verbos en la forma correcta del futuro:

(a) Las chicas (volver) al colegio mañana.

(b) David (hacer) sus deberes después de comer.

(c) Paul (estudiar) para aprobar los exámenes.

(d) Nosotros (aprender) el vocabulario español.

(e) Mi hermano (comprar) una nueva mochila.

(f) Yo (levantarse) temprano cada mañana.

(g) Él (salir) el fin de semana que viene.

(h) Yo no (poder) salir esta noche porque tengo que estudiar.

(i) La madre (ayudar) a los niños con los deberes.

(j) Yo no (perder) mi tiempo en el colegio.

2. Expresa las siguientes frases en español.

(a) I will do all my homework tonight.

(b) Tomorrow night, the girls will go out with their boyfriends.

(c) The teachers will help the students.

(d) She will have a shower before going to school.

(e) Next week we will have a Spanish exam.

(f) Will you get good grades in your exams?

(g) The boys will listen to the teachers.

(h) The mother will buy a present for her son.

(i) We will play football with our classmates.

(j) He will be happy to return to school.

 ## Listening

Justin Bieber

Track 1.04–05

Higher Level and Ordinary Level

Escucha y contesta las siguientes preguntas sobre Justin Bieber.

1. How do we know that Justin Bieber is very popular?

2. Where and when was he born?

3. What musical instruments does he play?

4. What happened when he was 12?

5. What is his autobiography about? (Give **full** details.)

6. What will girls like about the book?

7. Why did he come to Madrid last June?

8. What were the fans at the hotel hoping for?

Comprehension

1. Lee lo que estas personas tienen que decir sobre sus propósitos para el nuevo curso escolar y escribe en inglés lo que dicen.

Un nuevo curso escolar

No es fácil volver al colegio después de unas largas vacaciones pero hay que hacerlo. Para ayudar a disfrutar del nuevo año escolar y empezar el año con buen pie, es buena idea hacer algunos propósitos.

(a) Voy a levantarme con tiempo de sobra cada mañana.

(b) No voy a charlar con mis amigos en clase.

(c) Voy a hacer ejercicio regularmente.

(d) Voy a desayunar bien.

(e) No voy a usar mi móvil durante las clases.

(f) Voy a acostarme a las diez y media todas las noches.

(g) Voy a llegar a tiempo.

(h) Voy a llevar el uniforme limpio y planchado.

(i) Voy a escuchar atentamente a los profesores.

(j) Voy a comer de forma saludable.

(k) Voy a tratar a los profesores con respeto.

(l) Voy a hacer todos los deberes todos los días.

2. Y tú, ¿tienes propósitos para el nuevo año escolar? ¿Vas a ser un estudiante modelo? Hay muchas cosas que puedes hacer para convertirte en un estudiante perfecto, por ejemplo:

- Repasar regularmente y no dejar el estudio para última hora
- Ir a pie al colegio en vez de coger el autobús
- Participar en actividades extraescolares
- Dedicar tiempo a todas las asignaturas
- Comportarte bien
- Tener una actitud positiva
- Limitar el tiempo que sueles pasar viendo la televisión, en las redes sociales o en el ordenador

3. Traduce el siguiente texto al español.

The return to school can be very difficult after three months of holidays. During the summer, you can do what you want. I have to say that I had a fantastic time during the summer and I am not happy to return because school makes me unhappy. Of course I like to see my friends but the truth is I hate school. I think that the majority of the rules are senseless but what annoys me most about school is the homework. Every day the teachers give us a load of homework to do! What a pain! However, this year is going to be different. When I finish school I really want to go to university so I'm going to start this new school year well and I am going to make a bigger effort with my studies.

Comprehension

Lee el siguiente texto y completa los ejercicios.

Cruz Roja y Carrefour lanzan la 'Vuelta al cole solidaria' para abaratar* el material escolar a familias con dificultades

Cruz Roja Española y la Fundación Solidaridad Carrefour han lanzado la campaña 'Vuelta al cole solidaria' con el objetivo de reducir el impacto económico que supone la adquisición de material escolar para familias con dificultades económicas.

La campaña se celebrará en Las Palmas los próximos viernes 10 y sábado 11 de septiembre en los hipermercados Carrefour, en la que es su segunda edición, según informó este jueves Cruz Roja.

Esta iniciativa no se celebrará únicamente en la provincia de Las Palmas, sino que tendrá lugar en los ciento cuarenta y siete hipermercados en toda España, que contarán con una mesa atendida por Cruz Roja Española en la que voluntarios recogerán* el material escolar (lápices, bolígrafos, cuadernos, rotuladores, etc.) adquirido en Carrefour que la ciudadanía* done para tal fin.

Además, Carrefour igualará la cantidad entregada por los clientes, doblando de este modo la suma que se entregará* a Cruz Roja Española, que será la responsable de distribuir el material escolar entre menores y jóvenes en situación de vulnerabilidad.

En la pasada edición de 'Vuelta al cole solidaria', en la que participaron los cuatro centros de Gran Canaria, Cruz Roja recogió en Carrefour material escolar por valor de 5.500 euros de los 230.616 euros que se recaudó* en todo el país.

La Fundación Solidaridad Carrefour igualó con ello los 115.30 euros donados directamente por la ciudadanía, que en su conjunto fueron destinados a más de 7.400 niños y niñas de los que trescientos cincuenta y dos eran de Las Palmas.

20 minutos

GLOSARIO

abaratar	to cheapen, make inexpensive	**entregar**	to hand out, give, deliver
		recaudar	to collect (money)
(la) ciudadanía	citizens	**recoger**	to collect

Higher Level and Ordinary Level

1. What is the aim of the campaign 'Vuelta al cole solidaria'?

2. What kind of families does it aim to help?

3. Apart from Las Palmas, where else will this initiative take place?

4. What exactly will the volunteers do?

5. Name **three** items of school material mentioned.

6. How much money did Carrefour donate to the campaign last year?

7. How many children were helped in Spain and Las Palmas?

Higher Level

1. Busca en el texto las palabras o frases que tengan el mismo sentido (más o menos) que las siguientes:

   (a) la intención
   (b) la compra
   (c) exclusivamente
   (d) de esta manera
   (e) repartir
   (f) la nación

2. Explain in English the meaning of the following in their context.

   (a) ... con el objetivo de reducir el impacto económico que supone la adquisición de material escolar ... (paragraph 1)

   (b) Además, Carrefour igualará la cantidad entregada por los clientes ... (paragraph 4)

 # Los sustantivos – Nouns

A noun is the name of a person, place or thing. In Spanish, nouns have a gender, that is, they are either masculine or feminine. It is important when you are learning a new word to remember also whether it is masculine or feminine. When noting down a new word, putting the correct definite article in front of it will help you do this, e.g. **la carne**.

Generally nouns that end in **-o** are masculine, e.g. **el libro, el chico, el mono** and nouns that end in **-a** are feminine, e.g. **la familia, la abuela, la cebolla.**

However, there are exceptions to this rule:

el tema	el drama	el día	el pijama	el mapa	el tranvía	el clima	el problema
el idioma	el planeta	el poeta	el cometa	la mano	la moto	la foto	la radio

Nouns which do not end in **-o** or **-a** can be either masculine or feminine and you will have to look them up in a dictionary to find out.

El artículo determinado – The definite article

There are four words for **the** in Spanish:

el   masculine singular words, e.g. **el niño**

la   feminine singular words, e.g. **la niña**

los   masculine plural words, e.g. **los niños**

las   feminine plural words, e.g. **las niñas**

Práctica

Write the correct definite article for the following nouns in your copy:

(a) experiencia (b) calle (c) amigos (d) canciones (e) deporte

(f) amistad (g) material (h) alumnos (i) vacaciones (j) uniform

El plural de los sustantivos – The plural of nouns

- When the noun ends in a vowel in the singular, you just add **-s** to make it plural:

  el libro ⟶ los libro   **el pie ⟶ los pies**

- When the noun ends in a consonant in the singular, you add **-es** to make it plural:

  la flor ⟶ las flores   **el ordenador ⟶ los ordenadores**

- When the noun ends in **-z** in the singular, you change it to **-ces** in the plural:

  el pez ⟶ los peces

Práctica

Escribe los siguientes sustantivos en plural.

(a) la dieta (b) el mes (c) el abuelo (d) la serpiente (e) el lápiz

(f) el color (g) la ciudad (h) la voz (i) el pan (j) el juez

 # Comprehension

Lee el siguiente texto y completa los ejercicios.

Consejos para estudiar y afrontar con éxito el colegio

1. *Desayuna bien:* El desayuno es la comida más importante del día y prepara el cuerpo para trabajar bien. La jornada en el colegio es muy larga y necesitas energía, así que es imprescindible que no te saltes el desayuno.

2. *Prepara tus cosas la noche anterior:* Pon tus libros, carpetas, bolígrafos, cuadernos, etc. en la mochila y deja la ropa preparada. Esto te dará más tiempo por la mañana.

3. *Duerme bien:* Es importantísimo dormir lo suficiente. Al día siguiente te sentirás descansado y con las pilas cargadas*.

4. *Presta atención en clase:* Es una tontería perder el tiempo en el aula porque la mayor parte del trabajo se hace durante las clases. Hay que tomar buenos apuntes y estar atento. Si no entiendes el tema de la lección, no dudes en preguntar al profesor. A los profesores les gustan los estudiantes participativos.

5. *Estudia todos los días:* Es mejor hacerlo a la misma hora y en el mismo lugar. Encuentra un lugar tranquilo, ordenado y alejado de distracciones con todas las cosas que necesitas al alcance de la mano.

GLOSARIO

con las pilas cargadas (fig.)   full of energy

Ordinary Level

True or False?

	T	F
(a) Breakfast is the least important meal of the day.	☐	☐
(b) Getting your things ready the night before will give you more time in the morning.	☐	☐
(c) It is very important to get enough sleep.	☐	☐
(d) Teachers don't like students who participate in class.	☐	☐
(e) It's best to study at the same time and in the same place every day.	☐	☐

Higher Level

1. Answer the following questions in English.

(a) Why is breakfast the most important meal of the day?

(b) What should you do the night before and why?

(c) How will you feel after a good night's sleep?

(d) What advice is given about paying attention in class? (Give **full** details.)

(e) Where should you study?

2. Busca en el texto las palabras que tengan el mismo sentido (más o menos) que las siguientes:

(a) el día　　(b) esencial　　(c) lista　　(d) alerta　　(e) un sitio

3. Explica (o expresa de otro modo) en español la siguiente frase:

Es una tontería perder el tiempo en clase porque la mayor parte del trabajo se hace durante las clases.

 Listening

Accidente de tren en Buenos Aires

Track 1.06–07

Escucha la siguiente noticia y completa los ejercicios.

Ordinary Level

1. In the train accident in Buenos Aires, (a) how many people died? and (b) how many people were injured?

2. Approximately how many people were on board?

3. Tick the correct answer:

The train crashed into a pole.　☐

The train crashed into a platform.　☐

The train crashed into another train.　☐

4. At what speed was the train going when it entered the station?

1. Contesta las siguientes preguntas.

   (a) Where and when did this accident take place?

   (b) What kind of injuries did people sustain?

   (c) What is said about the cause of the accident?

   (d) What happened as the train entered the station?

2. Después de escuchar la noticia, traduce las siguientes palabras y expresiones.

(a) muerto	(b) herido	(c) en hora punta	(d) lleno	(e) el portavoz
(f) chocar	(g) concurrida	(h) ferroviario	(i) el andén	(j) un vagón
(k) un centenar	(l) los frenos	(m) frenar	(n) contusiones	

 # Nota cultural

Buenos Aires es la capital de La República de Argentina, un país de América del Sur. Argentina es uno de los 21 países de habla hispana en el mundo y tiene una población de más de 40 millones de personas.

Diary entry

Diary entries appear on both the Ordinary and Higher Level examinations and they are worth 20 marks on both papers. You are given four points to complete and each point is worth 5 marks. It is essential that you complete all four points and pay particular attention to the tenses asked for or you will lose marks.

- In the top right-hand corner, write the day and date and the time, e.g. **Martes 8 de julio, 20 horas**.
- Start your diary entry with **Querido diario:**
- Complete the four points you have been given.
- Sign off with: **Hasta luego; Hasta mañana; Buenas noches,** etc. and sign your name.

Here is an example.

You went back to school today after three months' holidays. Write a *diary entry* in Spanish, including *all* of the following details:

- Say that you are really tired after a very busy first day at school.
- Say that you were really happy to see all your friends.
- Describe one of your teachers.
- Say that you are going to work very hard this year because you want to get good results.

Lunes 27 de agosto, 23 horas

...o diario:

...día tan ocupado! Son las once y estoy agotada.
...e vuelto al colegio después de tres meses de
...ones. Ha sido fantástico volver a encontrarme con
...mis amigos. Tengo cuatro nuevos profesores y el
profesor de Historia parece súper estricto. ¡Qué rollo!
Tendré que hacer todos los deberes si quiero evitar
tener problemas con él.

Ayer me sentía un poco deprimida y no tenía ganas
de volver al colegio pero al fin y cabo hay que volver
en algún momento y no fue tan malo como pensaba.
Sin duda voy a esforzarme mucho durante el curso
porque necesito sacar 420 puntos en mi examen
de Selectividad* si quiero estudiar Ciencias en la
universidad. Lo importante es empezar el año con buen
pie. Voy a estudiar y hacer todos los deberes todas las
noches y no voy a dejarlos para el último momento.
También, escucharé atentamente a los profesores en
clase y no charlaré con mis compañeros.

Bueno, eso es todo por ahora. Tengo que levantarme
temprano mañana.

Buenas noches,

Hannah

GLOSARIO

(la) Selectividad   the Spanish equivalent of the Leaving Certificate exam

Práctica

Diary entry

You are going back to school tomorrow after the summer holidays. Write a diary entry saying how you feel about it. Include your thoughts on all of the following points:

- Say how you feel about going back to school.
- Say what you enjoyed about the summer holidays.
- Say that you will be happy to see all your friends again.
- Say what your plans for the year ahead are.

RECUERDA

Building up your vocabulary is the key to success at the Leaving Certificate exam. It is a good idea to dedicate a separate copy to vocabulary and constantly revise the new words you come across.

Vocabulary list

aburrirse	to get bored	(la) felicidad	happiness
además	furthermore, also	imprescindible	essential, vital
alegrarse	to be glad, happy	infeliz	unhappy
(el) ambiente	atmosphere	intentar	to try
(la) amistad	friendship	lleno de	full of
(los) apuntes	notes	mezclado	mixed
(el) cambio	change	molestar	to annoy
(el) comportamiento	behaviour	pesado	heavy
comportarse	to behave oneself	(la) preocupación	worry
comprensivo	understanding	(el) propósito	resolution
(el) cuerpo	body	(las) redes sociales	social networks
deprimido	depressed	(la) regla	rule, ruler
disfrutar de	to enjoy	repasar	to revise
(la) diversión	fun	(el) ruido	noise
durar	to last	sacar buenas notas	to get good grades
empezar con buen pie	to start out on the right foot	saludable	healthy
en vez de	instead of	(el) sentimiento	feeling
enfadarse	to get angry	(la) tontería	silly thing, stupidity
(la) etapa	stage, phase		
evitar	to avoid	tratar	to treat

Oral

Track 1.08

Higher Level and Ordinary Level

Listen to Oisín talking about going back to school in his oral exam.

1. **¿Estás contento de volver al colegio?**

   Sí, estoy bastante contento de volver al colegio porque tengo muchas ganas de ver a todos mis amigos. Durante las vacaciones, no les vi mucho. Al mismo tiempo, me da pena que las vacaciones se hayan terminado porque lo pasé fenomenal.

2. ¿Te gusta el colegio?

Sí, me gusta mucho mi colegio porque hay un ambiente fantástico y todo el mundo se lleva muy bien. Claro, hay algunas cosas que me molestan, por ejemplo, algunas de las reglas son ridículas y algunos profesores son demasiado estrictos.

3. ¿Te cuesta mucho volver al colegio?

Tengo que decir que estoy bastante contento de volver al colegio porque me gusta la rutina escolar. Durante las vacaciones no tenía ninguna rutina: me levantaba tarde y me acostaba tarde pero de vez en cuando me aburría un poco. Con la vuelta al colegio, tengo un horario fijo y me gusta. Al principio me va a costar levantarme temprano pero estoy seguro de que me acostumbraré.

4. ¿Vas a trabajar mucho este año?

Espero que sí. Cuando termine el colegio quiero ir a la universidad para estudiar Ciencias. Por eso, necesito sacar buenos resultados en mis exámenes. Voy a esforzarme mucho con mis estudios este año y no voy a perder el tiempo en clase. Voy a organizar bien mi tiempo y no dejarlo todo para última hora.

5. ¿Tienes muchos propósitos para el nuevo año escolar?

Claro que sí. Voy a llegar puntual al colegio todos los días. El año pasado, durante el año de transición, llegaba tarde a menudo. Este año voy a empezar con buen pie. Quiero estar atento en clase, hacer todos los deberes y tratar a los profesores con respeto. También, voy a hacer algunos cambios a mi estilo de vida, por ejemplo, voy a comer más fruta y legumbres, voy a hacer ejercicio regularmente y voy a pasar menos tiempo viendo la televisión o en las redes sociales.

Situation

Higher Level and Ordinary Level

Lee estas dos opiniones y comenta con un/a compañero/a con cuál estás de acuerdo y por qué.

'Tengo muchas ganas de volver al colegio para ver a mis amigos y volver a la vida normal.'

'No me apetece nada volver al colegio porque prefiero tener tiempo libre y la libertad para hacer lo que quiera.'

Revision test

1. Masculine or feminine? Find out the correct gender of the following nouns.

(a) costumbre (b) té   (c) moto   (d) nieto   (e) carne
(f) salud   (g) planeta   (h) vejez   (i) mano   (j) sangre

2. Make the following nouns plural.

(a) la vuelta   (b) la televisión   (c) la nuez   (d) la actividad   (e) el mes
(f) la mochila   (g) el alumno   (h) el rotulador   (i) el estuche   (j) el papel

3. ¿Qué significan las siguientes palabras?

(a) la felicidad   (b) un ambiente   (c) sin duda   (d) la verdad es que
(e) el comportamiento (f) costoso   (g) los gastos   (h) la edad
(i) las rebajas   (j) la marca   (k) disfrutar de   (l) saludable
(m) repasar   (n) esforzarse   (ñ) la ciudadanía   (o) extraño
(p) una tontería   (q) según   (r) el cuerpo   (s) las pilas cargadas

4. Expresa las siguientes frases en español.

(a) mixed feelings (b) senseless rules and boring classes (c) I find it hard (d) I really want to (e) I am not sad that (f) I'm lucky (g) school makes me unhappy (h) what annoys me most (i) financial problems (j) big cities (k) sports clothes (l) school transport (m) second hand (n) it's not easy (ñ) understanding (o) advice (p) success (q) to cry (r) to waste time (s) tidy

5. Expresa las siguientes frases en español.

(a) I'm going to return to school next week after three months of holidays.
(b) I will see all my classmates and learn lots of new things.
(c) I'm going to get up early every day and arrive on time at school.
(d) This year I will spend time on all my subjects.
(e) I'm going to behave well in class and listen to the teachers.

6. Traduce al español las siguientes frases.

(a) he is going to study   (b) we will be able   (c) they will want
(d) I am going to get up   (e) they are going to go out   (f) I will be
(g) she is going to work   (h) they are going to wash themselves
(i) you will know   (j) are you going to get up early?
(k) I will have to go to bed early

7. Letter/email

Write a letter or email to your Spanish friend. Include all of the following points:
- Say that you are going back to school next week.
- Say that you don't like school and give a reason why.
- Say that you don't get on well with your teachers and mention one teacher in particular.
- Say that you are going to work hard and study this year.
- Ask him/her when he/she is going back to school.

8. ¿Y a ti te hace feliz la vuelta al colegio?

Write a paragraph saying how you feel about going back to school. Talk about the good things and the bad things in your school and mention your resolutions for the new school year.

UNIDAD 2

El verano pasado

At the end of this unit you will be able to:

- Talk about what you did in the past
- Talk in detail about your holidays
- Understand weather forecasts

Vocabulary:

- Weather expressions

Exam practice:

- Reading comprehension
- Listening comprehension
- Dialogue writing
- Diary entries
- Oral practice

Grammar:

- The preterite tense – regular and irregular verbs
- The imperfect tense – regular and irregular verbs

¿Qué hiciste durante las vacaciones?

En los primeros días curso todo el mundo quiere saber si hay novedades y si te pasó algo interesante durante las vacaciones.

 ## Comprehension

Higher Level and Ordinary Level

Lee lo que Jane, Michael y Luke tienen que decir sobre el verano pasado y contesta las preguntas correspondientes:

Experiencias (Mi Blog) (Sígueme) (Archivos descargables)

Jane

Acabo de volver de unas vacaciones estupendas en España. El Español es mi asignatura favorita en el colegio y tenía ganas de mejorar mi conocimiento de la lengua y por eso, decidí pasar unas semanas en el país. Hice un curso de español en la bonita ciudad de Málaga. Mi prima vino conmigo y lo pasamos estupendamente. Nos alojamos con una familia malagueña y nos llevamos muy bien con ellos. Su apartamento estaba situado en el centro de la ciudad, muy cerca de la Escuela de Idiomas. Todas las mañanas, desde las nueve hasta la una, íbamos a clase. Nuestro profesor, Miguel, era muy divertido y nos enseñó mucho vocabulario. Aprendí un montón de español. Ahora, sé un poquito sobre la cultura española, por ejemplo, lo que les gusta comer a los españoles y cómo pasan su tiempo libre. Por desgracia, no me gustó nada la comida española y perdí unos kilos durante mi estancia. A los españoles les gusta comer mucho pescado. ¡Qué asco! Mi prima y yo íbamos muy a menudo al McDonalds y a otras hamburgueserías. Lo que más me gustó de España fue la gente. La gente era muy simpática y todo el mundo nos ayudó mucho con el español.

1. Why did Jane decide to spend a few weeks in Spain?

2. Where did she stay?

3. What did she do every morning?

4. Who is Miguel?

5. What did she learn during her time in Spain?

6. What did she think of the Spanish food? (Give **full** details.)

7. What did she think of the Spanish people?

 ## Nota cultural

El adjetivo gentilicio es el que denota el origen de las personas o de las cosas, ya sea por ciudad, región, entidad política, provincia, o país, barrio, o cualquier otro lugar. Este adjetivo se puede sustantivar, como por ejemplo: **el madrileño**, valenciano/a, catalán/a, barcelonés/a, coruñés/a, bilbaíno/a, malagueño/a, etc.

Experiencias Mi Blog Sígueme Archivos descargables

Michael

Tengo mucha suerte porque en verano fui de vacaciones con la familia de mi mejor amigo. Fuimos a Francia y fue el mejor verano de toda mi vida. Fue la primera vez que viajé en avión y me puse un poco nervioso. Pasamos dos semanas en el norte del país. Nos alojamos en un hotel de tres estrellas muy cerca de la playa y por eso, pasamos la mayoría de nuestro tiempo en la playa tomando el sol, nadando y relajándonos. Por la noche, cenamos en restaurantes de todo tipo. Tengo que decir que me gustó mucho la comida de la región, sobre todo, el queso. Todos los días, hacía sol y me puse muy moreno. Sin duda, prefiero el tiempo en Francia al tiempo en Irlanda. Como estudio francés en el colegio, intenté hablar en francés de vez en cuando pero nadie me entendía. Al volver a Irlanda, me puse muy triste porque no quería que las vacaciones se acabaran pero, al mismo tiempo, tenía muchas ganas de volver a ver a mi familia.

1. Where did Michael go on holidays? (Give **full** details.)
2. Why was he nervous?
3. Where did they stay?
4. What did he think of the food?
5. How did he get on speaking French?
6. How did he feel on returning to Ireland?

Experiencias Mi Blog Sígueme Archivos descargables

Luke

Los primeros días del nuevo trimestre, todo el mundo quiere saber cómo has pasado las vacaciones. Desafortunadamente, no me divertí mucho el verano pasado. Como mi padre está en paro, no tenemos mucho dinero y por eso no pudimos ir de vacaciones. Pasé mucho tiempo ayudándole a mi madre en casa. Tengo dos hermanos menores y tenía que cuidarlos cuando mi madre estaba trabajando. La verdad es que me aburrí un poco porque todos mis amigos se habían ido de vacaciones y me sentí solo. Estoy muy contento de volver al colegio para ver a todos mis amigos. El verano próximo espero ir a Inglaterra para visitar a mis primos pero tendré que ahorrar mucho dinero.

1. What does everyone want to know in the first few days of the new term?
2. Why did Luke not go on holidays this year?
3. What did he do at home?
4. Why did he get bored?
5. What plans does he have for next summer?

 Listening

El verano pasado

Higher Level and Ordinary Level

1. **Escucha lo que dicen estas personas sobre el verano pasado y responde las preguntas.**

A (a) Why was this summer special for Anne?

(b) Describe the hotel she stayed in. (Give **full** details.)

(c) What did she do during her holidays?

(d) Will she see Mortimer again?

B (a) What did Kevin do during his holidays in Barcelona?

(b) What happened when he visited FC Barcelona's stadium?

(c) What was the weather like during his holiday?

(d) What does he say about the weather in Ireland?

(e) What does he say about his trip to Port Aventura? (Give **full** details.)

C (a) Where did Holly stay in France?

(b) Did she like Paris?

(c) What did she buy there?

(d) What does she say is the bad thing about Paris?

2. **Escribe las siguientes frases en español.**

1. It was the first time that I went on holidays without my family.

2. I stayed in a huge hotel beside the beach with fantastic views of the port.

3. I loved the Spanish food, especially the Spanish omelette and the prawns.

4. I tried to speak Spanish as much as possible and I learnt a lot of new words.

5. What I liked most about Spain was the weather.

6. I got bored during the summer because I didn't go on holidays.

7. I had a fantastic time during the summer and at the end of the holidays I was sad.

8. Last summer I went on holidays to the beautiful city of Madrid.

9. The bad thing about Spain is that it's very hot during August.

10. The good thing about Spain is that the people are very friendly.

Comprehension

Lee el siguiente texto y contesta las preguntas.

Campamentos de verano en Irlanda

Mejora tu inglés en
la bonita Isla Esmeralda.
¿Quieres aprender
más inglés?
Dublín es el lugar ideal para
visitar y mejorar tu inglés.

Dublín, la capital de Irlanda, es una ciudad llena de cultura, historia y tradiciones y es uno de los mejores destinos del mundo para el aprendizaje del inglés. La hospitalidad de los irlandeses es conocida en todo el mundo. La ciudad tiene mucho que ofrecer para los turistas: las calles del casco histórico, el castillo de Dublín, la Catedral de San Patricio, el Trinity College donde se encuentra el conocido Libro de Kells, el parque St. Stephens Green, el río Liffey, el puente Ha'penny, la fábrica de cerveza Guinness, la cárcel histórica de Kilmainham y la zona de Temple Bar con entretenimiento para todos los gustos.

Los paisajes irlandeses son impresionantes con colinas verdes, antiguos castillos en ruinas y pueblos rurales.

¿Por qué nuestra escuela?

- Nuestra escuela está ubicada en el corazón de Dublín, cerca de todas las atracciones turísticas de la ciudad.

- Ofrecemos una gran variedad de cursos para todos los niveles: principiante, elemental, intermedio y avanzado.

- Nuestras clases son muy pequeñas con un máximo de diez estudiantes.

- Ofrecemos muchas actividades para que los estudiantes disfruten al máximo de su estancia en Irlanda.

- Ofrecemos muchas posibilidades de alojamiento: familia de acogida, apartamentos compartidos, alojamiento en residencia.

- La escuela dispone de un restaurante, una biblioteca para el estudio, una sala de ordenadores con Internet de gran velocidad y Wifi gratuito para los estudiantes que quieran llevar su ordenador portátil.

Higher Level and Ordinary Level

1. What is this an advertisement for?
2. What is said about the hospitality of the Irish?
3. What does the city of Dublin have for tourists?
4. What is said about the Irish scenery?
5. Why should you choose this school? (Give **three** details.)

Higher Level

1. **Write in English the meaning, in the context, of the following phrases:**

    (a) La hospitalidad de los irlandeses es conocida en todo el mundo.

    (b) ... con entretenimiento para todos los gustos.

    (c) Ofrecemos muchas actividades para que los estudiantes disfruten al máximo de su estancia en Irlanda.

2. **Busca en el primer párrafo del texto una palabra o frase en español que tenga el mismo sentido (más o menos) que las siguientes:**

    (a) repleta de   (b) famosa   (c) el barrio   (d) la diversión

 # Comprehension

Vacaciones en Irlanda

Higher Level and Ordinary Level

1. **Lee los testimonios de unos estudiantes españoles que vinieron a Irlanda para aprender inglés y contesta las preguntas que siguen.**

Experiencias   (Mi Blog)   (Sígueme)   (Archivos descargables)

Miguel

El julio pasado, pasé cuatro semanas en Cork. Creo que mi inglés mejoró mucho porque lo practicaba diariamente con mis profesores y mi familia de acogida. Lo que me encantó de Irlanda fue la gente, las colinas verdes, el acento irlandés, el ambiente en los pubs y los preciosos paisajes. Los habitantes de Cork son muy amables y generosos. La calidad de la enseñanza era excepcional y los profesores eran muy dedicados. Me alojé con una familia que vivía en las afueras bastante cerca de la escuela. Mi estancia fue magnífica y tuve una relación muy buena con todos los miembros de la familia. Me hicieron sentir como en casa. Además, la escuela organizó muchas actividades culturales y no tuve tiempo de aburrirme.

1. Did Miguel learn much English in Cork?
2. What did he like about Ireland? (Give **full** details.)
3. How did he get on with the family he was staying with?
4. Why was there no time to get bored?

Experiencias

Mi Blog   Sígueme   Archivos descargables

Julia

Mi estancia en Irlanda fue una de los mejores experiencias de mi vida. Quería ir a Dublín para perfeccionar mi inglés y sin duda alguna no me equivoqué en la elección del lugar. Me gustó mucho la ciudad de Dublín con sus calles llenas de gente y con su buen ambiente. Dublín es una ciudad muy agradable y no es demasiado grande. Los primeros días fueron un poco difíciles para mí porque fue la primera vez que salí de casa sin mi familia pero desde el primer día noté el afecto y la amabilidad de los irlandeses y conocí a gente muy simpática. En cuanto a la escuela, las instalaciones eran muy modernas, los profesores tenían un excelente nivel académico y me prestaron mucha atención. Por eso, aprendí mucho inglés. Ahora hablo bastante bien y estoy segura de que la experiencia va a servirme mucho en el futuro.

1. Why did Julia want to come to Dublin?
2. What does she say about Dublin City?
3. Why were the first few days difficult for her?
4. What does she say about the school?
5. What does she say she is sure about?

Writing

Higher Level and Ordinary Level

1. Expresa las siguientes frases en inglés.

(a) Siento que mi inglés mejoró mucho.
(b) Son muy generosos.
(c) La calidad de la enseñanza era excepcional.
(d) Me hicieron sentir como en casa.
(e) No me equivoqué en la elección del lugar.
(f) Desde el primer día noté el afecto y la amabilidad de los irlandeses.

2. Busca en los testimonios anteriores las frases que significan lo siguiente:

(a) What I loved about Ireland ...
(b) There was no time to get bored.
(c) It was one of the best experiences of my life.
(d) The city of Dublin impressed me so much.
(e) It was the first time that I left home without my family.
(f) I met lots of friendly people.

 **Listening**

Actividades para los niños durante las vacaciones

Higher Level and Ordinary Level

Escucha el pasaje siguiente y contesta las preguntas.

1. When do the children go back to school?
2. What things should children limit their time doing?
3. Mention **seven** things suggested that children can spend their free time doing.

 # El pretérito indefinido – The preterite tense

The preterite tense is used to talk about finished past actions, e.g. **Yesterday I went to school. We played football. They spoke Spanish.** A good knowledge of the preterite tense is essential for Leaving Certificate Spanish.

Regular verbs in the preterite tense

-ar	-er/-ir
é	í
aste	iste
ó	ió
amos	imos
asteis	isteis
aron	ieron

-ar verbs take the infinitive, e.g. bailar, cross off the -ar and add the following endings:	-er/-ir verbs take the infinitive, e.g. comer, cross off the -er and add the following endings:
bail**é**	com**í**
bail**aste**	com**iste**
bail**ó**	com**ió**
bail**amos**	com**imos**
bail**asteis**	com**isteis**
bail**aron**	com**ieron**

Práctica

1. Say what the following mean:

(a) descansé (b) cantó (c) viajaron (d) ayudaste (e) escribí
(f) salieron (g) desayunamos (h) cocinaron (i) ¿hablaste? (j) no nos alojamos
(k) nadaron (l) visitó (m) comprasteis (n) conocí (ñ) durmió

2. How would you say the following in Spanish?

(a) she spoke (b) they worked (c) we studied (d) he cried (e) we thought
(f) they wrote (g) we needed (h) she spent (i) they got up (j) I travelled
(k) Did you eat? (l) he didn't improve (m) I helped (n) she cooked (ñ) they lost

Irregular verbs in the preterite tense

These are the most common irregular verbs:

infinitivo	raíz del infinitivo	terminaciones	ser/ir*
andar	anduv-	-e	fui
caber	cup-	-iste	fuiste
conducir	conduj-	-o	fue
decir	dij-	-imos	fuimos
estar	estuv-	-isteis	fuisteis
hacer*	hic*-	-ieron	fueron
poder	pud-		
poner	pus-		
querer	quis-		
saber	sup-		
tener	tuv-		
traer	traj-		
venir	vin-		

NOTE: Notice the spelling change in the 3rd person of the verb hacer = hice, hiciste, hizo, hicimos, hicisteis, hicieron

NOTE: The verbs ser and ir have the same preterite

Práctica

1. Express the following in English.

(a) condujimos (b) fuiste (c) vino (d) quise (e) supimos
(f) quisisteis (g) pudieron (h) pusiste (i) tuve (j) dimos
(k) hizo (l) vinieron (m) fui (n) quisieron (ñ) no pude

2. Express the following in Spanish.

(a) we had (b) she went (c) she wanted (d) they were (e) I knew
(f) he gave (g) you did (h) I was (i) you did (pl) (j) they were able
(k) I put (l) we went (m) they had (n) Did you know? (ñ) I went

More irregulars

1. Verbs ending in **-gar, -car** and **-zar** which are irregular in the first person of the preterite.

-gar	→ gué
-car	→ qué
-zar	→ cé

llegar ⟶ llegué

Other verbs: jugar, madrugar, pagar, negar, rogar, castigar, fregar

buscar ⟶ busqué

Other verbs: sacar, tocar, practicar

empezar ⟶ empecé

Other verbs: comenzar, utilizar, organizar, adelgazar, cruzar, amenazar, almorzar

2. Some **-er** and **-ir** verbs have a spelling change in the 3rd person singular (he/she) and the 3rd person plural (they).

leer ⟶ leí, leiste, leyó, leimos, leisteis, leyeron

Other verbs: construir, caer, contribuir, creer, destruir, incluir, concluir, oír

3. **-Ar** and **-er** radical-changing verbs in the present tense do not change in the preterite tense. However **-ir** radical-changing verbs do change but only in the 3rd person singular and the 3rd person plural.

e > i	o > u
pedir	**dormir**
pedí	dormí
pediste	dormiste
pidió	durmió
pedimos	dormimos
pedisteis	dormisteis
pidieron	durmieron

Práctica

1. Express the following in English.

(a) saqué (b) murió (c) cruzaron (d) leyó (e) busqué
(f) madrugó (g) amenazaste (h) organizamos (i) comencé (j) castigasteis

2. Express the following in Spanish.

(a) they slept (b) we played (c) I practised (d) she lost weight (e) we crossed
(f) he destroyed (g) I organised (h) they built (i) I paid (j) he punished

3. Express the following in Spanish.

(a) I couldn't go out last night.

(b) Did your parents go shopping last Saturday?

(c) She put her clothes in the wardrobe.

(d) Last summer I looked for a job but I didn't find one.

(e) Yesterday I arrived at school at 9.15 because I woke up late.

(f) She took a photo of her brother.

(g) The boys played football in the park.

(h) During the summer, I lost weight.

(i) My father read the paper last Friday.

(j) The children built castles with the sand.

El pretérito imperfecto
– The imperfect tense

Regular verbs

Formation

-ar verbs

Take the infinitive, e.g. **trabajar**, take off the **ar** and add the following endings:

-ar	
aba	
abas	
aba	
ábamos	
abais	
aban	

trabaj**aba**
trabaj**abas**
trabaj**aba**
trabaj**ábamos**
trabaj**abais**
trabaj**aban**

-er/-ir verbs

Take the infinitive, e.g. **vivir**, take off the **ir** and add the following endings:

-er/-ir	
ía	
ías	
ía	
íamos	
íais	
ían	

viv**ía**
viv**ías**
viv**ía**
viv**íamos**
viv**íais**
viv**ían**

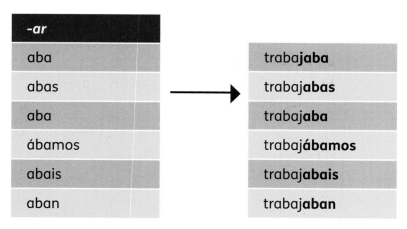

Irregular verbs

There are only three irregular verbs in the imperfect tense:

ser		ir		ver	
era		iba		veía	
eras		ibas		veías	
era		iba		veía	
éramos		íbamos		veíamos	
erais		ibais		veíais	
eran		iban		veían	

Uses

- We can use this tense to 'set the scene' giving information about:
  - the time, the date, the place, the weather
  __Eran__ las nueve de la noche y __hacía__ mucho frío.
  - the mood and the state of people we are talking about:
  Mi hermana __estaba__ muy contenta cuando me __llamó__ por teléfono.

- We also use this tense to describe people, objects, etc.
  María __era__ una niña muy guapa y cariñosa.
  La casa de mi abuela __era__ antigua.

- We can use this tense to talk about repeated actions in the past (often appearing with expressions of time).

  A los 15 años __cogía__ el autobús para ir a la escuela todos los días.
  Cuando era pequeña __iba__ todos los fines de semana a casa de mis abuelos.

- We can use this tense to talk about something happening when another action takes place. *__Estaba duchándome__ cuando sonó el teléfono.*

Práctica

1. Expresa los siguientes verbos en inglés.

(a) comíamos (b) charlaban (c) ayudabas (d) se levantaba (e) aprendían
(f) (ella) quería (g) no podíamos (h) (él) trabajaba (i) vendían (j) escribíais

2. Expresa las siguientes frases en español.

(a) he used to live (b) we were reading (c) they were eating (d) she was sad
(e) it was hot (f) he was singing (g) were you bored? (h) they used to play golf

3. Traduce los siguientes verbos al inglés.

(a) cantaban (b) me duchaba (c) me gustaba (d) no se levantaba
(e) charlábamos (f) descansabais (g) tenía hambre (h) compraban

4. Expresa las siguientes frases en español usando el pretérito imperfecto.

(a) The sun was shining and it was very hot.
(b) When John arrived, she was studying.
(c) Last summer, I got up late every day.
(d) I used to sleep a lot when I was younger.
(e) The children were playing tennis and their mother was happy.

5. Traduce al español, utilizando el pretérito indefinido y el pretérito imperfecto

Last summer I went to Spain with my family. My cousin, whom I get on really well with, came with us. It wasn't my first time in Spain. We rented a house in the south of the country, near the city of Cadiz. We were very lucky because the house was just beside a beautiful beach. We spent a lot of our time relaxing on the beach, sunbathing and swimming. One day, we visited the city of Cadiz. In the morning, I visited a museum and after lunch, I went shopping. I bought little presents for all my friends in Ireland. During my stay in Spain, I tried to speak Spanish often and I learnt a lot of new words. I wasn't happy when I had to return to Ireland but I had a fantastic time in Spain and I hope to return next year.

 ## Listening

One Direction

Track 1.13

Anne is a fan of One Direction and imagines what it would be like to interview her favourite member, Niall. Listen to her interview and answer the questions.

Ordinary Level

1. In what position did One Direction finish in the reality show X Factor?
2. Why does Niall like returning to Ireland?
3. What part of his body does he like?
4. What is his favourite colour?
5. How does he get on with the rest of the group?
6. What does he say about Harry and Louis?
7. Why does he like Michael Bublé?
8. What does he like to eat? (Give **one** detail.)

Higher Level

1. How did One Direction's first single sell?
2. Has fame changed Niall?
3. In what way is he superstitious?
4. What is his relationship like with the rest of the group?
5. Why does he like living on his own? (Give **full** details.)
6. Why would he like to have a girlfriend?
7. What does he like to eat? (Give **full** details.)

 **RECUERDA**

Dialogue writing

The Dialogue question appears on the Higher Level exam and it is worth 30 marks. You are required to fill in your side of a conversation between two people and you are told exactly what to say. Despite the fact that this question does not appear on the Ordinary Level exam, many of the dialogue exercises in this book are designed to give practice to both Higher Level and Ordinary Level students.

 Dialogue

Higher Level and Ordinary Level

You have just returned from a two-week holiday in Spain. You meet your Spanish friend Pedro and talk about how your holiday went. Complete in Spanish your side of the following dialogue:

Pedro: ¡Hola! ¿Qué tal tus vacaciones en España?

Tú: Say that you had a fantastic time and that you thought that Spain was a beautiful country. Say what you liked most about Spain was the weather.

Pedro: A mí también. No me gusta nada el tiempo en Irlanda. ¿Y te gustó la comida española?

Tú: Say that you loved the food in Spain. Tell him that you tasted lots of different types of tapas and that they were delicious, especially the prawns and the Spanish omelette.

Pedro: ¡Qué rico! ¿Aprendiste mucho español?

Tú: Say that your Spanish has improved a lot. Say that you were staying with a Spanish family and that you spoke Spanish every day with them. Say that they helped you a lot with your vocabulary.

Pedro: ¿E hiciste nuevos amigos?

Tú: Say that you met a really nice boy called Rafa. Say that he was 17, that he was tall with brown hair and blue eyes and that he was very good-looking.

Pedro: ¡Fantástico! ¿Y vas a volver a España otra vez?

Tú: Say that you hope to go back to Spain next summer if your parents let you. Say that you would like to go to Madrid because your friend told you that it is a fantastic city.

¡OJO!

En español, la ´y´ y la ´o´ algunas veces se cambian por `e´ y `u´ para evitar la mezcla de sonidos. La ´y´ se cambia a `e´ cuando la siguiente palabra empieza por `i´ o `hi´, por ejemplo: **padre e hijo; Juan e Inés.**

Lo mismo sucede con `o´ cuando la siguiente palabra empieza por `o´ o `ho´: **mujer u hombre; Antonio u Óscar.**

 Pairwork

Higher Level and Ordinary Level

Pregunta a tu compañero/a:

1. ¿Qué hiciste el verano pasado?
2. ¿Fuiste de vacaciones?
3. ¿Pasaste mucho tiempo con tus amigos?
4. ¿Ayudaste en casa?
5. ¿Lo pasaste bien?

Comprehension

Read the following passage and answer the questions.

La crisis económica deja a los madrileños sin vacaciones de Semana Santa

Un 70% de los vecinos de Madrid se quedan en casa. La situación general de la economía impide pensar en grandes planes para estos días de descanso. Un 18,7% menos que en 2008 ha decidido no hacer las maletas.

Una muestra clara de que la Semana Santa de 2012 está marcada por la crisis económica es el elevado número de madrileños que no han salido de casa estos días principales de vacaciones. Así se desprende del barómetro de consumo que dio a conocer este pasado jueves el Ayuntamiento de la capital y que advierte de que el 70% de los madrileños no ha salido de la ciudad para disfrutar de estos días de descanso.

Mientras Madrid sigue siendo uno de los destinos preferentes para los turistas en Semana Santa, los vecinos de la capital no salen de la ciudad por la mala situación de la economía española. Según este estudio, solo un 23,1% de madrileños ha salido estos días fuera de la capital, un 18,7% menos que en 2008, año en que se inició la debacle* de la economía. Del total de quienes se van, los más afortunados, sólo un 2,6% viajará al extranjero mientras que el 12,6% de los que escapan de la gran ciudad descansan ya en otros municipios.

El gasto medio por persona para estos días fuera de Madrid cambia según el destino. Si usted es de los que se han marchado y descansa en algún punto de la geografía española gastará en torno a 308 euros frente a los casi 2.000 que desembolsarán* los pocos que han salido de España. A pesar de la crisis, por encima de este motivo al que alude* un 18,7% de la ciudadanía para justificar quedarse en la capital, un 21,7% asegura que jamás viaja en estas fechas.

Pedro Calvo, delegado de Economía, ha explicado que las cifras aportadas por el barómetro del Ayuntamiento de Madrid reflejan que las familias madrileñas siguen ajustando el presupuesto* y evitan aquellos gastos que no sean esenciales. El principal sacrificado sigue siendo el ocio. De hecho, un 38,4% de madrileños que hasta ahora sí viajaba ha decidido que no es un buen momento para rascar el bolsillo* y gastar por lo que este año ha decidido quedarse en casa.

Madrid 2noticias.com

GLOSARIO

ajustando el presupuesto	adjusting the budget
aludir	to refer to
(la) debacle	collapse
desembolsar	to pay
rascar el bolsillo (fig.)	(to scratch the pocket) to spend money

Higher Level

1. Answer the following questions in English.

(a) What is preventing 70% of people from Madrid from taking holidays this Easter? (paragraph 1)

(b) How does this figure compare to 2008? (paragraph 1)

(c) Of the percentage that do go on holidays, where do they go? (paragraph 3)

(d) What is the average spend for the people who do leave Madrid? (Give full details.) (paragraph 4)

(e) What does the figure 21,7 % refer to? (paragraph 4)

(f) In what area are the people of Madrid making the biggest sacrifice? (paragraph 5)

2. Busca en el texto las palabras que tengan el mismo sentido (más o menos) que las siguientes:

(a) los ciudadanos (paragraph 1)   (b) el desembolso (paragraph 4)

(c) nunca (paragraph 4)   (d) los números (paragraph 5)

3. Explain in English the meaning of the following in their context.

(a) Un 18.7% menos que en 2008 ha decidido no hacer las maletas. (paragraph 1)

(b) .... los vecinos de la capital no salen de la ciudad por la mala situación de la economía española. (paragraph 3)

(c) ... evitan aquellos gastos que no sean esenciales. (paragraph 5)

4. Expresa de otro modo en español una de las siguientes frases.

Se quedan en casa

u

Otros municipios

Repaso – El tiempo

Higher Level and Ordinary Level

Repasa el vocabulario de la página siguiente relacionado con el tiempo. Después, observa el mapa y describe en tu cuaderno qué tiempo hace en varias ciudades españolas.

¡OJO!

Note that to talk about the weather, we always use the 3rd person singular of the verb, e.g. *Hace sol.*

El tiempo

NOMBRES	VERBOS	LAS ESTACIONES DEL AÑO	ADJETIVOS
la lluvia	¿Qué tiempo hace?	la primavera	El clima es: seco, caluroso, templado, suave, húmedo
la nieve	Hace (muy) buen tiempo.	el verano	
la niebla	Hace (muy) mal tiempo.	el otoño	
el calor	Hace (mucho) sol.	el invierno	
el frío	Hace (mucho) calor.		
la neblina	Hace (mucho) frío.		
la bruma	Hace (mucho) fresco.		
la escarcha	Hace (mucho) viento.		
la temperatura	Hace 20 grados.		
la borrasca	Llueve.		
el chubasco	Hay niebla/tormenta.		
el ascenso	Está soleado/nublado.		
el descenso	Nieva.		
las temperaturas (diurnas/nocturnas)			
las precipitaciones			
los cielos cubiertos			
los cielos despejados			

Handwritten annotations (left margin):
the rain
the snow
fog
Heat
cold
mist
mist
frost
storm
shower
increase
decrease
Day time
night time
precipitation
overcast
clear sky

Handwritten annotations (VERBOS column):
Whats the weather
Its nice
Its bad weather
Its sunny
Its hot
Its cold
Its cool
Its windy
Its 20 degrees
Its raining
theres fog/storm
Its snowing

Handwritten annotations (LAS ESTACIONES):
spring
summer
autumn
winter

Handwritten annotations (ADJETIVOS):
Dry
Hot
mild
nice
humid/wet

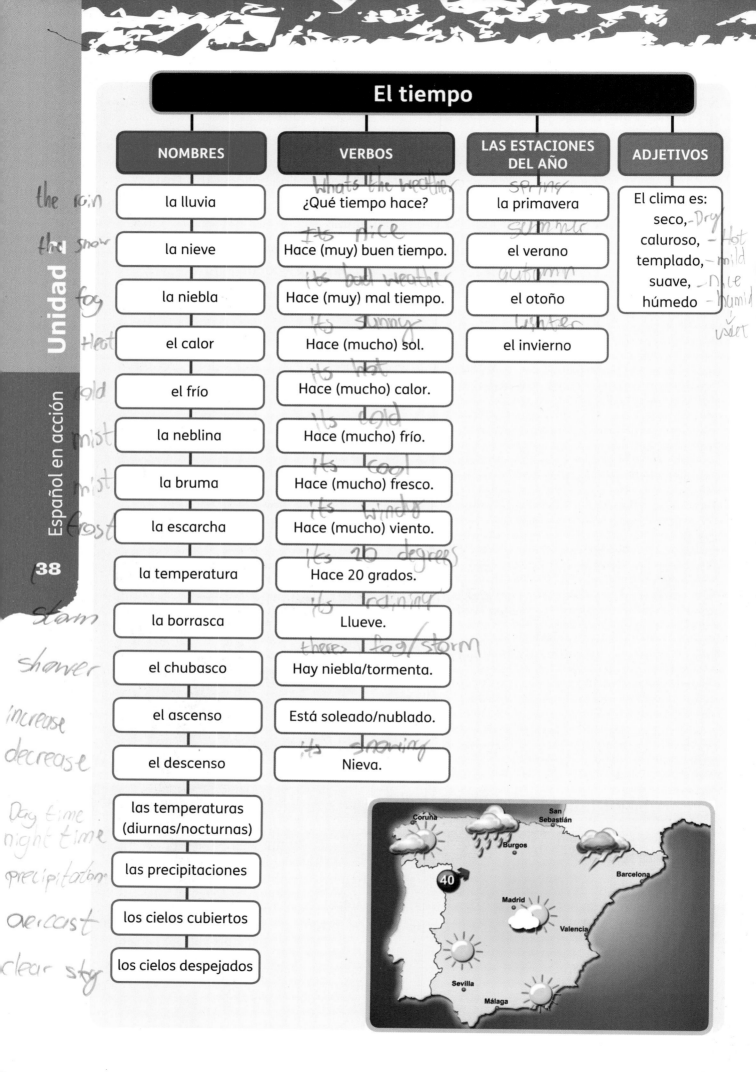

 Listening

Pronóstico del tiempo

Track 1.14

Escucha el pronostico siguiente y contesta las preguntas.

Ordinary Level

1. What day is this weather forecast for? _Sunday_

2. Tick the correct answer. It will be cloudy:

   (a) in the east of Galicia ☐

   (b) in the north of Galicia ☐

   (c) in the south of Asturias ☑

3. What will the maximum and minimum temperatures be in the south of the country? _15_ _3_

4. What will the weather be like in the Canary Islands? _hot_

Higher Level

1. What weather is forecast for Navarra and Asturias?

2. What weather is possible in the Pyrenees?

3. Give **two** details about the rain in Galicia.

4. What will happen to temperatures in the northern half of the country?

5. What will the weather be like in the south of the country?

6. What will the winds be like in (a) Galicia, Castilla and León and (b) the Andalucian Coast?

 RECUERDA

Understanding weather forecasts is essential for the listening comprehension part of the Leaving Cert exam.

Comprehension

Read the following passage and answer the questions.

Ola de calor

La primera ola de calor* del verano continúa con trece provincias en alerta naranja por temperaturas que pueden alcanzar los 43 grados. La ola de calor, que comenzó ayer en el oeste del país debido a la entrada de una masa de aire cálido* procedente de África, afectará a casi todo el país y durará hasta el viernes. Ante el calor extremo se aconseja* tomar medidas* que protejan nuestro cuerpo del calor y posibles enfermedades* relacionadas con él. Se debe:

- Limitar la exposición al sol, sobre todo, en las horas centrales del día.
- Beber mucha agua o líquidos porque es fundamental mantenerse hidratado.
- Reducir la actividad física en las horas de más calor.
- Mantenerse en lugares frescos, a la sombra o climatizados.
- Llevar ropa ligera y de colores claros que deje transpirar.
- Aplicar cremas protectoras solares.
- Prestar atención a las personas mayores, a las personas discapacitadas y a los niños menores de cinco años.

Los termómetros volverán a recuperarse a partir del sábado, con valores normales para la época* y a calor poco excesivo.

GLOSARIO

aconsejar	to advise	**(la) época**	period, time of year
cálido	warm	**(la) ola de calor**	a heatwave
(la) enfermedad	sickness, illness	**tomar medidas**	to take measures

Writing

Higher Level and Ordinary Level

- **Diary entry**

The summer is over and you didn't really enjoy yourself during the summer holidays. Write a diary entry mentioning the following points:

- Say that you are very happy the holidays are over.
- Mention that you didn't go away on holidays and mention why.
- Say what the weather was like.
- Talk about your plans for next summer.

Ordinary Level

1. How many provinces are on alert? 13 🎵
2. When and where did the heat wave start? *Africa and yesterday*
3. Until when will the heatwave last? *until friday*
4. Why is it necessary to drink a lot of liquids? *you will be dehydrated*
5. What kind of clothes should you wear? *light clothes*
6. When will temperatures get back to normal? *Saturday*

Higher Level

1. Why are a number of provinces on alert?
2. How did this heatwave start?
3. What seven pieces of advice are given to help us protect our bodies from the heat?
4. Busca en el texto una palabra que tenga el mismo sentido (más o menos) que las siguientes:

   (a) localidades   (b) llegar a   (c) se recomienda   (d) sudar   (e) restablecerse

 ## Listening

Alerta por viento, lluvias, nieve y fuerte oleaje

Track 1.15–17

Lee el pronóstico del tiempo de la página siguiente. Después, escúchalo y rellena los huecos en tu cuaderno.

Sigue el mal (a) _____ en casi toda la Península. Continúa este martes la alerta por (b) _____, lluvias, nieve y fuerte oleaje*, tal y como ocurrió el (c) _____ Sólo Cataluña se librará de la (d) _____, según la predicción de la Agencia Estatal de Meteorología (Aemet). De hecho, un total de (e) _____ provincias han activado la alerta por alguno de estos fenómenos meteorológicos, aunque el mayor riesgo está en A Coruña, (f) _____, Asturias y (g) _____, que permanecerán* en alerta roja (riesgo extremo) por (h) _____ oleaje. Precisamente en la costa gallega ha fallecido* un (i) _____ en la localidad lucense de Burela y se busca a un (j) _____ desaparecido en A Coruña.

Se esperan vientos (k) _____o (l) _____de componente (m) _____ en la mayor parte de la Península y en Baleares, con intervalos muy fuertes en algunas zonas litorales* y de (n) ___. En cuanto a las (ñ) ___, en el oeste de Galicia y en el Cantábrico se esperan (o) _____ moderados, localmente fuertes o persistentes y ocasionalmente con (p) ___ Estos se producirán de forma (q) _____ o localmente moderada y más dispersos en el resto del extremo norte y de la vertiente atlántica y en Baleares.

En el resto del área mediterránea, el (r) _____ permanecerá poco nuboso aunque habrá algunos intervalos nubosos. En Canarias, habrá cielo nublado y se podrán producir lluvias débiles en el norte e intervalos (s) _____ en el sur. La cota de (t) _____ en la Península se mantendrá entre los 1.000 y los 1.200 metros en el (u) _____ norte y entre los 1.200 y los 1.400 en el centro. Así, Asturias, (v) ___, Huesca, León, Palencia y Navarra activarán la alerta (w) _____ por riesgo de nevadas*.

Finalmente, las (x) _____ diurnas sufrirán un ascenso* de ligero que pasarà de moderado en el noroeste peninsular y en el área mediterránea. Asimismo, los termómetros marcarán un ligero ascenso de las temperaturas durante la noche en casi toda la Península y en Baleares.

20 minutos

GLOSARIO

(el) ascenso	rise, ascent
fallecer	to die
(la) nevada	snowfall
(el) oleaje	swell
permanecer	to remain
(las) zonas litorales	coastal areas

Higher Level and Ordinary Level

1. Until when is the bad weather going to last?

2. Why is Cataluña mentioned?

3. Who is being looked for in A Coruña?

4. Describe the rains that are expected in the west of Galicia and Cantabrica.

5. What is the forecast for the Canary Islands?

6. What changes will occur in (a) daytime temperatures and (b) night-time temperatures?

Oral

Higher Level and Ordinary Level

Listen to Rebecca talking about last summer in her oral exam.

1. ¿Lo pasaste bien durante las vacaciones?

Sí, la verdad es que lo pasé estupendamente. Pasé la mayor parte del verano en Irlanda pero me fui de vacaciones a España en julio. A decir verdad, me encantan las vacaciones porque tengo tiempo libre y puedo hacer lo que quiero. Estoy más contenta cuando no tengo que ir al colegio ya que las clases son aburridas, hay reglas que no tienen sentido y los profesores son muy estrictos.

2. ¿Trabajaste durante el verano?

Por desgracia, con la crisis económica en Irlanda, es casi imposible encontrar un trabajo a tiempo parcial. Al principio del verano, busqué trabajo pero no lo encontré. De vez en cuando, cuidaba a los niños de mi vecina y con el dinero que gané, pude comprarme un móvil nuevo.

3. ¿Dormiste mucho?

Sí, pasé mucho tiempo durmiendo. Después de un curso muy largo en el colegio, estaba muy cansada. Lo que más me molesta del año escolar es que tengo que levantarme temprano y me cuesta mucho.

4. ¿Ayudaste en casa?

Claro que ayudé en casa. Durante el curso, no puedo ayudar mucho porque tengo que hacer los deberes y estudiar pero durante las vacaciones tengo mucho tiempo libre. Todos los días, arreglaba mi dormitorio y fregaba los platos. De vez en cuando pasaba la aspiradora en la planta baja y todos los sábados preparaba la cena para toda la familia. Me encanta cocinar y Hogar es mi asignatura favorita en el colegio.

5. ¿Fuiste de vacaciones?

Sí, tuve mucha suerte porque fui a España con mi familia. Nos alojamos en un apartamento cerca de la playa en un pueblo pequeño del sur de España. Pasé dos semanas inolvidables allí. Pienso que España es un país increíble y la gente es muy simpática. Tengo muchas ganas de volver algún día.

6. ¿Qué hiciste durante tus vacaciones en España?

Hice un montón de cosas: fui a la playa, tomé el sol y nadé. ¡Me puse muy morena! Visité lugares de interés como museos y galerías de arte. Fui de compras y compré regalos para todos mis amigos en Irlanda. También, cené en muchos restaurantes españoles y por las tardes, fui a las discotecas. No tuve tiempo de aburrirme.

7. ¿Hiciste amigos nuevos?

Conocí a muchos jóvenes españoles y me ayudaron con el español, aprendí un montón de palabras nuevas. Conocí a un chico muy guapo que se llama Antonio. Espero volver a verle el próximo verano.

8. ¿Probaste algo nuevo?

Todas las tardes cenábamos en familia en restaurantes típicos españoles y probé mucha comida española. Tengo que decir que me gustaron mucho los platos españoles, sobre todo, las tapas, la paella, y la tortilla española pero la verdad es que no me gustó nada el gazpacho porque es una sopa fría de tomate. En mi opinión, la dieta española es más saludable y variada que la dieta irlandesa. Los españoles también comen más pescado y verduras.

9. ¿A qué hora te levantabas por las mañanas?

Pues, no me levantaba temprano porque me encanta dormir y durante el año escolar, tengo que levantarme a eso de las siete. ¡Qué rollo! Casi todos los días, me levantaba a las once o las doce pero de vez en cuando mi madre se enfadaba conmigo y tenía que levantarme cuando me llamaba. No entiendo por qué mi madre no me dejaba dormir hasta el mediodía.

10. ¿Te acostabas tarde?

Lo que más me gustó de las vacaciones fue la rutina. Durante el año escolar, hay que levantarse y acostarse a una hora fija. Durante el verano, podía levantarme y acostarme cuando quería. Todas las noches me acostaba tarde, contenta porque sabía que no tenía que levantarme temprano.

RECUERDA

As mentioned in Unidad 1, it is a very good idea to have a copy where you can keep all sample questions and answers for your oral exam. The topic of last summer is often asked in the oral exam. Answer the following questions about yourself.

1. ¿Lo pasaste bien durante las vacaciones?
2. ¿Trabajaste durante el verano?
3. ¿Dormiste mucho?
4. ¿Ayudaste en casa?
5. ¿Qué tiempo hacía?
6. ¿Fuiste de vacaciones?
7. ¿Adónde fuiste?
8. ¿Con quién fuiste?
9. Dónde te alojaste?
10. ¿Qué hacías en tu tiempo libre?
11. ¿Hiciste nuevos amigos?
12. ¿Probaste algo nuevo?
13. ¿Compraste regalos para alguien?
14. ¿Te pusiste moreno?
15. ¿Te gustó el sitio?
16. ¿Visitaste museos u otros sitios interesantes?
17. ¿Salías por las tardes?
18. ¿Cenaste en restaurantes?
19. ¿Dormías mucho?
20. ¿Te levantabas tarde?
21. ¿Dormías mucho?
22. ¿Te levantabas tarde?

Vocabulary list

ahorrar	to save	(el) equipo	team
(el) alojamiento	accommodation	equivocarse	to make a mistake
alojarse	to stay	(el) estadio	stadium
alquilar	to rent, hire	(la) estancia	stay
(la) amabilidad	friendliness	estar en paro	to be unemployed
(el) año escolar	school year	(la) estrella	star
arreglar	to tidy	firmar	to sign
(la) calidad	quality	(la) hamburguesería	hamburger restaurant
(el) campamento de verano	summer camp	(el) idioma	language
(el) clima	climate	inolvidable	unforgettable
(el) conocimiento	knowledge	(las) instalaciones	facilities
(el) corazón	heart	(el/la) jugador/a	player

en cuanto a	as regards, as for
cuidar	to look after, mind
descansar	to rest
despertarse	to wake up
diariamente	daily
(la) dieta	diet
(el) dineral	a fortune
enamorarse	to fall in love
enseñar	to teach
(la) enseñanza	teaching

entender	to understand
lujoso	luxurious
mejorar	to improve
(el) nivel	level
(las) novedades	news
ponerse moreno	to get a suntan
probar	to taste, to try
saludable	healthy
(el) trimestre	term
(los) vaqueros	jeans, denims

Situation

Higher Level and Ordinary Level

Imagina que esta es una foto de las vacaciones del año pasado con tu familia. Describe lo que hiciste.

Revision test

1. What do the following words mean?

(a) una enfermedad
(b) enamorarse
(c) el hogar
(d) triste
(e) la vista
(f) madrugar
(g) hay que
(h) amenazar
(i) tener ganas de
(j) saludable
(k) estar en paro
(l) conocido
(m) la lluvia
(n) un regalito
(ñ) la suerte
(o) había
(p) por desgracia
(q) una palabra
(r) mejorar
(s) los vaqueros

2. How would you say the following in Spanish?

(a) a neighbour
(b) without a doubt
(c) gold
(d) incredible
(e) to punish
(f) from time to time
(g) to teach
(h) to pay attention
(i) bridge
(j) heatwave
(k) laptop
(l) language
(m) heart
(n) majority
(ñ) vegetables
(o) weather forecast
(p) social networks
(q) to cry
(r) unforgettable
(s) beer

3. What do the following preterite tense verbs mean?

(a) lloraste
(b) descansamos
(c) me levanté
(d) practicó
(e) leyó
(f) tuvimos
(g) quise
(h) comieron
(i) escribisteis
(j) pudiste
(k) nos enamoramos
(l) empezaron
(m) conduje
(n) ayudaron
(ñ) tocasteis
(o) charlé
(p) saliste
(q) puse
(r) te despertaste

4. How would you express the following in the preterite tense in Spanish?

(a) they ran
(b) she wanted
(c) he got up
(d) we played
(e) I was able
(f) they helped
(g) you helped
(h) he had
(i) we stayed
(j) we put
(k) they went out
(l) she read
(m) I started
(n) they drove
(ñ) you did
(o) we were
(p) they drank
(q) she got angry
(r) they threatened
(s) I punished

5. Express the following in Spanish.

(a) Last summer I went to Spain with my family and my best friend and I had a fantastic time.

(b) I have to say that I think that Spain is a fantastic country and the people are very friendly.

(c) What I liked most about Spain was the weather and I spent the majority of my time sunbathing and swimming in the sea.

(d) I loved the Spanish food and I tasted lots of Spanish dishes. Without a doubt my favourite dish was Spanish omelette.

(e) During the summer holidays I rested and slept a lot because I was very tired after the school year.

(f) I tried to speak Spanish from time to time and I learnt a lot of new words.

(g) I met a group of Spanish teenagers and they helped me with my Spanish.

(h) I think that the shops in Spain were fantastic and I bought presents for all my friends in Ireland.

(i) The bad thing about Ireland is that it's cold and it rains a lot.

(j) There was no time to get bored because there was so much to do.

6. **Translate the following weather expressions into English.**

   (a) Debido a la neblina, la visibilidad es reducida y es peligroso conducir.

   (b) Mañana va a nevar.

   (c) El viento será flojo con una velocidad de diez kilómetros por hora y de dirección noreste.

   (d) Hay posibilidades de chubascos.

   (e) Temperaturas sin cambios en el resto de la Península.

   (f) El cielo permanecerá poco nuboso.

   (g) La probabilidad de precipitaciones es baja.

   (h) Vientos fuertes del suroeste.

   (i) Cielos cubiertos con precipitaciones débiles.

   (j) En Canarias se esperan chubascos en el norte y sol en el sur.

7. **Dialogue**

   The summer holidays are just over and you went back to school today. Complete in Spanish your side of the following dialogue:

   Pablo: Hola, ¿qué tal? ¿Qué hay de nuevo?

   Tú: Say that you are well and that you went back to school today.

   Pablo: Yo también. ¡Qué rollo! Me encantan las vacaciones y lo pasé fenomenal. ¿Fuiste de vacaciones?

   Tú: Say that you spent three weeks in Valencia with your best friend's family. Unfortunately the weather was bad but you enjoyed yourself. Say what you liked most about Spain was the people. Everyone was very friendly.

   Pablo: ¿Aprendiste mucho español?

   Tú: Say that you learnt a lot of Spanish. Say that you met a Spanish girl who helped you with your Spanish and that you practised every day with her.

   Pablo: ¿Y te gustó la comida española?

   Tú: Say that you didn't like the Spanish food because you think that they eat too much fish. Say that you tasted paella but you thought it was horrible. Say that when you came home, your mother cooked potatoes, ham and carrots for you.

   Pablo: ¿Y estás contento de volver al colegio?

   Tú: Say that you found it difficult to go back to school but that you were happy to see your friends. Say that you plan to work hard this year because you want to go to university when you finish school and it is very important to get good results.

Mi Colegio

At the end of this unit you will be able to:

- Talk about your school, the facilities, the students, the teachers, the rules, your subjects
- Talk about your daily routine

Vocabulary:

- School
- Clothes

Exam practice:

- Reading comprehension
- Listening comprehension
- Informal letter writing
- Opinion writing
- Oral practice
- Diary entries

Grammar:

Present tense of:

- Regular verbs
- Irregular verbs and radical-changing verbs
- Reflexive verbs

Mi colegio

La educación y el colegio juegan un papel muy importante en la vida de los adolescentes. Entre las edades de cuatro y dieciocho años, una persona pasa una enorme parte de su vida en el colegio. Es verdad que hay muchos jóvenes que lo pasan bien en el colegio pero también hay otros que no soportan la vida escolar.

 Comprehension

Higher Level and Ordinary Level

Lee lo que estas personas tienen que decir sobre sus colegios y responde las preguntas correspondientes.

Experiencias   (Mi Blog) (Sígueme) (Archivos descargables)

John

Voy a un colegio mixto que está en las afueras de Cork. Mi colegio está a unos seis kilómetros de mi casa y voy en autobús. El edificio es de tres pisos, es muy grande y bastante moderno. En la planta baja están la sala de profesores y la oficina del director. Hay dos laboratorios de ciencias y una sala de ordenadores en el primer piso. Mi aula está en el tercer piso. Me gusta mucho mi colegio porque tengo un montón de amigos, las instalaciones deportivas son excelentes, hay un ambiente fenomenal y todo el mundo se lleva bien. Soy muy deportista y juego al baloncesto y al hockey. Mi equipo de baloncesto entrena a la hora de comer los lunes y los jueves, y muy a menudo jugamos partidos contra otros colegios. Hay 790 alumnos y 50 profesores en mi colegio. En general, la conducta de los alumnos es muy buena pero hay algunos alumnos que se comportan mal en clase. La mayoría de los profesores son simpáticos y comprensivos y nos tratan bien. No me gusta mi profesor de español, nos pone muchos deberes y nos riñe mucho. Mi asignatura favorita es la Biología porque es muy interesante y el profesor explica bien las cosas. Tengo mucha suerte porque no tenemos que llevar uniforme pero hay muchas otras reglas, por ejemplo: no se puede comer chicle, los móviles están prohibidos y hay que llegar a tiempo.

1. What kind of school does John go to?
2. How does he describe the building?
3. Where is the principal's office situated?
4. Name one room situated on the first floor.
5. Why does he like his school? (Give **two** reasons.)
6. When does his basketball team train?
7. How many students are there in the school?
8. Why does he not like his Spanish teacher?
9. Why is Biology his favourite subject?
10. What rules does he mention?

Experiencias

Mi Blog   Sígueme   Archivos descargables

Anne

Mi colegio está en el centro de Dublín y es un colegio solo de chicas. No me gusta mi colegio porque es muy antiguo y no tiene instalaciones modernas. Los profesores son bastante estrictos y nos castigan si nos comportamos mal. Si nos ven usar los móviles en clase, nos los quitan y tenemos que pagar una multa. ¡Es ridículo! Tengo que llevar uniforme: una falda gris, una camisa blanca y un jersey azul marino. No se pueden llevar zapatillas de deporte o piercings. Tenemos ocho clases al día y cada clase dura cuarenta minutos. Mi asignatura favorita es el Español, que llevo estudiando desde hace cinco años, y me parece muy fácil. No se me dan bien las Matemáticas, son muy difíciles y aburridas. Las clases empiezan a las nueve y terminan a las cuatro menos diez. Todas las tardes me quedo en el colegio para estudiar y suelo volver a casa a las seis y media. A decir verdad, odio el colegio por sus reglas tan ridículas y esos profesores tan aburridos. ¡Tengo muchas ganas de terminar! Lo que más me gusta es el recreo porque puedo charlar y reírme con mis amigos.

1. What two reasons does Anne give for not liking her school?
2. What are the teachers like?
3. What happens if the teachers catch the students using their mobiles?
4. Describe her uniform.
5. Mention one thing the students are not allowed to wear.
6. How many classes do they have each day?
7. How long has she been studying Spanish?
8. What does she think of Maths?
9. What time do classes finish?
10. What does she do after school?

 # Nota cultural

La educación obligatoria en España dura hasta los 16 años. El **Bachillerato** se estudia durante 2 cursos, normalmente a continuación de la ESO (Educación Secundaria Obligatoria que dura 4 años). Hay tres modalidades distintas de Bachillerato: *Artes, Ciencias y Tecnología, Humanidades y Ciencias Sociales*. Se puede cursar el Bachillerato en horario diurno (durante el día) con un horario de 8.30 a 14.15 o en horario nocturno (desde las 18 o 19 hasta las 22.45 o 23.45). La duración de las clases es de 50 minutos.

Experiencias

Mi Blog   Sígueme   Archivos descargables

Mark

Voy a un colegio de chicos que está en un pueblo pequeño cerca de la ciudad de Wexford. No es un colegio grande, hay unos 400 alumnos y 30 profesores. El edificio es muy antiguo y las instalaciones están pasadas de moda pero no me importa. A pesar de la presión de la Selectividad, estoy muy contento en el colegio. No puedo imaginarme la vida sin colegio y el año que viene voy a echarlo de menos. Las clases empiezan a las nueve menos diez y terminan a las cuatro menos veinte; hay un recreo a las once y comemos a la una. Está prohibido salir del colegio durante los recreos, no entiendo por qué. Lo único que no me gusta de mi colegio es el uniforme, el color es horrible. Pienso que las reglas son justas; en general, todo el mundo las respeta y no hay problemas de disciplina. Me llevo bien con mis compañeros de clase y con la mayoría de mis profesores. De vez en cuando tengo problemas con mi profesora de Historia porque me parece difícil* aprender todo lo que nos explica. Sin duda mi asignatura favorita es la Contabilidad, me resulta bastante fácil* y cuando termine el colegio quiero estudiar para ser contable. Estoy muy concentrado en mis estudios porque quiero aprobar los exámenes con buena nota y por eso estoy trabajando mucho este año. Cuando era más joven, pasaba mucho tiempo hablando en clase y molestando a los otros pero ahora estoy muy motivado. Llevo cinco años en este colegio y tengo que decir que me gusta mucho. Me entristece pensar que me queda poco para terminar esta etapa.

1. Where does Mark go to school?
2. What are the building and the facilities like?
3. What does he say about next year?
4. What are students not allowed to do at breaktime?
5. What is the only thing he doesn't like about school?
6. Why does he mention his History teacher?
7. What is his favourite subject? Why?
8. Why is he very focused on his studies?
9. What was he like when he was younger?
10. What saddens him?

GLOSARIO

**me resulta (fácil/difícil)/
me parece (fácil/difícil)**   it's easy/hard for me

Nota cultural

En el pasado, en los colegios e institutos el **uniforme** escolar era un símbolo exclusivo de los colegios privados, pero hoy en día cada vez más escuelas públicas de todo el país los están implantando en sus aulas. En la actualidad hay unos 350 colegios públicos que utilizan uniforme. Cada colegio tiene un uniforme diferente, siendo el uniforme de las chicas generalmente una falda, un jersey, una blusa, medias y zapatos; y el de los chicos: unos pantalones, un jersey, una camisa, calcetines y zapatos.

 Listening

El colegio

Higher Level and Ordinary Level

Escucha a estas dos personas hablando sobre sus colegios y responde las siguientes preguntas:

A
1. Where is this student's school situated?
2. How does he get there?
3. Does he like going to a mixed school?
4. What are the facilities like?
5. Describe his uniform.
6. Why does he like wearing a uniform?

B
1. Where is this student's school situated?
2. How many students and teachers are there in her school?
3. Would she like to be in a mixed school?
4. What is the building like?
5. What facilities do students have?
6. What does she say about the food?
7. Why does she mention Fridays?

 Listening

Descripción del colegio

Note: Review the vocabulary on page 55 before completing this exercise.

Higher Level and Ordinary Level

Listen to this person describing her school in detail and answer the following questions:

- Where is the school located?
- When was it built?
- How long has she been in the school?
- How many students are there?
- How does she get to school?
- At what time do classes start?
- Name one good thing and one bad thing about the uniform.
- What subjects does she study?
- What does she do during the break?
- What time is lunch at?

- What does she do during lunch?
- How many classes does she have each day?
- What's her English teacher like?
- What's her History teacher like? ~~Irish~~
- Who is her favourite teacher? Irish
- What does she say about Irish?
- What does she say about History?
- What is her favourite subject?
- What does she say about Spanish? ~~she likes it~~
- What facilities are there? library, gym, canteen

Práctica

Express the following in Spanish:

(a) I go to a mixed school that is situated in the suburbs of a big city, 5 km away from my house.

(b) School makes me happy because I have lots of friends and the atmosphere is fantastic.

(c) I don't like school because there are too many rules and the majority of them are ridiculous.

(d) What I like most about my school are the sports facilities. I am very sporty and in my school you can practise many sports.

(e) The only thing I don't like about school is the homework. Every day the teachers give us a load of homework.

(f) I work hard at school because I want to get good results. When I finish school I want to go to university.

(g) The good thing about the uniform is that there is no pressure to be fashionable but the bad thing is that you can't express your personality.

 **Pairwork**

Higher Level and Ordinary Level

Pregunta a tu compañero/a.

1. ¿Cómo se llama tu colegio?
2. ¿Dónde está situado?
3. ¿El edificio es moderno o antiguo?
4. ¿Cuánto tiempo llevas en este colegio?
5. ¿Te gusta tu colegio?
6. ¿Cuántos alumnos hay?
7. ¿Cuántos profesores hay?
8. ¿Cuántos alumnos hay en cada clase?
9. ¿Es un colegio mixto?
10. ¿Cómo son las instalaciones?
11. ¿Se pueden practicar muchos deportes?
12. ¿Hay muchas actividades extraescolares?

 **Writing**

Higher Level and Ordinary Level

Letter

Write a letter to your friend in Spain. Include the following:

- Say where your school is located.
- Say how you get there.
- Say how many students and teachers there are.
- Say what the building is like.
- Talk about the facilities.
- Mention one thing you like about school and one thing you don't like.

Repaso – Mi colegio

Repasa el vocabulario relacionado con el colegio y asegúrate de que entiendes todas las palabras.

MI COLEGIO

LAS ASIGNATURAS	MIS PROFESORES SON...	ACCIONES
(el) Inglés	simpáticos	Nos motivan.
(el) Irlandés	antipáticos	Nos tratan bien/mal.
(el) Español	trabajadores	Nos castigan.
(el) Francés	comprensivos	Nos gritan.
(el) Alemán	perezosos	Nos ayudan.
(el) Italiano	jóvenes	Nos enseñan bien.
(el) Japonés	mayores*	Nos dan muchos deberes.
(la) Historia	estrictos	Explican bien/mal las cosas.
(la) Geografía	severos	Se me da(n) bien ...
(las) Ciencias	relajados	Se me da(n) mal/fatal ...
(la) Biología	dedicados	La asignatura que más me gusta es ...
(la) Física	autoritarios	La asignatura que menos me gusta es ...
(la) Química	justos	Lo/la encuentro fácil/ difícil.
(la) Economía	dinámicos	Me resulta fácil, difícil ...
(la) Contabilidad	aburridos	Saco buenas notas en ...
(la) Educación Física	interesantes	Saco malas notas en ...
(la) Religión	agradables	
(el) Hogar	desagradables	
(el) Dibujo/el Arte	abiertos	
(el) Dibujo Técnico	reservados	
(la) Tecnología	pesados	
(la) Música		
(la) Informática		
(los) Negocios		
(las) Matemáticas		
(la) Carpintería		
(la) Metalurgia		

En España se usa el adjetivo ´mayor´ para describir a personas porque el adjetivo ´viejo/a´ tiene connotaciones negativas.

Comprehension

Higher Level and Ordinary Level

Read what the following people have to say about their school subjects and answer the questions in Spanish.

Experiencias Mi Blog   Sígueme   Archivos descargables

Andrew

Estudio siete asignaturas de las cuales Irlandés, Inglés y Matemáticas son obligatorias y después he elegido Negocios, Biología, Hogar e Historia. Se me dan bien los Negocios y la Historia. La asignatura que menos me gusta es la Biología, las clases son muy aburridas y hay que estudiar mucho. Me cuesta mucho aprender todo y mis notas de Biología son muy malas. Mi asignatura favorita es el Hogar y cuando termine el colegio me gustaría hacerme cocinero. Me llevo fenomenal con mi profesora de Hogar, le apasiona su asignatura y sus clases son muy buenas. Es una lástima que todos mis profesores no se parezcan a ella. No soporto a mi profesor de Irlandés, es muy estricto y nos pone un montón de deberes todos los días. Si no sacamos buenas notas en los exámenes, nos riñe y a veces llama por teléfono a nuestros padres.

1. ¿Qué asignaturas obligatorias estudia Andrew?
2. ¿Por qué no le gusta la Biología?
3. ¿Qué le gustaría ser en el futuro?

Experiencias Mi Blog   Sígueme   Archivos descargables

Anne

Tengo siete asignaturas: Inglés, Matemáticas, Irlandés, Español, Dibujo, Geografía y Química. Me gusta la mayoría de mis asignaturas pero, sin duda, la que más me gusta es el Inglés. Me parece muy interesante y fácil. Mi profesor de inglés es el mejor profesor en el colegio y es muy dedicado. También me gusta mucho el español porque pienso que es un idioma muy útil y en el futuro me gustaría viajar a los países de habla hispana. Lo malo del español es que tengo que aprender mucho vocabulario todos los días y odio los verbos irregulares. La mayoría de los profesores en el colegio son simpáticos y justos pero tengo que decir que mi profesor de Geografía es una pesadilla. Todos los lunes nos pone un examen y todas las tardes paso una hora y media haciendo los deberes. No es justo porque tengo otras seis asignaturas pero si no hago los deberes el profesor me castiga y me pone trabajo extra.

1. ¿Qué piensa Anne de la asignatura de Inglés?
2. ¿Por qué le gusta el Español?
3. ¿Qué piensa del profesor de Geografía?

Writing

Higher Level and Ordinary Level

Contesta las preguntas siguientes:

1. ¿Cuántas asignaturas estudias?
2. ¿Cuál es tu asignatura favorita? ¿Por qué?
3. ¿Hay alguna asignatura que no te gusta?
4. ¿Cuántos años llevas estudiando español?
5. ¿Te gusta el español?
6. ¿Qué tipo de alumno eres?
7. ¿Sueles sacar buenas notas?
8. ¿Te comportas bien en clase?
9. ¿Los profesores te ponen muchos deberes?
10. ¿Cuántas horas estudias al día?
11. ¿Cómo son tus profesores?
12. ¿Tienes algún profesor favorito? ¿Cómo es?
13. ¿Hay algún profesor que no te gusta?

Comprehension

Lee el siguiente texto y completa los ejercicios.

La escuela, un lugar para superar el trauma del seísmo

El terremoto de Haití provocó la destrucción de todo el sistema educativo del país, con el derrumbe* de 5.000 escuelas y del propio Ministerio de Educación. Desde entonces, UNICEF ha estado trabajando para la reconstrucción de los colegios y tratar que los niños vuelvan a la normalidad lo antes posible, ya que la educación es la vía* principal para la reconstrucción.

Además, la rutina escolar es esencial para restablecer una cierta sensación de normalidad en la vida de los niños, tal y como explica Elizabeth Hyppolite, la directora de la escuela temporal Dalmas 33 Del Gloria, en Puerto Príncipe. A ella asisten* Mackintosh y Freddy Durvier, dos hermanos que el día del terremoto vieron cómo su hogar se derrumbaba ante sus ojos, según cuenta su padre.

'Aquí están con sus amigos, lo que tiene una enorme importancia, y pueden aprender. Es mucho mejor que estén en la escuela y no en su casa, rodeados de* los recuerdos del 12 de enero, o en los campamentos', explica Hyppolite.

(continued)

Hyppolite reanudó la actividad escolar pocos días después de que el terremoto dejara en ruinas el edificio en el que había estado enseñando durante muchos años. Un equipo de ingenieros de UNICEF está haciendo una evaluación del terreno para construir cinco aulas semipermanentes, que contarán también con instalaciones sanitarias y de agua potable*.

'¡Este año sucedieron tantas cosas! Mis hijos me preguntan qué es lo que pasa con Haití. Están muy confundidos', explica Jean André Durvier, el padre de los niños. 'No debemos olvidarnos de los padres, porque ellos también sufren', advierte Hyppolite. 'Muchos niños tiene problemas para sobrevivir, ya que sus padres no cuentan con dinero suficiente.' Por ello, aunque la escuela es una parte esencial para la recuperación, la educadora advierte que las heridas que sufrieron muchos niños no se curarán de la noche a la mañana.

Inmediatamente después del terremoto, UNICEF y sus aliados distribuyeron 1.600 tiendas de campaña para establecer más de 225 espacios temporales de aprendizaje. Además, a partir de abril se pudieron reabrir más de 600 escuelas mediante la distribución de material didáctico y escolar, con lo que en total se beneficiaron 325.000 niños y 42.000 maestros. A este esfuerzo se une el lanzamiento* el 4 de octubre de la campaña *Todos a la escuela*, que ha beneficiado hasta ahora a 720.000 niños en todo el país, 15.000 profesores y 2.000 escuelas.

Una de las prioridades de UNICEF en materia de educación es convertir las escuelas en un espacio donde ayudar a los niños a superar el trauma causado por el desastre, para lo cual la formación* de los profesores es fundamental. UNICEF tiene como objetivo construir 200 escuelas semipermanentes y ayudar junto a otras organizaciones a restaurar las 5.000 escuelas dañadas por* el seísmo. UNICEF tiene previsto invertir este año en tres prioridades claves para la educación: la mejora* del acceso a la educación, la mejora de la calidad, y la inversión en la reforma y regulación del sector. Además se está trabajando muy intensamente en tratar de superar las desigualdades* en el acceso a la educación, que ya existían antes del terremoto en el país, donde 1 de cada 8 niños de edades comprendidas entre los 7 y los 18 años nunca había ido a la escuela.

www.unicef.es

GLOSARIO

(el) agua potable	drinking water
asistir	to attend
dañado por	damaged by
(el) derrumbe	collapse
(la) desigualdad	inequality
(la) formación	training
(el) lanzamiento	launch
(la) mejora	improvement
rodeado de	surrounded by
(la) vía	channel

Higher Level

1. Write in English the meaning, in the context, of the following phrases:

(a) Además, la rutina escolar es esencial para restablecer una cierta sensación de normalidad en la vida de los niños... (paragraph 2)

(b) .... la educadora advierte que las heridas que sufrieron muchos niños no se curarán de la noche a la mañana. (paragraph 4)

(c) UNICEF tiene previsto invertir este año en tres prioridades claves para la educación ..... (paragraph 6)

2. Busca en el texto una palabra/frase en español, que tenga el mismo sentido (más o menos) que las siguientes:

(a) la reedificación (paragraph 1)

(b) imprescindible (paragraph 2)

(c) tenemos que recordar (paragraph 4)

(d) ha ayudado (paragraph 5)

(e) la catástrofe (paragraph 6)

3. As a partial summary of the content of the article, write in English the information requested.

(a) What effect did the earthquake have on education in Haiti?

(b) According to Elizabeth Hyppolite, why is it important for Mackintosh and Freddy Durvier to be back at school?

(c) Give details of the work UNICEF is doing to help get the education system back on its feet.

 ## Comprehension

Lee el texto y contesta las preguntas:

¿Te cuesta levantarte por la mañana? ¿Te sientes cansado? ¿Te falta* energía? Muchos adolescentes llegan tarde al colegio como consecuencia de no poder levantarse a tiempo. Si tardas* mucho en salir de la cama por la mañana es probable que no hayas descansado* bien. Dormir bien es fundamental para la salud*. Por eso, hay que calcular si duermes lo suficiente. Quizás tengas que acostarte más temprano para asegurarte de que duermes al menos ocho horas cada noche. Muchos estudios han demostrado que dos tercios de la población se sienten de mal humor por la mañana porque no han dormido bastantes horas. Para sentirte más fresco por la mañana, antes de ir a la cama, es buena idea tomar un baño para relajar el cuerpo* y la mente*. Es mejor que utilices agua a temperatura media, ni caliente ni fría, templada. Intenta hacer ejercicio por la tarde; como resultado, te sentirás lo suficientemente cansado para dormirte rápidamente. Antes de ir a la cama evita* la cafeína y el alcohol. Pon la alarma lejos del alcance de la mano donde no la puedas apagar*. Mucha genta la apaga y se duerme enseguida sin recordar haberlo hecho. Al sonar la alarma, si tienes que levantarte de la cama para apagarla es menos probable que quieras dormir cinco minutos más.

GLOSARIO

apagar	to switch off	**(la) mente**	the mind
(el) cuerpo	the body	**(la) salud**	health
descansar	to rest	**tardar (en)**	to delay, take a long time
evitar	to avoid		
faltar	to be lacking		

Ordinary Level

1. What do many teenagers do as a result of not being able to get up on time?

2. What is sleeping well necessary for?

3. What percentage of the population feel bad-humoured in the morning?

4. What kind of water should you bathe in?

5. How will you feel if you exercise in the evening?

6. Where should you put your alarm clock? Why?

 **RECUERDA**

Opinion writing

Opinion writing, otherwise known as the link question, appears on the Higher Level paper. You are asked to write your opinion about a topic which is linked to one of the reading comprehensions. Your answer should be 80 to 150 words long. You are given two titles from which you must choose one. This question is extremely important as it is worth 50 marks, which is 12.5 per cent of the total examination.

25 marks are allocated for language and 25 marks for content. It is vital to make sure you stick to the topic and don't go off the point. Good planning will help you write a good answer. Before you start writing plan your answer so as to avoid waffling. Try to write as close to 150 words without going over. You should aim to have five paragraphs:

- An opening paragraph: say whether you agree or disagree with the statement given.

- Paragraphs 2, 3 and 4: each paragraph should have separate argument.

- Closing paragraph: sum up the ideas you have made.

Writing

Higher Level

Opinion

Escribe en español tu opinión (entre 80 y 150 palabras) sobre una de las siguientes afirmaciones:

Todo el mundo necesita la rutina.

o

La educación es la clave para erradicar la pobreza.

Repaso – La ropa

Higher Level and Ordinary Level

1. Lee este vocabulario relacionado con la ropa.

VOCABULARIO

(el) abrigo	trenchcoat	**(el) impermeable**	raincoat
(el) bañador	swimsuit	**(el) jersey**	jumper
(el) biquini	bikini	**(las) medias**	tights
(la) blusa	blouse	**(la) minifalda**	miniskirt
(las) botas	boots	**(los) pantalones**	trousers
(la) bufanda	scarf	**(los) pantalones cortos**	shorts
(la) camisa	shirt	**(el) pijama**	pyjamas
(los) calcetines	sock	**(la) rebeca**	cardigan
(la) camiseta	vest	**(las) sandalias**	sandals
(el) chándal	tracksuit	**(el) sombrero**	hat
(la) chaqueta	jacket	**(el) traje**	suit
(el) cinturón	belt	**(los) vaqueros**	jeans
(la) corbata	tie	**(el) vestido**	dress
(la) falda	skirt	**(las) zapatillas de deporte/deportivas**	running shoes
(la) gorra	cap	**(los) zapatos**	shoes
(los) guantes	gloves		

2. Elige una de las siguientes situaciones y decide qué ropa necesitas llevar en la maleta o mochila.

(a) Un fin de semana de otoño en las montañas

(b) Un fin de semana en la playa

(c) Un fin de semana en un festival de música

Normas escolares

Con la vuelta al colegio, viene la vuelta a las normas. En cada colegio, hay que seguir unas normas determinadas y es algo que a la mayoría de alumnos no les gusta.

Nota: 'normas y reglas' son sinónimos en español.

Comprehension

Higher Level and Ordinary Level

Lee lo que Miguel e Irene tienen que decir sobre las reglas en su colegio y contesta las preguntas que siguen.

Experiencias (Mi Blog) (Sígueme) (Archivos descargables)

Miguel

Los profesores en mi colegio son muy estrictos pero nos tratan muy bien. En mi opinión, una buena disciplina es esencial para aprender. Estoy de acuerdo con la mayoría de las reglas de mi colegio pero creo que no tiene sentido que los chicos tengan que llevar el pelo corto. Otra regla que no me gusta es que tengamos que llevar uniforme. El uniforme consiste en un jersey negro, una camisa blanca, y pantalones negros para los chicos y una falda negra para las chicas; todo el mundo tiene que llevar una corbata gris también ¡Qué ridículo! El uniforme es incómodo y feo. A mi parecer, no es justo obligar a las chicas a llevar falda durante el invierno, cuando hace frío. A muchos jóvenes les gusta expresar su personalidad a través de la ropa que llevan y no es posible hacer esto con el uniforme. Muchos dicen que el uniforme suprime la individualidad del niño e inhibe la creatividad y la libertad.

1. How does Miguel describe the teachers in his school?

2. Why does he think good discipline is essential?

3. Mention **one** rule he does not agree with.

4. Describe the uniform the students in his school have to wear.

5. What difference in uniform is there for boys and girls?

6. Give **one** adjective he uses to describe the uniform.

7. Why is winter mentioned?

Experiencias

Mi Blog Sígueme Archivos descargables

Irene

Hay muchas reglas sin sentido en mi colegio; para empezar, los profesores nos tratan como niños. Tampoco entiendo por qué está prohibido usar los móviles durante los recreos. ¿Y por qué no nos dejan comer en las aulas? Creo que los profesores inventan reglas para castigarnos. En la mayoría de los colegios en Irlanda es obligatorio llevar uniforme. Estoy completamente de acuerdo con esta regla porque creo que el uniforme crea un ambiente más disciplinado y también reduce la presión entre los estudiantes porque con el uniforme todos son iguales. No hay presión por llevar ropa de marca o ir a la última moda. El uniforme evita que algunos estudiantes se sientan inferiores o que sean juzgados por la ropa que llevan. Llevar uniforme da una sensación de pertenencia y claro que es más práctico por las mañanas, porque no tienes que dedicar tiempo a pensar qué ropa vas a ponerte.

1. How does Irene think the teachers teach the students?
2. Mention **two** rules she does not agree with.
3. What kind of atmosphere does Irene think wearing a uniform creates?
4. How does wearing a uniform affect the students?
5. Why are mornings mentioned?

 ## Listening

Normas escolares

Track 1.25

Higher Level and Ordinary Level

Seis estudiantes nos dicen una de las normas en su colegio. Escucha y escribe en inglés las seis que mencionan.

 ## Comprehension

Higher Level and Ordinary Level

En el siguiente texto hay seis normas escolares. Explica en inglés lo que significa cada una de ellas.

- Las ausencias y las tardanzas deberán ser justificadas por los padres por escrito.
- El consumo de tabaco, alcohol o cualquier otra droga está totalmente prohibido.
- Todos los alumnos deberán estar en el colegio diez minutos antes de comenzar las clases.
- Si un alumno daña algún material escolar, será sancionado y tendrá que pagar el coste de la reparación o el reemplazo.
- Los alumnos deben asistir a clases llevando el uniforme escolar correctamente.
- No se debe correr por los pasillos.

 **Pairwork**

Higher Level and Ordinary Level

Responded las siguientes preguntas sobre las reglas de vuestro colegio.

1. ¿Hay muchas reglas en vuestro colegio?

2. En vuestra opinión, para qué sirven las normas escolares?

3. Escribe una lista de seis de las reglas de vuestro colegio

4. ¿Con qué reglas de vuestro colegio no estáis de acuerdo?

5. ¿Qué castigos hay?

6. ¿Se pueden llevar joyas o bistutería en vuestro colegio?

7. ¿Creéis que es justo que muchas chicas en Irlanda tengan que llevar falda para ir al colegio?

Oral

Track 1.26

Higher Level and Ordinary Level

Listen to Harry talking about his school in his oral exam.

me gusta un colegio, tengo mu

1. **¿Te gusta tu colegio?**

    TBH
    La verdad es que me encanta mi colegio, tengo muchos amigos y los profesores son muy *bien* simpáticos. También hay un ambiente fenomenal y todo el mundo se lleva muy bien.

2. **¿Dónde está?** *Rosurey*

    Mi colegio está en las afueras de Dublín, a unos seis kilómetros del centro.

3. **¿Cómo vas al colegio?**

    Como mi casa está muy cerca del colegio, voy todos los días a pie, pero si está lloviendo, mi madre me lleva en coche.

4. **¿A qué hora empiezan las clases por la mañana?**

    Las clases empiezan a las nueve menos veinte de la mañana. Tenemos seis clases por la mañana y tres por la tarde; terminamos a las tres y media.

5. **¿Qué instalaciones deportivas tenéis?**

    Tenemos suerte porque las instalaciones son excelentes. Hay un gimnasio, dos campos de fútbol y una pista de tenis. *una piscina* *Pitch* *court* *campos de rugby de hurling*

6. **¿Qué otras actividades ofrece tu colegio?**

    Se pueden hacer muchas actividades extraescolares: hay un club de debates, un coro y muchas otras cosas. Como soy muy deportista, me gusta practicar deporte después del colegio.

    una orcesta

7. **¿Cómo son los profesores?**

Me llevo bien con la mayoría de mis profesores aunque no me gusta mi profesor de inglés porque siempre está de mal humor y nos castiga sin razón. Sin duda el profesor que más me gusta es el profesor de español, me ayuda y me anima mucho.

8. **¿Tienes que llevar uniforme?**

Sí, tengo que llevar uniforme. Consiste en unos pantalones grises, una camisa blanca, una corbata roja, un jersey verde y zapatos negros. No me importa llevar uniforme porque es práctico.

9. **¿Hay muchas reglas?**

Sí, hay muchas reglas pero, en general, los alumnos se portan bien. Hay que llegar puntual, no se puede llevar joyas, se debe apagar el móvil durante las clases. Soy un alumno serio y trabajador y no pierdo el tiempo haciendo el tonto en clase. Si quieres sacar buenas notas en el colegio, tienes que prestar atención en clase y estudiar un poquito cada día.

10. **¿Cuál es tu asignatura favorita? ¿Por qué?**

Creo que la mayoría de mis clases son interesantes pero la que más me gusta es la clase de dibujo. Paso mucho de mi tiempo libre dibujando o pintando y mi profesor de arte me ha dicho que tengo mucho talento. Cuando termine el colegio quiero estudiar Bellas Artes*.

GLOSARIO

Bellas Artes   Fine Arts

 **Pairwork**

Higher Level and Ordinary Level

Practise asking and answering the above questions with your partner.

 **Listening**

Track 1.27–28

Los iPads en los colegios

Escucha esta noticia sobre los iPads en los colegios y contesta las preguntas.

Ordinary Level

1. In what country are there schools where the use of iPads has become obligatory?
2. How much does an iPad cost?
3. How much does an iPad weigh?
4. What is a stylus?
5. Who would like the app Lyrics World?
6. What **two** dates are mentioned?

Higher Level

1. What would a lot of Spanish and Irish schools like to do?
2. What can students who don't have a lot of money do?
3. What obvious advantage does an iPad have regarding its weight? (Give **full** details.)
4. When using Noteshelf, what can you write with?
5. What negative point is mentioned about the application Solar System?
6. Mention two details about Lyrics World.
7. What will you get free if you buy an iPad?

 El presente – The present tense

We use the present tense to talk about things that we do every day, e.g. **I get up at seven** and **I go to school.**

When studying the present tense, we have to include the following:

1. Regular verbs
2. Irregular verbs and radical-changing verbs
3. Reflexive verbs

1. Regular verbs

-ar verbs	-er verbs	-ir verbs
trabaj**o**	com**o**	viv**o**
trabaj**as**	com**es**	viv**es**
trabaj**a**	com**e**	viv**e**
trabaj**amos**	com**emos**	viv**imos**
trabaj**áis**	com**éis**	viv**ís**
trabaj**an**	com**en**	viv**en**

A. Common -ar verbs

ahorrar	to save	intentar	to try
alquilar	to rent	invitar	to invite
andar	to walk	lavar	to wash
apagar	to turn off, put out	limpiar	to clean
arreglar	to tidy, to fix	luchar	to fight
ayudar	to help	llamar	to call
bailar	to dance	llegar	to arrive
bajar	to go down, to get off (a bus, etc.)	llevar	to bring, carry, wear
		llorar	to cry
buscar	to look for	mandar	to order, to send
cambiar	to change	mirar	to look at
caminar	to walk	montar	to climb
cantar	to sing	nadar	to swim
cenar	to dine, have dinner	necesitar	to need
cocinar	to cook	olvidar	to forget
comprar	to buy	organizar	to organise
cortar	to cut	pagar	to pay
cruzar	to cross	parar	to stop
dejar	to leave, let	pasar	to spend, happen
deletrear	to spell	pintar	to paint
desayunar	to have breakfast	practicar	to practise
descansar	to rest	preguntar	to ask
desear	to wish, want	preparar	to prepare
dibujar	to draw	repasar	to revise
enseñar	to teach, show	robar	to rob, steal
entrar	to enter	secar	to dry
enviar	to send	sospechar	to suspect
estudiar	to study	terminar	to finish, end
escuchar	to listen to	tocar	to touch, play (an instrument)
esperar	to hope, wait		
explicar	to explain	tomar	to take
firmar	to sign	trabajar	to work
fumar	to smoke	usar	to use
ganar	to earn, win	utilizar	to use
gastar	to spend	viajar	to travel
hablar	to talk, speak	visitar	to visit

Práctica

1. Say what the following mean:

(a) tomamos   (b) visito   (c) pinto   (d) prepara   (e) preguntas

(f) ganáis   (g) olvidas   (h) caminan   (i) cantamos   (j) bailo

(k) paran   (l) no ayudamos   (m) estudiamos   (n) cena   (ñ) dibujan

(o) explicáis   (p) no compro   (q) intentas   (r) gasta   (s) ¿descansas?

2. Express the following in Spanish:

(a) he works   (b) Do you clean?   (c) they travel   (d) we spell

(e) we look at   (f) she cuts   (g) she practises   (h) you (pl) talk

(i) he touches   (j) you finish   (k) they need   (l) we help

(m) we don't listen   (n) I revise   (ñ) they arrive   (o) he looks for

(p) he cooks   (q) they cry   (r) you don't invite   (s) I wash

B. Common -er verbs

aprender	to learn	deber	to have to
barrer	to sweep	esconder	to hide
beber	to drink	leer	to read
comer	to eat	prometer	to promise
comprender	to understand	romper	to break
correr	to run	toser	to cough
creer	to believe	vender	to sell

Práctica

1. Say what the following mean:

(a) come   (b) rompo   (c) vendemos   (d) escondes   (e) no corro

(f) debemos   (g) ¿prometéis?   (h) aprenden   (i) tose   (j) beben

2. How would you say the following in Spanish?

(a) she breaks   (b) they run   (c) we learn   (d) Do you understand?

(e) they sell   (f) we read   (g) he has to   (h) I cough

(i) you (pl) eat   (j) I believe

C. Common -ir verbs

abrir	to open	permitir	to allow
admitir	to admit	prohibir	to prohibit
cubrir	to cover	recibir	to receive
discutir	to discuss, fight	subir	to go up, get on (a bus, etc.)
escribir	to write	sufrir	to suffer
insistir	to insist	vivir	to live

Práctica

1. What do the following mean?

(a) recibimos   (b) no viven   (c) escribe   (d) cubre   (e) abrimos

(f) ¿sufres?   (g) escribo   (h) permitís   (i) discuto   (j) admites

2. How would you say the following in Spanish?

(a) she opens   (b) they suffer   (c) do you write?   (d) you (pl) argue

(e) he admits   (f) we cover   (g) they don't allow   (h) I open

(i) we prohibit   (j) do they live?

3. Translate the following sentences into Spanish.

(a) The shopping centre opens at 9 o'clock on Saturday.

(b) She learns her irregular verbs every day.

(c) I clean the kitchen after dinner.

(d) My mother buys me new clothes every Christmas.

(e) Every summer we rent a house in Spain.

(f) She often sends emails to her brother who lives in Australia.

(g) Do you understand the homework?

(h) Sometimes my sister helps me with my school work.

(i) I work in a shop at the weekend and I earn e50.

(j) My brothers swim and paint in their free time.

2. Irregular verbs

A good knowledge of irregular verbs is essential to do well. These verbs do not follow any rules and must be learnt separately.

They can be divided into three different groups:

A. Completely irregular verbs

ser	estar	ir
soy	estoy	voy
eres	estás	vas
es	está	va
somos	estamos	vamos
sois	estáis	vais
son	están	van

B. Radical-changing verbs

A radical-changing verb is a verb which has a spelling change. This change occurs in the final vowel of the stem (the infinitive without the **-ar**, **-er** or **-ir**) and it only affects the I, you, he/she and they parts of the verb. There is no change in the we and you plural.

Radical-changing verbs can be divided into 4 groups: (i) **o** to **ue** (ii) **e** to **ie** (iii) **e** to **i** and (iv) **u** to **ue**.

(i)   o to ue radical-changing verbs

For our example we will take the verb **encontrar** (to meet/to find). Let's take the stem, which is the infinitive minus the **ar**, in this case **encontr-**. The **o** is the last vowel and so this is where the change will occur.

encontrar
enc**ue**ntro
enc**ue**ntras
enc**ue**ntra
encontramos
encontráis
enc**ue**ntran

¡OJO!

Remember: the change only affects the *I, you, he/she* and *they* parts of the verb.

We and *you* plural remain unchanged.

Práctica

Conjugate the following six verbs:

poder	to be able to, can	**volar**	to fly	**volver**	to return
querer	to want	**preferir**	to prefer	**divertirse**	to enjoy oneself

More o to ue radical-changing verbs:

acordarse	to remember		mostrar	to show
acostarse	to go to bed		mover	to move
almorzar	to have lunch		probar	to taste, try on
apostar	to bet		recordar	to remember
colgar	to hang		rogar	to beg, plead
contar	to tell, relate		sonar	to ring
costar	to cost		soñar	to dream
dormir	to sleep		torcer	to twist

Práctica

Express the following in Spanish:

(a) he dreams
(b) she returns
(c) we show
(d) they remember
(e) you ring
(f) she dies
(g) it rains
(h) they go to bed
(i) you (pl) have lunch
(j) it costs
(k) we move
(l) I remember
(m) she sleeps
(n) you are able
(ñ) we tell

(ii) e to ie radical-changing verbs

We will use the verb **empezar** (to start) as our example. We will take the stem: **empez-** (the second **e** is where the change will occur and we will add the endings).

empezar
emp**ie**zo
emp**ie**zas
emp**ie**za
empezamos
empezáis
emp**ie**zan

Other examples:

advertir	to warn	herir	to wound
ascender	to ascend, go up	hervir	to boil
calentar	to warm, heat up	invertir	to invest
cerrar	to close	manifestar	to demonstrate
comenzar	to start	mentir	to lie
convertir	to convert	pensar	to think
defender	to defend	perder	to lose, miss
descender	to descend, go down	recomendar	to recommend
despertarse	to wake up	sentarse	to sit down
encender	to switch on, light	sentirse	to feel
entender	to understand	sugerir	to suggest
gobernar	to govern	temblar	to tremble

Práctica

Express the following in Spanish:

(a) he loses
(b) she wakes up
(c) they warn
(d) we defend
(e) Do you think?
(f) it snows
(g) you (pl) sit down
(h) I lie
(i) they understand
(j) we enjoy ourselves
(k) he switches on
(l) we close
(m) she recommends
(n) I descend
(ñ) you (pl) govern

(iii) e to i radical-changing verbs

This change only occurs in **-ir** verbs.
Let's use the example **pedir** (to ask for).
The stem is **ped-, e** is the vowel that
will change:

pedir
pido
pides
pide
pedimos
pedís
piden

Práctica

Conjugate the following six verbs:

reír to laugh   **elegir** to choose   **vestirse** to get dressed

Other examples of e to i radical-changing verbs:

conseguir*	to achieve, obtain
corregir*	to correct
despedir	to sack
despedirse	to say goodbye
impedir	to prevent
medir	to measure
reír	to laugh
repetir	to repeat
seguir	to follow, continue
servir	to serve
sonreír	to smile

¡OJO!

*Note that some verbs may have a slight change in spelling so that the pronunciation stays the same throughout the conjugation:

1. From **gu to g**: verbs whose infinitive ends in –**guir** drop the –**u** before an –**a** or an –**o**. Example: **conseguir**: consigo, consigues, consigue…

2. From **g to j**: verbs whose infinitive form ends in –**gir** change from –**g** to –**j** before an –**a** or an –**o**. Example: **corregir**: corrijo, corriges, corrige…

Práctica

Express the following in Spanish:

(a) she follows   (b) we smile   (c) they repeat   (d) I get dressed
(e) you (pl) measure   (f) we correct   (g) he chooses   (h) I laugh
(i) we prevent   (j) you say goodbye

(iv) u to ue radical-changing verbs

There is only one verb in this group: **jugar**.

We will take the stem **jug-** (the **u** is where the change will occur and we will add the endings).

C. Verbs only irregular in the 1st person singular form *yo*.

conocer	to know/be aquainted (with people and places)	**conozco**, conoces, conoce, conocemos, conocéis, conocen
caer	to fall	**caigo**, caes, cae, caemos, caéis, caen
traer	to bring	**traigo**, traes, trae, traemos, traéis, traen
hacer	to do/to make	**hago**, haces, hace, hacemos, hacéis, hacen
poner	to put	**pongo**, pones, pone, ponemos, ponéis, ponen
salir	to leave/to go out	**salgo**, sales, sale, salimos, salís, salen
tener*	to have	**tengo**, tienes, tiene, tenemos, tenéis, tienen
decir*	to say/to tell	**digo**, dices, dice, decimos, decís, dicen
venir	to come	**vengo**, vienes, viene, venimos, venís, vienen
dar	to give	**doy**, das, da, damos, dais, dan
saber	to know facts	**sé**, sabes, sabe, sabemos, sabéis, saben
ver	to see	**veo**, ves, ve, vemos, veis, ven

The verbs are also radical-changing verbs.

Práctica

1. Translate the following into English.

(a) tenemos (b) viene (c) ven (d) sabes
(e) están (f) conduzco (g) va (h) oís
(i) salen (j) traduce (k) cae (l) vale
(m) no soy (n) ¿Ves? (ñ) vais (o) pertenecen
(p) hacéis (q) dicen (r) conocen

2. How would you say the following in Spanish?

(a) we put (b) she has (c) they see (d) we give
(e) he goes (f) he doesn't hear (g) we go out (h) she belongs
(i) I do/make (j) we see (k) he is (l) we translate
(m) she drives (n) you (pl) give (ñ) Do you know? (o) they don't have
(p) they go (q) I see (r) we have (s) I say

3. Reflexive verbs

In Spanish a reflexive verb has the pronoun **se** at the end of the infinitive. This can be translated as 'oneself'.

Consider the following: **lavar** (not a reflexive verb) means to wash; **lavarse** (a reflexive verb) means to wash oneself. With a reflexive verb the action of the sentence refers back to the subject and the subject is doing the action to themselves, e.g. *I wash myself* (both subject and object are the same). Compare this to: *I wash the dog.* The subject and object are not the same person and so a reflexive verb would not be used.

lavarse
me lavo
te lavas
se lava
nos lavamos
os laváis
se lavan

¡OJO!

Some verbs can be used reflexively and non-reflexively, e.g. *vestir* to dress and *vestirse* to dress oneself.

Common reflexive verbs

aburrirse	to get bored		hacerse	to become
acordarse	to remember		lavarse	to wash oneself
acostarse	to go to bed		levantarse	to get up
afeitarse	to shave		licenciarse	to graduate
animarse	to cheer up		llamarse	to be called
bañarse	to bathe		llevarse bien/mal	to get on well/ badly
cansarse	to get tired			
casarse	to get married		maquillarse	to put on make up
cepillarse (el pelo/los dientes)	to brush (hair/teeth)		peinarse	to comb
			ponerse	to put on
concentrarse	to concentrate		preocuparse	to worry
despedirse	to say goodbye		quemarse	to burn oneself
despertarse	to wake up		quitarse	to take off
divertirse	to enjoy oneself		sentarse	to sit down
dormirse	to fall asleep		vestirse	to get dressed
ducharse	to shower			

¡OJO!

Some verbs will change meaning when used reflexively eg: *dormir*: to sleep, *dormirse*: to fall asleep, *ir*: to go, *irse*: to leave.

Práctica

1. Say what the following mean.

(a) Se quita la chaqueta.

(b) Nos maquillamos antes de salir.

(c) Se ponen los zapatos.

(d) Las chicas se concentran en sus estudios.

(e) Me aburro mucho en la clase de historia.

(f) Mi padre se afeita todos los días.

(g) De vez en cuando nos levantamos tarde.

(h) ¿Te duchas antes de ir al colegio?

(i) Los chicos se divierten mucho .

(j) Elena se preocupa mucho por el futuro.

2. How would you say the following in Spanish?

(a) The boys take off their shoes when they arrive home.

(b) My mother worries a lot.

(c) Sometimes the children get bored in school.

(d) I don't get up early on Saturdays.

(e) Sometimes when I cook I burn myself.

(f) From time to time I fall asleep in school.

(g) My father gets sick often.

(h) They get tired if they get up early.

(i) Do you put on make up at the weekend?

(j) The children put on their uniform to go to school.

 **Listening**

El tiempo
Track 1.29

Escucha este pronóstico del tiempo y contesta a las preguntas.

Ordinary Level

1. When is this weather forecast for?

2. What will the weather be like this afternoon in the north?

3. What temperatures are mentioned?

Higher Level

1. Why is the centre of the country mentioned?

2. What will the weather be like in the Valencia area?

3. What is said about the temperatures in Andalucía?

4. What will the weather be like in the Canary Islands?

Comprehension

Lee el siguiente texto y responde las preguntas.

Brasil instala chips en los uniformes escolares

Las escuelas públicas de un municipio del noroeste de Brasil controlarán la asistencia* a clase de los alumnos con 'uniformes inteligentes', dotados de* un chip instalado sin coste alguno, con el fin de combatir* el absentismo escolar.

El inédito* programa fue presentado por la alcaldía de Vitoria da Conquista, un municipio de unos 310.000 habitantes ubicado en el estado de Bahía. Con esta iniciativa, la alcaldía dotará en las próximas semanas del Uniforme Escolar Inteligente (UEI), que tendrá el chip en el escudo* de la escuela, a unos 20.000 alumnos de 25 centros municipales para que los padres puedan controlar la asistencia a clase de sus hijos.

El programa requirió una inversión* de 1,2 millones de reales* (unos 660.000 dólares) para la instalación de los dispositivos electrónicos en los uniformes y el equipamiento para llevar el control en los colegios, según la alcaldía.

Con este recurso tecnológico, los padres recibirán avisos a través de mensajes de teléfono cuando sus hijos no asistan a clases. Si un estudiante suma tres ausencias*, los responsables del menor serán llamados a una reunión en el centro escolar, según explicó a Efe el secretario de Educación de Vitoria da Conquista, Coriolano Moraes.

'Teníamos un gran problema de asistencia; había una frecuencia de faltas de un 35 por ciento e incluso algunos niños no acudían a la escuela durante un mes, por eso estábamos buscando desde 2009 una solución junto con los padres', declaró Moraes por teléfono.

Este programa será probado con niños de 6 a 14 años de edad de Vitoria da Conquista y 'tal vez se extienda a nivel federal', según el funcionario. El proyecto responde a la necesidad de mantener a los padres bien informados.

eleconomista.es

GLOSARIO

(la) asistencia	attendance
(la) ausencia	absence
combatir	to fight, combat
dotado de	equipped with

(el) escudo	coat of arms
inédito	unprecedented
(la) inversión	investment
(el) real	Brazilian unit of currency

Ordinary Level

1. What are schools in north-east Brazil hoping to control with 'intelligent uniforms'?

2. Where was this new programme presented?

3. What will the investment of 1,2 million reales be used for?

4. How will parents know that their children are in class?

5. What will happen when a student has been absent three times?

 # Comprehension

Lee el texto y completa los ejercicios.

Un paso fundamental para los niños

El primer día de escuela supone una gran transición para los niños que, acostumbrados a estar en casa con sus familias, pasan a encontrarse en un ambiente extraño*, con gente y niños que no conocen. Esta situación puede provocarles* estrés y ansiedad*. Por eso, entre padres y profesores debe existir compenetración para hacerles sentir cómodos en esta nueva situación. Se debe ser comprensivo, pero sin perder la disciplina.

La escuela se convierte en un lugar donde se complementa la educación que los niños reciben en casa. Este periodo permite que desarrollen* sus capacidades físicas, afectivas y sociales. Según Ana María Pastrana, coordinadora de educación infantil, en el Colegio Nervión de Madrid, al acabar el curso, el cambio que sufren los niños es drástico. Entran siendo bebés y terminan adoptando una actitud independiente.

La adaptación

La llegada al colegio les hace sentir inseguros y reaccionan de muy diversas maneras. Ana María Pastrana asegura que algunos niños, el primer día de colegio están tranquilos porque no saben bien dónde van, pero el segundo día, no se quieren quedar. El 40% aproximadamente se pone a llorar. Cada niño tiene una reacción diferente. Algunos de los recursos* que emplean son los llantos, los pataleos*, intentan escaparse, negarse* a comer, orinarse en los pantalones, son agresivos con sus compañeros o incluso con los propios adultos, etc. Por otra parte, no se presentan diferencias de adaptación entre niños de diferente sexo o cultura. La experta, asegura que las niñas suelen ser un poco más maduras, pero generalmente no hay diferencias entre sexos o razas. Es algo que depende de cada niño.

(continued)

La participación de los padres

Como padres, debemos hablar a nuestro hijo del colegio, enseñarle el sitio antes de comenzar las clases para que sea se vaya ambientando y mantener una relación estrecha con los profesores para que el niño lo perciba y se sienta seguro. Otra medida necesaria es el hábito de levantarlos y acostarlos temprano, ya que deben dormir entre 8 y 10 horas. Además, hay que adaptar los horarios de las comidas a los de la escuela.

Según la especialista, hay madres muy protectoras que incluso se echan a llorar, y otras que siguen las indicaciones que les damos. Lo que deben hacer es no prolongar el periodo de incorporación del niño y actuar con la mayor normalidad posible. Por otra parte, los niños a los tres años no tienen definido el sentido del tiempo, no saben que significa pasado mañana, por eso se les debe ir enseñando antes de ir a la escuela como van a ser algunas de sus nuevas costumbres. También deben aprender a controlar sus ganas de ir al baño y tomar el hábito de relacionarse con otros niños para fomentar* su capacidad de socialización, cómo sucede cuando se les lleva al parque.

Actividades en las aulas

Los profesores de educación infantil establecen una relación cálida y afectuosa con sus alumnos. Ana María Pastrana explica que la tutora se convierte en una segunda mamá. Se pasa mucho tiempo con ellos y se crea un vínculo* estrecho y afectivo. Algunas de las actividades que se realizan en las clases son jugar libremente, cantar, tocar las palmas, realizar figuras con plastilina, hacer dibujos, contar cuentos, etc. La experta asegura que lo que más les gusta es el juego libre y cantar. En algunas ocasiones cuando lloran, las canciones les hacen cambiar la actitud e integrarse poco a poco con sus compañeros en una nueva faceta, que se repite cada año con matices.

facilisimo.com

GLOSARIO

(la) ansiedad	anxiety	**(el) pataleo**	protest
desarrollar	to develop	**provocar**	to cause
extraño	strange, odd	**(los) recursos**	resources
fomentar	to promote, encourage	**(el) vínculo**	a tie, bond
negarse	to refuse		

Higher Level

1. **Answer the following questions in English.**

   (a) Why is the first day of school a big transition for children? (paragraph 1)

   (b) According to Ana María Pastrana, what change occurs in children by the end of the academic year? (paragraph 2)

   (c) What does Ana María Pastrana say about: (i) the first day of school (ii) the second day of school? (paragraph 3)

   (d) In what different ways can children react? (paragraph 3)

   (e) What can parents do to help their child before starting school? (paragraph 4)

   (f) What activities do the children do in class? (paragraph 6)

2. **Write in English the meaning, in the context, of the following phrases.**

   (a) Esta situación puede provocarles estrés y ansiedad. (paragraph 1)

   (b) ... No se presentan diferencias de adaptación entre niños de diferente sexo o cultura. (paragraph 3)

   (c) ... hay que adaptar los horarios de las comidas a los de la escuela. (paragraph 4)

   (d) ... la tutora se convierte en una segunda mamá ..... (paragraph 6)

3. **Busca en el texto una palabra/frase que tenga el mismo sentido (más o menos) que las siguientes:**

   (a) sitio (paragraph 2)

   (b) terminar (paragraph 2)

   (c) distintas (paragraph 3)

   (d) utilizan (paragraph 3)

   (e) huir (paragraph 3)

   (f) empezar (paragraph 4)

   (g) consejos (paragraph 5)

   (h) promover (paragraph 5)

   (i) cariñosa (paragraph 6)

   (j) gradualmente (paragraph 6)

 # Listening

Rutina diaria

Track 1.30–31

Higher Level and Ordinary Level

Escucha a esta persona hablar sobre su rutina diaria y contesta las preguntas que siguen.

1. How many times does this person's mother usually have to call her in the morning?
2. What four things does she do after getting up?
3. What does she usually have for breakfast?
4. What time does she leave the house?
5. Why do she and her sister not chat on the way to school?
6. What does she do before classes start?
7. How long is the break?
8. What does she do during lunch?
9. What does she do when she gets home? (Give **full** details.)
10. What time does she go to bed?

 # Pairwork

Higher Level and Ordinary Level

Ask your partner the following questions about his or her daily routine and then write a paragraph with the answers he/she gives you.

1. ¿A qué hora te despiertas todos los días?
2. ¿Qué haces después de levantarte?
3. ¿Qué sueles desayunar?
4. ¿Cómo vas al colegio?
5. ¿A qué hora empiezan las clases?
6. ¿Cuántas clases tienes al día?
7. ¿Cuánto tiempo dura una clase?
8. ¿Tienes algún recreo por la mañana?
9. ¿A qué hora es el almuerzo?
10. ¿Qué sueles hacer durante el almuerzo?
11. ¿Qué haces después del colegio?
12. ¿Estudias mucho por las tardes?
13. ¿Sales durante la semana?
14. ¿A qué hora te acuestas?

Writing

Higher Level and Ordinary Level

Escribe un párrafo describiendo un día típico tuyo en el colegio empezando con la hora a la que te levantas. El párrafo debe tener de 15 a 20 líneas.

Listening

Boda de Andrés Iniesta y Anna Ortiz

Track 1.32–34

Escucha esta noticia sobre la boda de Andrés Iniesta y Anna Ortiz y contesta las preguntas.

Ordinary Level

1. When is this event taking place?
2. How many people are invited to the civil ceremony?
3. How many people are invited to the wedding reception?
4. Who is Sandro Rosell?
5. What is Estopa?
6. What time is the civil ceremony?

Higher Level

1. Who are:
   (a) Anna Ortiz
   (b) Valeria?
2. Where is the wedding taking place?
3. Where is the wedding reception taking place?
4. The following people are all invited. Mention **one** piece of information about each one:
   (a) Sandro Rosell
   (b) Josep Guardiola
   (c) Vicente del Bosque
   (d) David y José Muñoz
   (e) Iker Casillas
   (f) Sara Carbonero
5. What will the couple do before the wedding reception?

Writing

Higher Level

Opinion

Lee el texto y escribe tu opinión en español sobre el uso de los móviles en el colegio. ¿Los teléfonos móviles deberían estar prohibidos? Justifica tu respuesta. (Escribe entre 80 y 150 palabras.)

Las ventajas y las desventajas de los móviles en el colegio

En muchos colegios los teléfonos móviles están prohibidos o deben estar apagados durante el día en el colegio.

'En mi colegio el uso de los teléfonos móviles está prohibido y yo no estoy de acuerdo con esta regla. Creo que tener los móviles en el colegio es importante para los estudiantes. Si tienen algún problema o no se sienten bien, pueden llamar a sus padres. Los móviles deberían estar apagados en clase porque si suenan, interrumpen a todo el mundo. Pero no entiendo por qué no nos dejan usar los móviles durante los recreos. En mi opinión, el móvil utilizado con responsabilidad tiene muchas ventajas.'

'En mi colegio hay que apagar los teléfonos móviles durante el día pero la mayoría de los alumnos ignoran esta regla y los usan a escondidas. Creo que los teléfonos móviles deberían estar completamente prohibidos en el colegio. Primero, todas las semanas desaparecen muchos móviles en las aulas. Segundo, cuando un alumno está usando su móvil en clase, distrae a todo el mundo. Tercero, hay algunos alumnos que hacen mal uso de los móviles y hacen cosas estúpidas, por ejemplo, graban peleas entre otros alumnos. Es verdad que hoy en día, el móvil es algo imprescindible en nuestras vidas y es difícil imaginar una vida sin móviles pero a mi parecer sería mejor dejarlos en casa.'

Vocabulary list

apagar	to switch off
(la) asignatura	subject
(la) ausencia	absence
castigar	to punish
(el/la) compañero/a de clase	classmate

(el) comportamiento/ (la) conducta	behaviour
comportarse	to behave
dañar	to damage
enseñar	to teach
entristecer	to sadden

estar de acuerdo con	to agree with	(las) notas	grades
estar prohibido	to be forbidden	obligar	to force
gritar	to shout	(el) papel	role
(el) idioma	language	(el) pasillo	corridor
incómodo	uncomfortable	(la) pertenencia	belonging
(las) instalaciones	facilities	(la) pesadilla	nightmare
justo	fair	práctico	handy
juzgado	judged	repasar	to revise
(la) lástima	pity	(la) ropa de marca	designer clothes
madrugar	to get up early	sancionar	to punish
(el) maquillaje	make up	secar	to dry
me cuesta mucho	I find it hard	soportar	to bear, put up with
molestar	to annoy		
mostrar	to show	suspender	to fail
(la) multa	fine	(la) taquilla	locker

Situation

Higher Level and Ordinary Level

Imagina que esta es tu clase. Describe lo que está pasando.

Revision test

1. Say what the following verbs mean.

(a) encienden   (b) oigo   (c) toso   (d) sospechamos
(e) das   (f) se enferman   (g) sueño   (h) trae
(i) levantas   (j) me despierto   (k) mostramos   (l) nadan
(m) me pongo   (n) hiero   (ñ) permiten   (o) se viste
(p) hago   (q) nos casamos   (r) quepo   (s) esconde

2. Conjugate the following verbs:

(a) traducir   (b) despedirse   (c) recomendar   (d) sugerir
(e) bailar   (f) correr   (g) almorzar   (h) discutir

3. Express the following in Spanish.

(a) they worry   (b) we defend   (c) he breaks   (d) I remember   (e) we have lunch
(f) she travels   (g) he is   (h) they come   (i) we insist   (j) I go out
(k) you (pl) do   (l) Do you have?   (m) they say   (n) he seems   (ñ) they taste
(o) I don't understand   (p) you smile

4. What do the following words mean?

(a) la conducta   (b) las reglas ridículas   (c) la contabilidad
(d) los caramelos   (e) rápido   (f) el patio
(g) el aula   (h) me cuesta mucho   (i) un terremoto
(j) una corbata   (k) castigar   (l) las ventajas
(m) no estoy de acuerdo   (n) a mi parecer   (ñ) el día escolar

5. Express the following in Spanish.

(a) sports facilities (b) to shout (c) I'm lucky (d) the majority (e) I find it easy (f) without a doubt (g) it saddens me (h) economic crisis (i) suburbs (j) there is less pressure (k) to pay a fine (l) I'm good at Spanish (m) the teachers motivate and help us (n) I think that (ñ) the bad thing about school is (o) I don't understand why (p) when I finish school

Ordinary Level

6. Diary entry

You have had a very bad day at school. Write a diary entry including all of the following details:

- You got up late this morning and you were late for school.
- You forgot your Spanish homework and your teacher said that he was going to phone your parents.
- You are fed up with school and all the rules.
- The only good thing about school is your friends.

Higher Level

7. Opinion

Escribe en español tu opinión (entre 80 y 150 palabras) sobre la afirmación siguiente:

Los años que pasas en el colegio son los mejores días de tu vida.

TODO SOBRE MÍ

At the end of this unit you will be able to:

- Describe yourself, your looks and your personality
- Describe other people
- Talk about your family life, your relationships with other family members and the rules in your house
- Talk about your friendships and the qualities of a good friend
- Describe your best friend(s) in detail

Vocabulary:

- Revision of numbers
- Appearance and personality

Exam practice:

- Reading comprehension
- Listening comprehension
- Email writing
- Dialogue practice
- Diary entries
- Opinion writing
- Oral practice

Grammar:

- Revision of adjectives: position, agreement, comparative, superlative
- The present perfect tense

Todo sobre ti

Es importante que sepas cómo describirte, especialmente si quieres hacer amigos españoles. Esta es la mejor manera de aprender una lengua.

Comprehension

Higher Level and Ordinary Level

Lee las descripciones de las siguientes personas y rellena en tu cuaderno la siguiente información sobre cada uno:

(a) nacionalidad

(b) edad

(c) fecha de cumpleaños

(d) aspecto físico

(e) color del pelo

(f) color de los ojos

(g) personalidad

(h) gustos.

Experiencias   Mi Blog   Sígueme   Archivos descargables

Rubén

Hola, me llamo Rubén y soy español. Tengo 16 años y nací el 23 de julio de 1997. Vivo en las afueras de Valencia con mi madre, mi abuela y mis dos hermanos. Soy bastante alto y un poco gordo. Tengo el pelo liso y rizado y los ojos verdes. Soy muy deportista y paso todo mi tiempo libre jugando al baloncesto con mis hermanos y mis primos. Me gusta mucho el cine español y la música rock. Pienso que soy una persona madura y responsable. El único defecto que tengo es que a veces puedo ser un poco obstinado.

Experiencias   Mi Blog   Sígueme   Archivos descargables

Paula

Me llamo Paula y vivo en Madrid. Nací en Argentina pero vine a España en 1998. Mis amigos me dicen que soy guapa. No soy ni alta ni baja y tengo el pelo rubio y los ojos marrones. Tengo muchas pecas también. Soy de mediana estatura. Voy a cumplir 18 años el 2 de noviembre. Como estoy en el último año en el colegio no tengo mucho tiempo libre este año pero mi pasatiempo favorito es bailar. Soy muy paciente y organizada y en el futuro me gustaría ser profesora.

(Left margin) Unidad 4 · Español en acción · 86

Experiencias Mi Blog Sígueme Archivos descargables

Javier

Me llamo Javier, pero todo el mundo me llama Javi. Soy español y vivo en un piso pequeño en el centro de Barcelona con mi familia y mis dos gatos. No soy alto pero soy muy delgado. Soy pelirrojo y tengo los ojos azules. Tengo dieciocho años y mi cumple es el 8 de enero. No soy deportista pero estoy loco por la música. Mi grupo preferido es ECDL, es un grupo compuesto por tres muchachos de Madrid. Soy una persona alegre y casi nunca estoy de mal humor. Soy bastante serio y trabajador y en el colegio suelo sacar buenas notas. Mi asignatura favorita es la Música y toco muy bien la guitarra; en el futuro me gustaría ser músico.

Experiencias Mi Blog Sígueme Archivos descargables

Ramón

Me llamo Ramón y soy chileno. Vivo en la capital del país que se llama Santiago. Nací el 17 de marzo de 1997. Soy bajo, de pelo negro y tengo los ojos grises. ¡Pienso que soy guapo! De personalidad, soy una persona segura de sí misma, soy sociable y tengo un montón de amigos. Mi mejor amigo se llama Rafael, es mayor que yo y es muy divertido. También soy muy deportista y me interesan muchos deportes, sobre todo, el fútbol y juego con un equipo en mi barrio. Solemos entrenar tres veces a la semana y jugamos un partido el fin de semana. Cuando termine el colegio, quiero ser futbolista profesional y me gustaría jugar con un equipo español, como el F.C. Barcelona.

Experiencias Mi Blog Sígueme Archivos descargables

Rosa

Hola soy Rosa y acabo de cumplir 17 años. Soy española y vivo en el sur de España con mis padres. Mis padres son de Paraguay pero viven aquí desde hace 22 años. Soy un poco baja, flaca y bastante guapa. Tengo el pelo castaño y largo y los ojos negros. Todo el mundo dice que me parezco mucho a mi madre. Mi cumpleaños es el 26 de noviembre y suelo celebrarlo con mis padres. Me encanta celebrar mi cumpleaños porque suelo recibir muchos regalos. El año pasado, mis padres me regalaron un nuevo portátil. ¡Qué suerte! Soy hija única y tengo un perro que se llama Flamenco. Soy introvertida y pienso que soy honesta y leal.

1. Expresa las siguientes frases en inglés.

(a) Soy una persona madura.

(b) Soy de mediana estatura.

(c) Nunca estoy de mal humor.

(d) Solemos entrenarnos tres veces a la semana.

(e) Acabo de cumplir 17 años.

2. Expresa las siguientes frases en español.

(a) The only fault that I have is that I can be lazy.

(b) My friends tell me that I am funny.

(c) I am mad about sport.

(d) In the future I want to be a doctor.

(e) When I finish school, I want to go to university.

(f) I have just turned 18.

(g) My father is from Paraguay but he has lived here for 18 years.

(h) I look like my father.

(i) My parents gave me money for my birthday last year.

(j) I think that I am quite mature and responsible.

 Groupwork

Higher Level and Ordinary Level

Pregunta a cinco compañeros/as:

- ¿Cómo te llamas?
- ¿Cuántos años tienes?
- ¿Cuándo es tu cumpleaños?
- ¿De dónde eres?
- ¿Cómo eres físicamente?

- ¿Cómo eres de carácter?
- ¿Cómo es tu pelo?
- ¿De qué color son tus ojos?
- ¿Qué te gusta hacer en tu tiempo libre?
- ¿Hay algo que no te gusta hacer?

Repaso – La descripción

Higher Level and Ordinary Level

Escribe una pequeña descripción sobre ti mismo/a con los adjetivos que aparecen en el diagrama de la página siguiente.

La descripción

FÍSICA

llevar

bigote, barba, gafas

estar

bronceado/ moreno, gordo, delgado

tener

una figura fantástica, sobrepeso, bigote, barba, gafas

el pelo
largo, corto, liso rizado, ondulado, rubio, castaño, moreno

los ojos
azules, verdes, marrones, grises, negros, grandes

ser

alto/a, bajo/a, pequeño/a, grande, delgado/a, gordo/a, flaco/a, gordo/a, guapo/a, atractivo/a, feo/a, rubio/a, moreno/a, pelirrojo/a, calvo/a, pecoso/a, de talla mediana, de estatura media

CARÁCTER

Adjetivos negativos

aburrido/a, antipático/a, agresivo/a, ambicioso/a, ansioso/a, arrogante, celoso/a, cobarde, débil, deprimido/a, desagradable, desorganizado/a, despistado/a, egoísta, estricto/a, estúpido/a, interesado/a, irrespetuoso/a, loco/a, maleducado/a, malvado/a, mandón/a, mentiroso/a, mimado/a, molesto/a, nervioso/a, obstinado/a, orgulloso/a, perezoso/a, pesado/a, pesimista, serio/a, severo/a, tacaño/a, temperamental, tímido/a, tonto/a, torpe, triste.

Adjetivos positivos

¡OJO!

Many adjectives have the same form in masculine and feminine, such as those ending in –e, –ista or a consonant such as –l, e.g. *agradable, pesimista, temperamental*

abierto/a, activo/a, adorable, agradable, alegre, amable, amistoso/a, animado/a, apasionado/a, artístico/a, atlético/a, atractivo/a, cálido/a, calmado/a, cariñoso/a, comprensivo/a, confiable, considerado/a, contento/a, creativo/a, deportista, dinámico/a, divertido/a, educado/a, elegante, encantador/a, estudioso/a, extrovertido/a, fiel, fuerte, generoso/a, gracioso/a, hablador/a, honesto/a, inteligente, interesante, introvertido/a, leal, listo/a, loco/a, maduro/a, optimista, organizado/a, paciente, razonable, relajado/a, reservado/a, respetuoso/a, responsable, romántico/a, sensible, simpático/a, sincero/a, soñador/a, tolerante, trabajador/a, tranquilo/a, valiente

Writing

Mira las siguientes fotos y escribe una breve descripción de cada una de las personas.

(a) Paz Vega

(b) Robert Pattinson

(c) Nicole Kidman

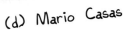

(d) Mario Casas

(e) Justin Bieber

Nota cultural

Paz Vega es una actriz española de series de televisión y cine. Actuó en películas como *Lucía y el sexo*, de Julio Médem, y *Spanglish*, de James L. Brooks.

Mario Casas es un actor español de series de televisión y cine. Actuó en películas como *El camino de los ingleses*, de Antonio Banderas.

Listening

Famosos

Escucha las descripciones de unos famosos y contesta las preguntas que siguen.

A

Ordinary Level

1. In what year was Ricky Martin born? Tick the correct box.
   (a) 1975 ☐   (b) 971 ☐   (c) 1981 ☐
2. Where does he live?
3. What pets does he have?
4. What does Ricky look like?
5. What kind of food does he like?
6. Mention **three** things he likes to do in his free time.

Higher Level

1. Where and when was Ricky Martin born?
2. What do his parents do for a living?
3. What happened when he was two?
4. Mention **three** details about his children.
5. What is he afraid of?
6. What kind of person does he say he is?
7. What is his main fault?

B

Ordinary Level

1. Where was Penelope Cruz born?
2. In what year did she get married?
3. Who is Leo?
4. What does Penelope look like? (Give **three** details.)
5. What are her favourite colours?
6. Mention some of her hobbies.

Higher Level

1. Where and when was Penelope Cruz born?
2. Give some information about her parents.
3. Where does she live?
4. What does she look like? (Give **full** details.)
5. How do we know she has a healthy lifestyle?
6. What does she say about her faults?

C

Ordinary Level

1. When was Fernando Torres born?

2. What does he look like? (Mention **three** details.)

3. In what year did he get married?

4. Where does he live at the moment?

5. What does he like to do when he is not playing football? (Mention **one** detail.)

Higher Level

1. What is Fernando Torres also known as?

2. What is said about his father?

3. What does Fernando look like? (Give **full** details.)

4. When and where did Fernando meet his wife Olalla?

5. Mention **two** things he likes to do when he is not playing football.

6. How do we know that he is a generous person?

 Pairwork

Higher Level and Ordinary Level

Pregunta a tu compañero/a:

1. ¿Dónde y cuándo naciste?

2. ¿Tienes hermanos?

3. ¿A qué se dedican tus padres?

4. ¿Qué te gusta hacer en tu tiempo libre?

5. ¿Qué tipo de persona eres?

6. ¿Tienes defectos?

7. ¿Cómo eres físicamente?

Repaso – Los números

Higher Level and Ordinary Level

Repasa los números en español.

uno	1	diecinueve	19	noventa	90
dos	2	veinte	20	cien	100
tres	3	veintiuno	21	ciento uno	101
cuatro	4	veintidós	22	doscientos/as	200
cinco	5	veintitrés	23	trescientos/as	300
seis	6	veinticuatro	24	cuatrocientos/as	400
siete	7	veinticinco	25	quinientos/as	500
ocho	8	veintiséis	26	seiscientos/as	600
nueve	9	veintisiete	27	setecientos/as	700
diez	10	veintiocho	28	ochocientos/as	800
once	11	veintinueve	29	novecientos/as	900
doce	12	treinta	30	mil	1,000
trece	13	treinta y uno	31	dos mil	2,000
catorce	14	cuarenta	40	tres mil	3,000
quince	15	cincuenta	50	un millón	1,000,000
dieciséis	16	sesenta	60	dos millones	2,000,000
diecisiete	17	setenta	70		
dieciocho	18	ochenta	80		

Práctica

1. Escribe los siguientes números.

(a) quinientos sesenta y tres

(b) ciento treinta y nueve

(c) un millón ocho mil novecientos cuarenta y dos

(d) dos mil ciento dieciséis

(e) cuarenta y cinco mil doscientos setenta y siete

(f) setecientos cincuenta y cuatro

(g) mil novecientos veintiocho

(h) once mil ciento treinta y uno

(i) dos mil quince

(j) doscientos cuarenta y tres mil trescientos noventa y nueve

2. Expresa los siguientes números en español.

(a)	768	(b)	96	(c)	1.867	(d)	2.019	(e)	125.346
(f)	2.000.000	(g)	45. 477	(h)	348	(i)	3.492	(j)	9.014
(k)	4.693.046	(l)	926						

 **Listening**

Números

Higher Level and Ordinary Level

Listen to the following people and answer the questions in English.

A 1. How often does this person play the lottery?
2. What numbers does he play?
3. How much did he win two years ago?

B 1. What year was this person's mother born?
2. How many children and cousins does she have?
3. How many pairs of shoes does she own?

C 1. What is the phone number of this person's girlfriend?
2. How many times a day does he usually call it?

D 1. How many people live in Spain?
2. How many kilometres of coast are there in Spain?
3. How many beaches are there?
4. What is the height of the highest mountain?
5. What is the highest temperature ever recorded in Spain?
6. What date was this temperature recorded?

 **Los adjetivos – Adjectives**

Adjectives are describing words and they give us more information about nouns, e.g. **a blue** car, **a Spanish** flag. Adjectives make our writing more interesting.

In Spanish adjectives must agree in gender (masculine/feminine) and number (singular/plural) with the noun they are describing. The ending of the adjective changes depending on whether the word it is describing is masculine or feminine or singular or plural.

Adjectives which end in -o, e.g. *guapo*

masculine singular	feminine singular	masculine plural	feminine plural
guapo	guapa	guapos	guapas

Adjectives which end in -e, e.g. *interesante*

masculine singular	feminine singular	masculine plural	feminine plural
interesante	interesante	interesantes	interesantes

Adjectives which end in a consonant, e.g. *fácil*

masculine singular	feminine singular	masculine plural	feminine plural
fácil	fácil	fáciles	fáciles

Exceptions:

1. Adjectives that end in **-z**, e.g. *feliz*: in the plural the **'z'** changes to **'c'**, e.g. *el chico feliz, los chicos felices*.

2. Adjectives of nationality: in the feminine form these adjectives have an **'a'** in the singular and **'as'** in the plural.

masculine singular	feminine singular	masculine plural	feminine plural
el chico español	la chica española	los chicos españoles	las chicas españolas
el hombre alemán	la mujer alemana	los hombres alemanes	las mujeres alemanas

3. Adjectives ending in **-án**, **-ón**, **-or** and **-ín**: in the feminine form, these adjectives have **'a'** in the singular and **'las'**, in the plural.

masculine singular	feminine singular	masculine plural	feminine plural
trabajador	trabajadora	trabajadores	trabajadoras
mandón	mandona	mandones	mandonas

Position of adjectives

In Spanish most adjectives come after the noun, e.g. *un coche pequeño*.

The following group of adjectives is an exception to this rule and they are placed before the noun: **alguno**, **bueno**, **malo**, **ninguno**, **primero**, **tercero**. It is also important to note that when these adjectives are used in front of masculine singular nouns, they drop their final **'o'**, e.g. el *tercer piso*.

Some other adjectives change meaning depending on their position:

	before the noun	after the noun
antiguo/a	old	antique, ancient
*gran/grande	great	big
medio/a	half	average
pobre	poor (unfortunate)	poor (no money)
único/a	only	unique
viejo/a	old (long time)	old (elderly)

NOTE: The adjective 'grande' becomes 'gran' if it goes before a noun, e.g. gran persona.

Comparatives

We use adjectives frequently to compare things, e.g.: She is prettier than her sister. History is more interesting than geography.

1. **más que – more than**

   *Mi padre es **más** bajo **que** mi madre.*

   *España es **más** grande **que** Irlanda.*

2. **menos que – less than**

   *El español es **menos** difícil **que** el alemán*

   *La Historia es **menos** interesante **que** la Geografía.*

3. **tan ... como – as .... as**

   *No soy **tan** alta **como** mi hermana.*

   *La solución no es **tan** fácil **como** parece.*

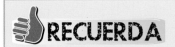

> **RECUERDA**
>
> **Lo + adjective**
> *Lo interesante =*
> the interesting thing
> *Lo bueno =* the good thing

Superlatives

Adjectives that are made more intense are called superlatives. There are two types of superlative in Spanish:

(a) the **superlativo relativo**, which takes the form of **el/la/los/las (+noun) + más + adjective:**

   La chica más guapa. El más aburrido.

(b) **the superlativo absoluto**, which is formed by adding **-ísimo/a/os/as** to the end of the adjective.

   Just drop the final vowel first, e.g. *alto:* *altísimo, altísima, altísimos, altísimas*

   Other examples:

   *content**ísimo/a***

   *aburrid**ísimo/a***

   *pequeñ**ísimo/a***

   *barat**ísimo/a***

¡OJO!
Notice the following irregular comparatives and superlatives:
mejor (better/best)
peor (worse/worst)
menor (younger/youngest)
mayor (bigger/biggest/ older/oldest)

Práctica

1. How would you say the following in Spanish?

(a) The big trees

(b) The good friends

(c) The easiest subject

(d) The best thing

(e) The Irish people

(f) The talkative girls

(g) It's really boring.

(h) The young boys

(i) The cheap house.

(j) My brother is thinner than my father.

(k) It's more enjoyable to be on holidays than to be in school.

(l) Spanish is a really easy subject.

(m) The least expensive country in Europe for holidays is Spain.

(n) His apartment is situated on the third floor.

(ñ) My mother is as strict as my father.

(o) Lots of houses in Spain are white.

(p) Irish culture is famous in the whole world.

2. Look at the picture on the right and write a description of the people. Try to use interesting adjectives and some comparatives and superlatives also.

3. En tu cuaderno, une los adjetivos de la derecha con sus opuestos.

1. generoso/a
2. trabajador/a
3. contento/a
4. aburrido/a
5. fuerte
6. simpático/a
7. valiente
8. guapo/a
9. agradable
10. educado/a
11. tímido/a
12. listo/a

(a) extrovertido/a

(b) interesante

(c) feo/a

(d) maleducado/a

(e) tacaño /a

(f) tonto/a

(g) perezoso/a

(h) desagradable

(i) antipático/a

(j) triste

(k) cobarde

(l) débil

Writing

Contesta las siguientes preguntas:

1. ¿Cómo es tu personalidad?
2. ¿Qué adjetivos te describen?
3. ¿Tienes defectos? ¿Cuáles?

Listening

Los signos del zodiaco

Track 1.42–47

Escucha este pasaje sobre los signos del zodiaco y rellena los huecos en su cuaderno.

Aries – del 21 de marzo al 20 de abril

Los Aries son personas llenas de energía. Son valientes,

(a) _____ y seguros de sí mismos. Les encanta

(b) _____. Defectos: Pueden ser egoístas,

(c) _____ e impulsivos.

Color de la suerte: el (d) _____

Número: el 1

Día de suerte: (e) _____

Géminis – del 21 de mayo al 20 de junio

Los Géminis son muy inteligentes, cariñosos y (f) _____.

Es el signo de los gemelos. Tienen mucha energía y vitalidad.

Defectos: pueden ser tensos, (g) _____ y se distraen fácilmente.

Color de la suerte: el amarillo

Número: el (h) _____

Día de suerte: (i) _____

Virgo – del 23 de agosto al 22 de septiembre

Un Virgo típico es (j) _____, eficiente y considerado. Le gusta mucho ser (k) _____. Defectos: un Virgo se preocupa mucho y puede ser muy crítico.

Color de la suerte: el (l) _____

Número: el 5

Día de suerte: (m) _____

Libra – del 23 de septiembre al 22 de octubre

Los Libra son (n) _____, equilibrados, (ñ) _____ y artísticos. Les gusta mucho el romance. Por desgracia, a un Libra, no le gusta tomar decisiones y pueden ser fácilmente influenciables.

Color de la suerte: el (o) _____

Número: el (p) _____

Día de suerte: (q) _____

Sagitario – del 22 de noviembre al 21 de diciembre

La mayoría de los Sagitario son (r) _____ y sinceros. Les gusta mucho viajar. A veces, pueden ser extravagantes, (s) _____ y fanfarrones.

Color de la suerte: el (t) _____

Número: el (u) _____

Día de suerte: jueves

Piscis – del 21 de febrero al 20 de marzo

Un Piscis es imaginativo, (v) _____, sensible y (w) _____. Piensa en los demás y le gusta ayudar con los problemas. No le gusta el conflicto y puede ser (x) _____

Color de la suerte: el (y) _____

Número: el (z) _____

Día de suerte: jueves

 # Writing

¿Qué adjetivos se usan para describir tu horóscopo? Haz una lista de tus cualidades y de tus defectos. ¿Coinciden con las descripciones anteriores? ¿Crees que los signos del zodiaco pueden influir en tu vida?

 # Pairwork

Pregunta a tu compañero/a:

1. ¿Cómo te llamas?
2. ¿Tienes algún apodo?
3. ¿Cuántos años tienes?
4. ¿Cuál es tu nacionalidad?
5. ¿Cuándo es tu cumpleaños?
6. ¿En qué año naciste?
7. ¿Cuál es tu signo del zodiaco?
8. ¿Cómo eres?
9. ¿Cómo describirías tu personalidad?
10. ¿Cuál es tu mejor cualidad?

 # Writing

Email
Write an email in Spanish introducing yourself. Include your name, age, place, date of birth, star sign, favourite colour, physical description and a description of your personality.

 # Comprehension

La vida familiar

1. Lee lo que dicen las siguientes personas sobre su vida familiar y completa los ejercicios que siguen.

Experiencias

Mi Blog   Sígueme   Archivos descargables

Antonio

Vivo con mis padres y no tengo hermanos. No me importa ser hijo único porque me llevo fenomenal con mi madre. Se llama Ana y tiene 47 años. Pienso que es muy guapa y como a mí, le interesa mucho la moda y siempre viste muy bien. Es bastante alta con el pelo rubio y ondulado, tiene los ojos verdes y una sonrisa muy bonita. Nuestros cumpleaños caen muy cerca y cada año los celebramos juntos con una fiesta íntima en casa con todos nuestros amigos y familiares. Siempre hemos estado muy unidos. Es muy comprensiva y entiende lo que es ser adolescente. También tengo una buena relación con mi padre. Se llama Roberto y es muy relajado. Es alto y tiene los ojos azules. Por desgracia, tiene un poco de sobrepeso porque le gusta mucho comer. Mis padres no son estrictos y la mayoría del tiempo me dejan hacer lo que quiero porque confían en mí y saben que soy responsable. Tengo suerte porque los padres de mi mejor amigo son muy estrictos, no le dejan hacer nada y le tratan como a un niño.

1. What is Antonio's mother like?
2. What is said about their birthdays?
3. What is his father like?
4. Are his parents strict?
5. How do they compare with his best friend's parents?

Experiencias

Mi Blog   Sígueme   Archivos descargables

Javier

Por desgracia mis padres están divorciados y vivo con mi padre y mi hermano menor. Me llevo bastante bien con mis padres pero la vida familiar es bastante difícil. Hay mucha rivalidad entre mi hermano y yo y pasamos mucho tiempo peleándonos. Nuestras peleas hacen desagradable el ambiente en casa. No me van bien los estudios en el colegio porque me cuesta mucho concentrarme. Por otro lado, mi hermano es mejor estudiante que yo y siempre saca buenas notas, por lo tanto mis padres nos comparan constantemente. De veras, me celo mucho de él porque siempre es el centro de atención y me siento ignorado. Mi hermano está mimado y mis padres le dan todo lo que quiere.

1. Why is family life quite difficult for Javier?
2. How is school going for him?
3. Why is he jealous?
4. Find the Spanish for:
   (a) the atmosphere at home
   (b) on the other hand
   (c) I feel ignored

Experiencias Mi Blog Sígueme Archivos descargables

Cristina

Me llamo Cristina y somos cinco personas en mi familia: mis padres, mis dos hermanas y yo, claro. Nuestro abuelo también vive con nosotros. En general, todo el mundo se lleva bien y el ambiente en casa es bueno. La persona con la que mejor me llevo es mi hermana mayor, Elena. Elena no vive con nosotros; su novio y ella viven en un piso alquilado en el centro y voy allí a menudo. Cuando tengo problemas o preocupaciones siempre me da consejos muy útiles. No puedo decir lo mismo de mi hermana menor, Penélope, que es insoportable y me vuelve loca. Nos peleamos todo el tiempo y lo peor de todo es que tenemos que compartir la habitación. Es muy desordenada y deja sus cosas por todas partes. Yo, al contrario, soy muy organizada y quiero que todas mis cosas estén ordenadas. Otra cosa que me molesta es que siempre coge mi ropa sin pedírmela y no me la devuelve. ¡Estoy muy harta de mi hermana! Cuando me quejo a mis padres, no me escuchan. La semana pasada mi hermana les dijo a mis padres que le había dado una patada y no era verdad. Mi padre no me creyó cuando le expliqué que era mentira y me castigó dos semanas sin salir.

1. What's the atmosphere like in this house?

2. What is Elena like?

3. What is Penélope like?

4. In what way are they different?

5. What happened last week?

6. Find the Spanish for:

   (a) She gives me advice.

   (b) She drives me mad.

   (c) Another thing that annoys me...

Experiencias Mi Blog Sígueme Archivos descargables

Alberto

Soy Alberto y vivo con mi familia en un pequeño apartamento en el centro de Málaga. Somos una familia numerosa, somos siete en total: mis padres, mi hermana, mis tres hermanos y yo. Yo soy el del medio. Lo que más me gusta de mi familia es que todo el mundo se lleva bien. Claro, hay que ayudar en casa; todas las mañanas, después de levantarme, hago la cama. Cuando regreso del colegio, suelo sacar los platos del lavavajillas o paso la aspiradora en el salón. Mis padres no son estrictos pero tenemos algunas normas en casa: no se puede poner música demasiado alta, hay que respetar a los otros miembros de la familia y se debe estar en casa antes de las once.

1. Describe Alberto's family.

2. What housework does he do?

3. What are the rules in his house?

4. Find the Spanish for:

   (a) big family

   (b) what I like most about

Experiencias

Mi Blog   Sígueme   Archivos descargables

Pilar

Vivo en Alicante con mis padres y mi hermana menor. La verdad es que no me llevo bien con mis padres y nos peleamos casi todos los días. Me gustaría vivir en armonía con mi familia pero no es posible. A mi madre todo le preocupa: mis amigos, mis notas, mi futuro y me trata como a un bebé. Su opinión es importante para mí pero la verdad es que es súper protectora y no me deja hacer las cosas por mí misma. Quiere estar pegada a mí y quiere saber a todas horas adónde voy y con quién. A mi padre le obsesionan mis notas. Piensa que los estudios pueden ayudarme a tener éxito en el futuro, y sé que tiene razón, pero al mismo tiempo hay cosas más importantes en la vida. Quiero tener más libertad para salir con mis amigos y divertirme. He hablado muchas veces con ellos pero siguen tratándome como a una niña. No sé qué puedo hacer para llevarme mejor con ellos.

1. What things worry Pilar's mother?
2. What does she always want to know?
3. What is her father obsessed with?

4. Find the Spanish for:
   (a) to do things for myself
   (b) to be successful in life
   (c) I know that he's right

2. Expresa las siguientes frases en inglés.

(a) no me importa
(b) una sonrisa muy bonita
(c) por desgracia
(d) me dejan hacer lo que quiero
(e) la vida familiar
(f) me celo mucho de él
(g) un piso alquilado
(h) me vuelve loca
(i) lo peor de todo

Ordinary Level

Escribe las siguientes frases en español.

1. There are four people in my family.
2. I live in a house in the suburbs with my mother and my brother.
3. I get on very well with my father because he is very nice.
4. There are a lot of rules in my house.
5. I share a room with my younger sister.
6. I get on very well with my brother because he is very funny.
7. The atmosphere in our house is excellent.
8. I don't have to share a room with my sister.

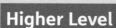

Higher Level

Expresa las siguientes frases en español.

1. I get on really well with everyone in my family and there is a very relaxed atmosphere.

2. The person I get on worst with is my brother because he drives me mad. We spend a lot of time fighting.

3. My parents are very strict and don't give me a lot of freedom. I'm fed up with their rules. I don't understand why they don't trust me and why they treat me like a child.

4. My father doesn't understand that there is a lot of pressure in school and I find it hard to study.

5. I'm lucky because my parents are quite relaxed and let me do what I want. They know that I am a mature and responsible person and they trust me and they treat me like an adult.

6. My brother and I have always been very close. We share a room but we almost never fight.

7. I'm fed up with my parents' rules. I don't understand why I have to be at home at 9 at the weekend. It's not fair.

8. My little sister is really spoilt. She takes my things without asking me and my mother doesn't believe me when I complain.

9. My mother is really nice and we get on fantastically.

10. When I have problems or worries, my father listens to me and gives me advice.

 # Writing

Ordinary Level

Email

Write an email to your friend Ana in Spain.

- Say how many people there are in your family.
- Describe one person in detail.
- Say whether your parents are strict or not.
- Give examples of some rules in your house.
- Say whether or not you fight with brothers and sisters.
- Ask her something about her family.

 **Dialogue**

Higher Level

You are in Spain on holiday and you meet a Spanish person. Complete in Spanish your side of the following dialogue.

Miguel: Hola, me llamo Miguel. ¿Cómo te llamas? ¿De dónde eres? ¿Qué haces en España?

Tú: Say what your name is, say where you are from and tell him that you are on holidays in Spain with your family.

Miguel: ¡Qué bien! ¿Cuántas personas sois en tu familia? ¿Te llevas bien con ellos?

Tú: Say that there are six people in your family: your parents, your two sisters, your brother and yourself. Say that you get on really well with your parents and your sisters but that you fight a lot with your brother because he annoys you alot.

Miguel: ¿Eso es normal, eh? Yo, no me llevo bien con mi padre porque es muy estricto. ¿Tus padres son estrictos?

Tú: Say that your mother is really nice and understanding and that she is a very important person in your life. Say that she is not strict and she trusts you. Say that she gives you advice when you have problems.

Miguel: ¿Y tu padre?

Tú: Tell him that your father can be strict from time to time and that he doesn't let you do anything. Say that he always wants to know where you are going and who you are with. Say that you don't think that it is fair because you are a very responsible person.

Miguel: Yo también soy bastante responsable. Tengo suerte porque mis padres son muy comprensivos, confían en mí y me dejan hacer lo que quiero. La persona con la que peor me llevo es con mi hermana menor porque es mui antipática.

Tú: Tell him that you have to share a room with your older sister. Say that she is really messy and leaves her things everywhere and that drives you mad. Tell him she also takes your things without asking.

 **Pairwork**

Higher Level and Ordinary Level

Pregunta a tu compañero/a:

1. ¿Cuántas personas hay en tu familia?
2. ¿Tienes hermanos?
3. Háblame un poco de uno de tus hermanos/hermanas.
4. ¿Cómo son tus padres?
5. ¿Te llevas bien con tus padres? ¿Y con tus hermanos?
6. ¿Te peleas con alguien de tu familia?
7. ¿Eres el/la mayor/a de tu familia?
8. ¿Quién es el/la mayor de tu familia?
9. ¿Te gustaría ser hijo/a único/a?
10. ¿Tus padres son estrictos?
11. ¿Hay muchas normas en tu casa?
12. ¿Tienes que ayudar en casa?

 Listening

Los Simpson
Track 1.48–50

Listen to this extract about *The Simpsons* and answer the questions.

Ordinary Level

1. What date is mentioned?
2. How many years have *The Simpsons* been on television?
3. What year did the first episode appear?
4. Mention **five** examples of inhabitants of Springfield.
5. What time will this episode air on television?
6. What did Fox organise in Hollywood?
7. How many hours are mentioned?

Higher Level

1. What is the series *The Simpsons* achieving today?
2. How do they look after 23 years?
3. What is the series a satire of?
4. Name the inhabitants mentioned.
5. What is the title of this episode?
6. What did **two** fans do to get their name in the *Guinness Book of Records*?
7. What did they win?

Comprehension

Lee el siguiente artículo y contesta las preguntas que siguen.

Avril Lavigne

Te chocará* un poco, pero su nombre real es Avril Ramona Lavigne. Nació un 27 de septiembre de 1984 en la ciudad canadiense de Belleville. Con cinco años se mudó* a Napanee, un pueblecito* canadiense de la región de Ontario. Avril creció* en un ambiente muy disciplinario, sus padres eran devotos cristianos y de origen francés. Ella habla este idioma a la perfección junto con el inglés. Es la mediana de tres hermanos, Michelle y Matt. Su hermano comparte su pasión por la música, es guitarrista y apareció en su videoclip de *Girlfriend*.

Avril siempre fue una entusiasta de la música, comenzó a cantar desde muy pequeña con su madre al piano, incluso hizo coros góspel en la iglesia. Con 16 años decidió abandonar Canadá y mudarse a Nueva York para inspirarse y escribir. Allí la descubrió una empresa* de cazatalentos* llamada Network y un año más tarde, en 2002 finalmente lanzó* su primer disco, que fue un éxito rotundo* en todo el mundo.

Siempre que puede ayuda en causas humanitarias como la canción que grabó* con Justin Bieber y Nelly Furtado, *Wavin'Flag*, destinada a ayudar a Haití tras el terremoto* Además, ha creado *The Avril Lavigne Foundation R.O.C.K.S.* Estáorganización ayuda a niños y jóvenes con enfermedades graves y discapacitados y pide la colaboración de todos.

Dgirl

GLOSARIO

(el) cazatalentos	a talent scout	**grabar**	to record
chocar	to shock	**lanzar**	to launch
crecer	to grow up	**mudarse**	to move
(la) empresa	firm, company	**(el) pueblecito**	a little village
(el) éxito rotundo	resounding success	**(el) terremoto**	earthquake

Ordinary Level

1. ¿Dónde nació Avril Lavigne?

2. ¿Qué hizo con cinco años?

3. ¿Cómo eran sus padres?

4. ¿Cómo sabemos que Avril siempre fue una entusiasta de la música?

5. ¿Por qué decidió abandonar Canadá y mudarse a Nueva York?

6. ¿Qué pasó en 2002?

7. ¿Por qué grabó una canción con Justin Bieber y Nelly Furtado?

8. ¿A quién ayuda su organización *The Avril Lavigne Foundation R.O.C.K.S*?

 **Listening**

Pocoyó

Track 1.51–53

Listen to this extract about *Pocoyó*, a Spanish animated television series, and answer the questions.

Ordinary Level

1. What age group is *Pocoyó* suitable for?
2. What does Pocoyó normally wear?
3. What colour is Pato?
4. How is Elly described?
5. Who is Loula?
6. What colour is Pajaroto?
7. Why does Elly phone Pocoyó?

Higher Level

1. What is *Pocoyó*?
2. Describe the main character. (Give **full** details.)
3. Mention two details about each of his best friends:
   (a) Pato   (b) Elly   (c) Loula   (d) Pajaroto
4. Why is English mentioned?
5. Describe what happens in the episode *¿Quién está al teléfono?*

 Comprehension

Lee el siguiente artículo y completa los ejercicios que siguen.

Qué hacer con las peleas entre hermanos

Las peleas* entre hermanos suelen ser uno de los motivos de mayores conflictos en la casa, provocándose* en su mayoría por celos*, o por cosas que no tiene demasiado sentido y que más tarde comprenderán. Esto también depende de su edad, pero más allá de que sea entre hermanos pequeños o adolescentes, los padres deben intervenir, y con mucho cuidado para no parecer imparcial* ante la pelea.

Dependiendo de cómo los padres se introduzcan en la pelea, los más pequeños sentirán más celos (aunque sean injustificados) por el otro hermano. La participación de un padre en su pelea, puede a veces ser injustificada, dependiendo del grado de gravedad* que la pelea tenga, por tanto es importante tener en cuenta si ellos pueden solucionarlo solos, o si es necesario ayudarlos.

Es además importante que los padres tengan en cuenta que los niños siempre sienten que un padre, tiene preferencia por su otro hijo y no por ellos, más allá de que en la realidad, no sea así. Es casi fundamental que en la medida que sea necesario, los padres no intervengan en las peleas. Esto les dará la oportunidad a los hermanos de solucionar por sí solos estas peleas, y los preparará para un futuro, para la vida.

Es importante también que los padres enseñen a sus hijos a expresar verbalmente sus sentimientos*, evitando que exploten por otro lado, peléandose entre ellos. Fundamental es que los padres no hagan comparaciones entre sus hijos, demostrándole que uno da el ejemplo y el otro no, y no diciendo 'ves, tu hermano se porta bien' entre otras frases que no suelen caer nada simpáticas entre ellos y que además no contribuye a un crecimiento* sano*, sino que solamente contribuyen a generar más competencia entre ellos.

hoypadres.com

GLOSARIO

(los) celos	jealousy	**(la) pelea**	a fight
(el) crecimiento	growth	**provocarse**	to provoke, cause
(la) gravedad	seriousness	**sano**	healthy
imparcial	impartial, unbiased	**(el) sentimiento**	feeling

Higher Level

1. Answer the following questions in English.

(a) What causes the majority of fights between siblings?

(b) Why are parents advised to intervene carefully?

(c) When can the participation of a parent be unjustified?

(d) Why should parents not make comparisons between their children?

2. Escribe en español las frases del texto que tengan el mismo sentido (más o menos) que las siguientes:

(a) cuidadosamente (paragraph 1)

(b) el nivel de seriedad (paragraph 2)

(c) crear más rivalidad (paragraph 4)

3. Explain in English the meaning of the following in their context.

(a) Las peleas entre hermanos suelen ser uno de los motivos de mayores conflictos en la casa. (paragraph 1)

(b) Esto les dará la oportunidad a los hermanos de solucionar por sí solos estas peleas, y los preparará para un futuro, para la vida. (paragraph 3)

(c) Es importante también que los padres enseñen a sus hijos a expresar verbalmente sus sentimientos ... (paragraph 4)

4. Explica (o expresa de otro modo) en español una de las frases siguientes:

Más tarde comprenderán. (paragraph 1)

o

Es necesario ayudarlos. (paragraph 2)

5. Diary entry

You have had an argument with your sister. Write a diary entry, in Spanish, mentioning the following points.

- Say you have had a terrible day, that you had a fight with your sister because she took your new jacket without asking you.

- Say that you are fed up with her because she always takes your things.

- Say that you have spoken to your mother but she doesn't understand the problem.

- Say that you would like to get on better with your sister.

El pretérito perfecto – The present perfect tense

Uses

- This tense is used to talk about a past event that is somehow connected to the present. It often appears with expressions of time such as: **hoy, esta mañana, esta semana, este mes**. Note that most of these expressions of time refer to times which have not yet concluded, i.e. **este año** implies that the year is not finished yet.

   Examples:

   Este año he sacado muy buenas notas en los exámenes.

   Estas vacaciones he conocido a mucha gente en España.

- This tense is also used when we are not interested when something happened but only if it actually took place or not (and how many times). In this case it is used with expressions such as: **todavía no, aún no, ya, alguna vez, varias veces, nunca, últimamente, siempre, una vez, tres veces, muchas veces, alguna vez**, etc.

   Examples:

   ¿Habéis probado la paella alguna vez?

   Yo he estado en Dublín muchas veces.

   No he conocido nunca a una persona famosa.

- It is also used to talk about a past event that has consequences in the present.

   Example:

   ¿Quién ha roto la ventana?

Form

The present perfect tense is made up of 2 parts:

The present tense of **haber** (the auxiliary verb) **+ the past participle.**

The past participle: this is the equivalent of -ed in English, e.g. looked, worked, played. In Spanish it is formed by taking the **-ar**, **-er** and **-ir** off the infinitive and adding **'-ado'** for **-ar** verbs and **'-ido'** for **-er** and **-ir** verbs, eg. *trabajar – trabajado; comer – comido; vivir – vivido*

trabajar	comer	vivir
he trabajado	he comido	he vivido
has trabajado	has comido	has vivido
ha trabajado	ha comido	ha vivido
hemos trabajado	hemos comido	hemos vivido
habéis trabajado	habéis comido	habéis vivido
han trabajado	han comido	han vivido

There are some irregular past participles. These are the most common:

abrir	**abierto**	oír	**oído**
cubrir	**cubierto**	poner	**puesto**
descubrir	**descubierto**	resolver	**resuelto**
escribir	**escrito**	romper	**roto**
describir	**descrito**	satisfacer	**satisfecho**
freír	**frito**	ver	**visto**
hacer	**hecho**	volver	**vuelto**
leer	**leído**	envolver	**envuelto**
morir	**muerto**	devolver	**devuelto**

Práctica

1. Traduce las siguientes frases al inglés.

(a) Mi padre ha comprado un nuevo coche.

(b) ¿Has terminado tus deberes?

(c) Me he roto el brazo.

(d) Juan y Ana se han casado

(e) ¿Cuánto tiempo has estado a dieta?

(f) Nunca hemos probado la paella.

(g) No han comido mucho hoy.

(h) No he leído el último libro de Isabelle Allende.

(i) No he estado aquí antes.

(j) Rafael Nadal ha ganado Wimbledon dos veces.

2. Expresa las siguientes frases en español.

(a) They haven't arrived yet.

(b) I have never been to Spain.

(c) The boys have gone to school.

(d) The police have discovered that the robbers have gone.

(e) Fifty-five people have died as a result of the fire.

(f) Have you visited the Prado museum?

(g) Has she heard the news?

(h) Has he written the email yet?

(i) We haven't had breakfast.

(j) Have you seen my schoolbag?

Listening

El tiempo

Track 1.54

Higher Level and Ordinary Level

Listen to the following weather forecast and answer the questions in English.

1. What is the weather going to be like in the south of the country?
2. What will the weather be like in the north?
3. What maximum and minimum temperatures are mentioned?

La amistad

Durante la adolescencia las relaciones con los amigos y familiares cambian mucho. Los amigos adquieren mayor importancia durante esta etapa. Los adolescentes suelen pasar menos tiempo con su familia y más tiempo con sus amigos. Cuando somos jóvenes, los amigos son muy importantes en nuestra vida. Nuestros amigos nos dan un sentido de identidad y comparten las mismas experiencias que nosotros. Podemos identificarnos con ellos porque tenemos los mismos problemas y sentimientos y es fácil hablar abiertamente con ellos de lo que pasa en nuestras vidas. Tener amigos nos hace sentir aceptados y queridos y aumenta nuestra autoestima y confianza. Muchos estudios han demostrado que tener amigos es muy bueno para la salud. Todos necesitamos el apoyo de un amigo y un hombro en el que llorar cuando las cosas no van bien. No podemos vivir aislados y nuestros amigos son imprescindibles, tanto en los buenos como en los malos tiempos.

Unidad 4

Español en acción

112

Comprehension

Lee lo que las siguientes personas tienen que decir sobre sus amigos y responde las preguntas que siguen.

Experiencias (Mi Blog) (Sígueme) (Archivos descargables)

Michael

Me llevo fenomenal con mi mejor amigo. Se llama Peter y va a cumplir 17 años el mes próximo, el 6 de diciembre. Es alto y bastante delgado con los ojos verdes y el pelo rubio, corto y rizado. Tiene que llevar gafas porque es miope. Somos buenos amigos porque somos parecidos y tenemos muchas cosas en común. Como yo, es muy deportista y le gusta mucho jugar al baloncesto. También, le interesa la música y toca la batería. En el colegio no trabaja mucho y suele sacar malas notas, sobre todo en Matemáticas. Los profesores no nos dejan sentarnos juntos porque hablamos demasiado. Cuando termine el colegio, no quiere ir a la universidad; le gustaría ser músico o viajar por el mundo. Vive en una casa en el centro de Waterford con su madre, su padre y sus tres hermanos. En su familia todo el mundo se lleva muy bien y me encanta pasar tiempo en su casa. Los fines de semana pasamos mucho tiempo juntos jugando a los videojuegos o viendo películas con sus hermanos. A veces vamos al cine o a la bolera. Como soy hijo único, creo que tener un mejor amigo es muy necesario para no sentirse solo y para tener a alguien con quien hablar de las cosas importantes. De vez en cuando me siento estresado por la presión del colegio y Peter me ayuda a estar más tranquilo. Es una persona muy cálida y generosa y no espera nada a cambio.

1. What age is Peter and when is his birthday? *17, 6th of Dec*
2. What does he look like?
3. What hobbies does he have?
4. What kind of student is he at school?
5. Why do the teachers not let Michael and Peter sit together?
6. What would Peter like to do when he leaves school?
7. Mention two details about his family.
8. What do they usually do at weekends?
9. Why does Michael think it is important to have a best friend?
10. What qualities does Peter have?

Experiencias Mi Blog Sígueme Archivos descargables

Jane

No tengo ningún mejor amigo pero somos cinco en mi pandilla; vivimos en el mismo barrio y hacemos muchas cosas juntas. Somos todas chicas y nos interesa mucho la moda y la belleza y, claro, los chicos. Pasamos mucho tiempo hojeando las revistas de moda para ver lo que está de moda y lo que llevan las famosas. Compartimos nuestros secretos y nos escuchamos. Mis amigos son muy importantes en mi vida porque no me llevo bien con mi familia. Mis padres están separados y vivo con mi madre y mi hermana menor. No tengo una buena relación con mi madre porque me trata como a una niña y no entiende que soy ya mayor y que puedo pensar por mí misma. Mi madre me regaña constantemente diciéndome que no estudio bastante, que no ayudo en casa y que soy egoísta. No sé qué haría sin mis amigos, me encanta escaparme de casa y soy feliz cuando estoy con mis amigos. Salgo con un chico desde hace tres meses, se llama Mark y es guapísimo. Es de estatura mediana y tiene los ojos azules y el pelo castaño. Es tres años mayor que yo y me escucha cuando hablo de los problemas que tengo con mi madre. Trabaja como mecánico y vive en las afueras de Dublín con su familia. Es muy sincero y relajado.

1. Who is Jane's best friend?
2. What interests does she share with her friends?
3. What do they like looking at in magazines?
4. Why does she say her friends are important in her life?

5. What does her mother give out to her about?
6. How long has she been going out with Mark?
7. What does Mark look like?
8. Apart from his looks, mention **three** other details about Mark.

Experiencias Mi Blog Sígueme Archivos descargables

Holly

Mi mejor amiga se llama Sandra y nos conocimos el primer día de escuela, en primaria. Nos llevamos súper bien y es como una hermana para mí. Sandra tiene dieciocho años y es muy guapa; tiene el pelo rubio y ondulado pero le gusta alisárselo. Es muy alta y tiene una figura fantástica. Tiene muchas cualidades: es sincera, sociable y responsable. También es muy divertida y me hace reír todo el tiempo. Es una verdadera amiga y cuando hablo con ella me escucha de verdad. Casi nunca nos peleamos pero hace unos meses tuvimos un malentendido porque a las dos nos gustaba el mismo chico. El chico quería salir conmigo y me sentía culpable. Al principio, Sandra estaba desilusionada pero después de un tiempo, conoció a un chico súper majo y se dio cuenta de que no vale la pena perder a una amiga por un chico.

1. When did Holly and Sandra meet?
2. What does Sandra look like?
3. What qualities does she have?
4. Why do Holly's parents not like Sandra?

5. Why did Holly and Sandra have a misunderstanding a few months ago?
6. What happened in the end?

 Listening

Los amigos

Higher Level and Ordinary Level

Escucha a las siguientes personas hablando de sus amigos y responde las preguntas que siguen:

A 1. Where does Niall live?
2. How long have Niall and Enda known each other?
3. What does Niall usually do every day around five?
4. What does he look like?
5. Who says that he is good looking?
6. When is Niall's birthday?
7. What kind of food does Niall like?
8. What does he like to do in his free time?
9. Why does Enda enjoy himself with Niall?
10. Why does Enda think it is important to have a best friend?

B 1. Who is Maria's best friend?
2. What does everyone say about them?
3. What does she look like?
4. Where was she born?
5. What do they like doing together?
6. What does Maria say about clothes?

 Writing

Higher Level and Ordinary Level

Expresa las siguientes frases en español.

1. My best friend is called Ian and I have known him for nine years.
2. I met my best friend in school four years ago and we get on fantastically.
3. Anne's best quality is that she is very understanding and when I have a problem she always listens and gives me good advice.
4. I have three best friends and we have the same interests and likes. We love shopping and reading magazines.
5. My best friend is the most important person in my life because unfortunately, I don't get on very well with my mother or my sister.
6. My mother doesn't like my friends because she doesn't think they are responsible and she says that they are a bad influence on me.
7. A real friend is someone who listens to you and supports you.
8. It's not worthwhile fighting with your friends especially over boys.

Comprehension

Read the following item on *Friends* and answer the accompanying questions in English:

Friends es una serie de televisión estadounidense* que se emitió por la primera vez el 22 de septiembre de 1994. Es una comedia basada en la amistad* de los seis personajes tanto durante los buenos como los malos momentos. Trata de la vida de un grupo de amigos: Ross, Rachel, Chandler, Joey, Monica y Phoebe. Viven en el barrio* de Manhattan en la ciudad de Nueva York y pasan mucho tiempo en la cafetería Central Perk. La serie está compuesta de diez temporadas* de unos 24 capítulos cada uno. Fue uno de los programas más vistos del mundo. También fue uno de los más costosos* porque los actores ganaron 1 millón de dólares por episodio.

Los personajes

Rachel, la menor del grupo, es amiga de Monica desde muy pequeña. Sus padres son muy ricos y ella y sus dos hermanas están muy mimadas*.

Monica es la hermana de Ross y vive en el apartamento de su abuela. Le obsesionan el orden y la limpieza*. Durante su adolescencia era obesa pero adelgazó y ahora está muy delgada.

Phoebe tiene una hermana gemela y su madre las abandonó. La vida no ha sido fácil para Phoebe pero a pesar de todo es una persona muy feliz y simpática. Es vegetariana y toca la guitarra. Siempre está allí para apoyar* a sus amigos.

Joey, de origen italiano, tiene siete hermanas. Es el compañero de piso de Chandler. Trabaja como actor y no es muy inteligente. Es muy guapo y le encantan las mujeres y la comida.

Chandler, el mejor amigo de Ross, es muy sarcástico. Sus padres se separaron cuando tenía diez años. Tiene el pelo castaño y los ojos azules. En la temporada 3 tenía barba.

Ross es el hermano mayor de Monica y el mejor amigo de Chandler. Trabaja como profesor en una universidad. Piensa que es muy inteligente.

GLOSARIO

(la) amistad	friendship	**estadounidense**	American
apoyar	to support	**(la) limpieza**	cleaning
(el) barrio	area	**mimado/a**	spoilt
costoso/a	expensive	**(la) temporada**	season

Ordinary Level

1. Why is 22 September 1994 mentioned?

2. What is the series *Friends* about? (Give **full** details.)

3. Why was *Friends* one of the most expensive series ever made?

4. Give **three** details about each of the characters of *Friends*.

(sidebar) Unidad 4 — Español en acción — 116

Comprehension

Read the following article and do the accompanying exercises in English.

El Día de San Valentín según Google

El Día de San Valentín es hoy el protagonista del *doodle* de Google con un vídeo cuya moraleja* es la siguiente: las chicas no quieren regalos; quieren cariño. Es el guión* que ha elegido Google para conmemorar el Día de San Valentín con un *doodle* romántico y con final feliz que relativiza el consumismo* de este día y que acaba con moraleja.

Con una canción de Tony Bennet como banda sonora*, Google relata la historia de un joven que ve a una chica en un parque saltando a la comba*. El chico queda prendado de* sus encantos y trata de conquistarla con una rosa, pero ella sigue a lo suyo y no le hace caso*. Tras el rechazo, el chico busca en Google algunos regalos para que caiga rendida a sus pies*: bombones, ropa, peluches*, tartas, disfraces*, un globo con forma de corazón y hasta un avión de papel... pero nada. La chica lo rechaza una y otra vez hasta que el joven, al son de la canción *Cold, cold heart* de Bennet, se resigna, se marcha y regresa con una cuerda*

para saltar a la comba, imitando a la chica. Es todo lo que ella necesitaba. Así consigue sacar una sonrisa de su amada y que ella le preste atención y se ponga a jugar con él.

De esta forma tan educativa ha querido celebrar el buscador de Internet la citada fecha, en la que pastelerías, grandes almacenes y tiendas de todo tipo esperan hacer su particular agosto* con los regalos más originales para el día de San Valentín. Sin embargo, Google critica el aspecto comercial del día de los enamorados y apuesta por el lado más romántico del día: el amor.

lasprovincias.es

GLOSARIO

(la) banda sonora	soundtrack	**hacer caso**	to notice, pay attention
caer rendido/a a los pies de (fig.)	to fall in love with	**(la) moraleja**	moral
(el) consumismo	consumerism	**(el) peluche**	cuddly toy
(la) cuerda	rope	**quedar prendado/a de (fig.)**	to fall in love with
(el) disfraz	fancy dress outfit		
(el) guión	script	**saltar a la comba**	to skip
hacer el agosto (fig.)	to earn a lot of money selling things		

Higher Level

1. Answer the following questions in English.

(a) What is the moral of Google's Valentine's Day doodle?

(b) How does the girl react when she is presented with a rose?

(c) What presents does the boy look for on Google in order to win her over?

(d) How does he finally manage to get her attention?

(e) What is Google critical of?

2. Escribe en español las frases del texto que tengan el mismo sentido (más o menos) que las siguientes;

(a) ... intenta seducirla ... (paragraph 2)

(b) ... no le presta atención (paragraph 2)

(c) ... empiece a divertirse con él (paragraph 2)

3. Explain in English the meaning of the following in their context:

(a) ... quieren cariño... (paragraph 1)

(b) ... el chico busca en Google algunos regalos para que caiga rendido a sus pies ... (paragraph 2)

(c) Es todo lo que ella necesitaba. (paragraph 2)

4. Explica (o expresa de otro modo) en español una de las frases siguientes:

Ella sigue a lo suyo y no le hace caso. (paragraph 2)

o

Google critica el aspecto comercial del día de los enamorados. (paragraph 3)

 **Listening**

Cualidades de un buen amigo

Track 1.57–60

Higher Level and Ordinary Level

Escucha a las siguientes personas hablando de las cualidades de un buen amigo. Escribe en tu cuaderno una de las cualidades que menciona cada uno.

Groupwork

Higher Level and Ordinary Level

¿Qué cualidades crees que son importantes en un buen amigo? Escribe en tu cuaderno las seis más importantes de estas listas y compárala con un/a compañero/a.

la sinceridad
la honestidad
la confianza
la fidelidad
la comprensión
la generosidad

el respeto
la compasión
la lealtad
la bondad
la inteligencia
el sentido del humor

Pairwork

¡OJO!

Los nombres de cualidades que terminan en **-dad** en español son siempre femeninos.

Higher Level and Ordinary Level

Pregunta a tu compañero/a:

1. ¿Tienes muchos amigos/as?
2. ¿Cómo se llama tu mejor amigo/a?
3. ¿Desde cuándo lo/la conoces?
4. ¿Dónde os conocisteis?
5. ¿Cuántos años tiene y cuándo es su cumpleaños?
6. Cómo es, ¿físicamente y de carácter?
7. ¿Qué le gusta hacer en su tiempo libre?
8. ¿Vive cerca de ti?
9. ¿Sois parecidos/as?
10. ¿Tenéis los mismos intereses?
11. ¿Qué hacéis juntos/as?
12. ¿Cuál es su mejor cualidad?
13. ¿Tiene defectos?
14. ¿Os peleáis de vez en cuando?
15. Y tú, ¿eres un/a buen/a amigo/a?

Writing

Ordinary Level

Write a paragraph about your best friend.

Give a description of his/her looks and personality. Say how long you have known him/her. Talk about interests that you have in common and what you do together. Does he/she have faults? What are his/her best qualities? Mention whether or not you ever fight.

...añol tu opinión sobre la siguiente afirmación:

...on como las estrellas, a veces no las ves, pero sabes que siempre están allí.

 Oral

Higher Level and Ordinary Level

Listen to Jennifer doing her oral exam.

1. **¿Cómo te llamas?**

   Bueno, me llamo Jennifer Murphy pero todos mis amigos me llaman Jen. Me gusta mucho mi nombre.

2. **¿Cuántos años tienes?**

   I have just turned 18

   Acabo de cumplir 18 años. Mi cumpleaños es el 6 de febrero y este año mi madre organizó una fiesta en casa. Todos mis parientes *relatives* y amigos vinieron y lo pasamos fenomenal. Recibí muchos regalos, por ejemplo, mis padres me regalaron un móvil nuevo; mi mejor amiga me regaló una pulsera y mi abuela me dio dinero. ¡Qué suerte!

3. **Háblame un poco de ti.**

   Pues, soy bastante alta y delgada y tengo los ojos verdes y el pelo rubio. Mi madre me dice que soy guapa. Pienso que soy una persona bastante madura y responsable. Estudio mucho porque soy ambiciosa y quiero ir a la universidad cuando termine el colegio. Al mismo tiempo, me gusta divertirme y soy muy sociable. Los fines de semana me encanta quedar con mis amigos. El único defecto que tengo es que algunas veces soy un poco perezosa.

4. **¿Cuántos sois en tu familia?**

   Somos cinco: mis padres, mi hermano, mi hermana y yo, claro. Tengo que decir que todo el mundo se lleva bien en mi casa. De vez en cuando mi hermano pequeño me molesta porque quiere estar conmigo todo el tiempo pero, en general, me llevo muy bien con mis hermanos. La persona con la que mejor me llevo es mi padre; se llama Daniel y es muy simpático. Cuando tengo preocupaciones o problemas, siempre está ahí para escucharme y darme consejos.

5. **¿Cómo es tu hermana?**

   Mi hermana se llama Sinead y tiene 14 años; su cumpleaños es el 8 de mayo. Es bastante baja, tiene el pelo rubio y liso y los ojos marrones. Todo el mundo dice que somos muy parecidas. Como a mí, le gusta estar con sus amigos y jugar al baloncesto. Tenemos que compartir la habitación, pero no me importa porque estamos muy unidas.

6. **¿Tus padres son estrictos?**

   Tengo mucha suerte porque mis padres no son muy estrictos. Confían en mí y saben que soy responsable. Claro, hay normas en mi casa: hay que estudiar y hacer los deberes, tenemos que ayudar en casa y no se puede salir durante la semana pero, en general, mis padres me dejan hacer muchas cosas.

7. **¿Tienes muchos amigos?**

Sí, tengo un montón de amigos. Soy una persona muy sociable y me encanta quedar y charlar con ellos. Mi mejor amiga se llama Natasha y es muy divertida. Nos conocimos el primer día del colegio y desde entonces hemos sido inseparables. Tenemos muchos gustos en común: nos gusta mucho la moda y pasamos horas juntas leyendo revistas de moda para ver lo que llevan los famosos. Natasha pasa mucho tiempo en mi casa y se lleva bien con toda mi familia. A Natasha le gusta ir de compras y nadar en su tiempo libre.

8. **¿Os peleáis de vez en cuando?**

Sí, nos peleamos de vez en cuando, como todos los amigos. Normalmente discutimos por cosas tontas, pero cuando tenemos malentendidos, intentamos hablar abiertamente para resolver el problema.

 Pairwork

Higher Level and Ordinary Level

Practise asking and answering the previous questions with your partner.

Vocabulary list

abiertamente	openly	desagradable	unpleasant, not nice
actualmente	nowadays, these days	desilusionado/a	disappointed
(el/la) adolescente	teenager	devolver	to give back
alquilar	to rent, hire	elegir	to choose
(el) ambiente	atmosphere	entrenarse	to train
(el) apodo	nickname	estar harto/a de	to be fed up with
aumentar	to increase	evitar	to avoid
(la) autoestima	self-esteem	flaco/a	skinny
calvo	bald	fracasar	to fail
casarse	to get married	(el/la) funcionario/a	civil servant
castigar	to punish	(el/la) futbolista	footballer
(el) consejo	advice	(los/las) gemelos/as	twins
(el/la) contable	accountant	insoportable	unbearable
culpable	guilty	(la) libertad	freedom
darse cuenta de	to realise	libremente	freely
(el) defecto	fault	malhumorado/a	bad-humoured

mandón/a	bossy
(la) mascota	pet
mediano/a	medium-sized
medir	to measure
(la) mentira	lie
mostrar	to show
(la) pandilla	gang
(la) pareja	couple
(la) patada	kick
(la) peca	freckle
(el/la) peluquero/a	hairdresser
pesar	to weigh
preocuparse	to worry
(la) presión	pressure

(el/la) psicólogo/a	psychologist
(el) rato	a while
regañar	to scold, give out
(la) rivalidad	rivalry
(la) salud	health
(la) talla	size
tampoco	neither/either
tener éxito	to be successful
tener miedo de	to be afraid of
tener razón	to be right
tocar	to touch, to play (an instrument)
(la) urbanización	housing estate
útil	useful
vestirse	to get dressed

Situation

Higher Level and Ordinary Level

Describe lo que ves en esta imagen.

Revision test

1. What do the following words mean?

(a) fácilmente	(b) pecoso	(c) el pelo ondulado	(d) un delfín
(e) la equitación	(f) una urbanización	(g) una mentira	(h) naranja
(i) peor	(j) estudioso	(k) flaco	(l) una familia numerosa
(m) amistoso	(n) egoísta	(ñ) enfadarse	(o) al contrario
(p) quejarse	(q) mimado	(r) el lavavajillas	(s) una pandilla

2. How would you say the following in Spanish?

(a) bald	(b) chubby	(c) snakes	(d) stubborn	(e) it seems that
(f) hardworking	(g) bossy	(h) sporty	(i) family life	(j) a smile
(k) to punish	(l) stupid fights	(m) advice	(n) stressed	(ñ) jealous
(o) untidy	(p) a little village	(q) carefully	(r) self-esteem	(s) similar

3. Express the following in Spanish using the present perfect tense.

(a) I have eaten a lot today.

(b) She has never been to Spain.

(c) We have finished our homework.

(d) Have you seen my shoes?

(e) They have gone out.

(f) He hasn't studied for his History exam.

(g) My mother has written three books.

(h) Have you tasted gazpacho?

(i) They haven't found a job.

(j) We have gone shopping.

4. Express the following numbers in Spanish:

(a) 345	(b) 678 chicas	(c) el año 1978	(d) 23.498	(e) 199
(f) 100.000	(g) 66	(h) 3.989.456	(i) 934	(j) 27

5. Express the following in Spanish.

(a) I don't have a lot of faults but from time to time I can be a little lazy.

(b) All my friends say I look like my sister.

(c) My lucky number is 8 and my lucky colour is blue.

(d) My parents trust me because they know that I'm not going to do anything stupid.

(e) The person I get on best with is my dad because he's a very relaxed person and he listens to me when I have a problem.

(f) My little brother drives me mad and we fight all the time because he takes my things without asking.

(g) I don't understand why my parents don't let me go out during the week.

(h) It's very important to have friends because they can give you advice and help you with your problems.

6. Diary entry

You are unhappy because your parents won't let you go to a disco next weekend.
Write a diary entry in Spanish, mentioning the following points:

- Say that you are fed up because your parents won't let you go to the disco next Saturday.
- Say you really want to go because it is your best friend's birthday and you want to celebrate it.
- Say that you understand that your parents want you to study because the exams are starting soon but that you think that there is more to life and that it's important to enjoy yourself as well.
- Say that tomorrow you are going to talk to your parents again.

UNIDAD 5

Mi Casa, mi Barrio y mi Ciudad

At the end of this unit you will be able to:

- Describe your house in detail
- Talk about your favourite room
- Describe your area and your city
- Talk about the advantages and the disadvantages of living in the city or the countryside
- Talk about what housework you do

Vocabulary:

- The home

Exam practice:

- Reading comprehension
- Listening comprehension
- Opinion writing
- Diary entries
- Informal letter/email writing
- Oral practice

Grammar:

- Adverbs of time
- The conditional tense

La casa, mi barrio y mi ciudad

El sitio donde vivimos es muy importante en nuestras vidas. Nuestro entorno puede determinar el tipo de persona que somos. A algunas personas les encanta el sitio donde viven, a otras no les gusta nada.

 ## Comprehension

Higher Level and Ordinary Level

Lee lo que las siguientes personas tienen que decir sobre su ciudad o pueblo y responde las preguntas que siguen.

Experiencias Mi Blog Sígueme Archivos descargables

 Me llamo Penélope y vivo en un apartamento en el corazón de Madrid con mi madre y mi hermana menor. Madrid es la capital de España, está en el centro del país y tiene una población de más de cuatro millones de habitantes. El apartamento está en el quinto piso pero tenemos ascensor. Es un apartamento pequeñito pero me encanta porque es espacioso y tiene muchas ventanas y un gran balcón que da a la Plaza de Santa Ana. Hay muchos bares de tapas y cervecerías en la plaza Santa Ana y hay muy buen ambiente. Este barrio es muy popular entre los turistas, los jóvenes y las familias. A veces es difícil dormir debido al ruido pero vale la pena vivir allí. No me gustaría vivir en el campo porque sería demasiado tranquilo para mí y me encanta la vida de la ciudad. Nuestro apartamento es muy céntrico y se puede ir a pie al Parque del Retiro donde pasamos mucho tiempo, sobre todo durante el verano. Me llevo súper bien con mis vecinos porque son muy simpáticos. La señora de al lado cuida a nuestro perro cuando estamos de vacaciones y a cambio yo suelo regarle las plantas cuando no está.

1. What is Penélope's apartment like?

2. What does she say about Madrid?

3. What is her area like?

4. Why would she not like to live in the countryside?

5. What is the advantage of her apartment being very central?

6. What does she say about the lady next door?

Experiencias

Mi Blog   **Sígueme**   **Archivos descargables**

Me llamo Joseba. Vivo en un pueblo en el norte de España, en medio del campo, a una hora de la ciudad de Bilbao. El paisaje de la zona es espectacular y las vistas desde nuestra casa son fantásticas pero, si te digo la verdad, no me gusta nada vivir aquí. No hay absolutamente nada para los jóvenes y me aburro mucho los fines de semana y durante las vacaciones. No hay transporte público y, si quiero quedar con mis amigos mi padre tiene que llevarme en coche. Como mi padre está muy ocupado, no me gusta pedirle que me lleve de un lado al otro todo el tiempo. También preferiría ser más independiente, por eso no salgo muy a menudo con mis amigos y tengo que decir que me siento un poco aislado de vez en cuando. Ojalá hubiera más cosas aquí en mi pueblo, como una biblioteca o un cine. Me gustaría vivir en una ciudad y voy a mudarme cuando termine el colegio. Voy a buscar trabajo en Barcelona porque me han dicho que es una ciudad muy bonita y hay más oportunidades que aquí en el campo. Tengo muchas ganas de tener más vida social y conocer a gente de mi edad.

1. Where does Joseba live?
2. Why does he not like living there?
3. Why does he often go out with his friends?
4. What does he wish there was in his area?
5. What is he going to do when he finishes school?
6. What has he been told about Barcelona?

 ## Nota cultural

- En las ciudades y pueblos grandes de España la mayoría de la gente vive en pisos o apartamentos. En las afueras de las ciudades hay urbanizaciones donde la gente vive en casas adosadas e individuales. En los pueblos pequeños la gente vive en casas individuales porque hay más espacio.

- El Parque del Retiro, popularmente conocido como El Retiro, es un parque de 118 hectáreas (1,18 km²) situado en Madrid. Es uno de los lugares más significativos de la capital española.

Experiencias

Mi Blog   Sígueme   Archivos descargables

Me llamo Alonso. Crecí en un pequeño pueblo en el sur de España, a unos 80 kilómetros de la ciudad de Granada. Hace tres años, al terminar el colegio, decidí mudarme a Madrid para seguir los estudios en la universidad. Antes de irme a vivir allí, estaba un poco nervioso porque en mi pueblo solo hay alrededor de 200 habitantes, el ambiente es fantástico y casi todo el mundo se conoce. Madrid me daba miedo por ser tan grande y tener tanta población. Al principio, me resultó muy difícil adaptarme a la vida en la ciudad; necesitaba la tranquilidad del campo. Me costaba mucho dormir bien debido al ruido por todas partes: la circulación, los vecinos. Me entristecía ver a tantas personas sin hogar viviendo en las calles o a niños mendigando. Ahora, todo va mejor y me he acostumbrado al ajetreo y al bullicio de la gran ciudad. Vivo en un piso en el barrio de Chamartín en pleno centro de Madrid. Comparto el piso con un estudiante estadounidense y nos llevamos súper bien. El piso no es grande pero es muy cómodo. Tiene una cocina, un salón, un cuarto de baño y dos dormitorios. Por desgracia, no hay ningún balcón y durante el verano puede ser un poco incómodo por el calor tan sofocante; menos mal que hay un parque bastante cerca donde se puede estar al aire libre. A pesar de ser un barrio lleno de gente, estoy muy contento aquí, hay de todo: buenos restaurantes y bares, librerías, mercados y muchas posibilidades de encontrar diversión para los jóvenes. ¡En un barrio como este, no es posible aburrirse! Y claro, está el conocido estadio Bernabéu donde juega el equipo del Real Madrid. Desde que me mudé a Madrid me he hecho hincha del Real Madrid y voy a los partidos cuando puedo. A decir verdad, pienso que prefiero la vida en la ciudad a la del campo y cuando termine mis estudios pienso buscar un empleo aquí.

1. Where did Alonso grow up?
2. What did he do three years ago?
3. How did he feel and why?
4. How did he settle in at the beginning?
5. What made him sad?
6. How does he feel now?
7. Where exactly does he live?
8. What is his flat like?
9. What is the area like?
10. What does he say about Real Madrid?
11. What are his plans for when he finishes his studies?

 # Nota cultural

'Dormitorio' and 'habitación' are synonyms but in some regions of Spain 'dormitorio' is used for the main bedroom and 'habitación' for the other bedrooms.

 **Listening**

Mi ciudad y mi pueblo

Track 1.62–63

Higher Level and Ordinary Level

Escucha a las siguientes personas hablando de su su ciudad y su pueblo y contesta las preguntas que siguen:

A (a) Where exactly does this person live?

(b) Why does his family not live in the city centre even though his parents would like to?

(c) Where does his mother work? (Give **full** details.)

(d) What facilities are in his area?

(e) Mention five problems associated with living in a city.

(f) What does he usually do in the summer? (Give **full** details.)

B (a) Where exactly does this person live?

(b) What is her area like?

(c) Where do the majority of her friends live?

(d) What does she say about (a) the climate and (b) the winters?

(e) What does she say about the public transport?

(f) Name four countries that are mentioned.

(g) Why is August mentioned?

(h) Name three things that people can enjoy at this time.

 **Writing**

Higher Level and Ordinary Level

1. Expresa las siguientes frases en inglés.

(a) Me sentía un poco nervioso.

(b) Me costaba mucho dormir bien debido al ruido.

(c) No es posible aburrirse.

(d) Ojalá hubiera más instalaciones aquí en mi pueblo.

(e) Me han dicho que es una ciudad muy bonita.

Unidad 5

Español en acción

128

Higher Level and Ordinary Level

2. Expresa las siguientes frases en español.

(a) I live in a town two hours from the city of Cork.

(b) I don't like living here because there isn't a lot for young people.

(c) It's not possible to get bored in Limerick because there is so much to do.

(d) I have been told that Waterford is a fantastic city and I am going to move there when I leave school.

(e) The good thing about Dublin is that there are lots of tourist attractions and lots of tourists come every year.

(f) What I don't like about living in a city is the pollution and the noise.

(g) There are more opportunities in the city than in the countryside, especially during the economic crisis.

(h) I live in the heart of Dublin and it can be very noisy. From time to time, I find it hard to sleep with the noise but I don't mind.

(i) I get on very well with the couple next door and when they are on holiday I mind their cat.

Adverbios de tiempo – Adverbs of time

Adverbs are words that are used to modify, qualify and amplify the meaning of a verb and adjective or another adverb. They do not change their form to agree with any other word, e.g. *Es demasiado caro./Mis vecinos son muy simpáticos./Está muy bien.*

In this unidad will be dealing with adverbs of time and in Unidad 6 we will deal with adverbs made from adjectives. These are some of the most common adverbs of time:

a menudo	often	**esta noche**	tonight
a veces	sometimes	**hace**	ago
ahora	now	**hoy**	today
ahora mismo	right now	**jamás**	never
anoche	last night	**luego**	then, later
anteayer	the day before yesterday	**mañana**	tomorrow
		más tarde	later
antes	before	**nunca**	never
aún	still, yet	**pronto**	soon
ayer	yesterday	**recientemente**	recently
de vez en cuando	from time to time	**siempre**	always
		tarde	late
después	later, after	**temprano**	early
entonces	then	**últimamente**	lately
esta mañana	this morning	**ya**	already

Pairwork

Higher Level and Ordinary Level

Practica con tu compañero/a.

1. ¿Dónde vives exactamente: en el centro, en las afueras o en el campo?
2. ¿Llevas mucho tiempo viviendo aquí?
3. ¿Te gusta tu barrio?
4. ¿Puedes describir tu barrio?
5. ¿Hay un buen sistema de transporte público?
6. ¿Hay muchas instalaciones deportivas en tu barrio?
7. ¿Hay muchas distracciones para los jóvenes en tu barrio?
8. ¿Hay algo de tu barrio que te gustaría cambiar?
9. ¿Hay muchos problemas sociales en tu barrio?
10. ¿Hay problemas de drogas en tu barrio?

Comprehension

Lee el texto y contesta las preguntas.

Graves disturbios en Londres

Al menos tres coches de Policía y cuatro autobuses han ardido* este sábado en Tottenham, un barrio londinense, en el norte de la capital durante unos disturbios en la capital británica. Según la cadena* de televisión británica BBC, los disturbios empezaron cuando una protesta pacífica por la muerte* de un joven a manos de las fuerzas de seguridad* el pasado jueves, se tornó violenta. Los manifestantes* lanzaron botellas contra un coche de policía provocando que ardiera. Los otros dos coches y los autobuses fueron incendiados. Por suerte no había nadie en los vehículos. Decenas de jóvenes armados con bates de béisbol rompieron* escaparates* de tiendas, otros prendieron fuego a edificios y papeleras* y saquearon* diversos comercios de la zona. Siete agentes de Policía y once manifestantes fueron heridos. Los agentes fueron trasladados a un hospital céntrico mientras que los manifestantes fueron tratados en el lugar del suceso por los servicios de emergencia. El primer ministro David Cameron interrumpió sus vacaciones y regresó a Londres para hacer frente a la situación.

Unidad 5

Español en acción

130

GLOSARIO

arder	to burn	**(los) manifestantes**	protestors
(la) cadena	channel	**(la) muerte**	death
(el) escaparate	shop window	**(la) papelera**	litter bin
(las) fuerzas de seguridad	security forces	**romper**	to break
		saquear	to loot

Ordinary Level

1. ¿Cuántos coches y autobuses han ardido este sábado en Tottenham?

2. ¿Dónde está Tottenham?

3. ¿Cómo empezaron los disturbios?

4. ¿Qué lanzaron los manifestantes contra un coche de policía?

5. ¿Con qué fueron armados decenas de jóvenes?

6. ¿Cuántas personas fueron heridas?

7. ¿Adónde fueron traslados los agentes?

8. ¿Qué hizo David Cameron?

Comprehension

Lee el texto y completa los ejercicios.

Una ciudad con dos mundos

A pocos metros de una calle en el este de Londres donde estallaron los disturbios el lunes se encuentra una casa en venta que resume la profunda división que vive la ciudad. Con cinco dormitorios, tres baños y garaje propio, esta elegante propiedad se ha puesto a la venta* a unos 2,75 millones de dólares. El principal atractivo, según el anuncio, es el cotizado* lugar. Muchos residentes de la diversa ciudad de Hackney aseguran que existe una brecha* muy visible, y cada vez es más amplia, entre ricos y pobres. Esta división ha exacerbado la tensión en los últimos años, especialmente cuando los recortes del gobierno a los pagos de bienestar social se han empezado a notar en las carteras.

Gran Bretaña, una de las mayores economías mundiales, tiene una brecha mayor entre ricos y pobres que buena parte de los países que conforman la Organización para la Cooperación y el Desarrollo Económico (OCDE), según un informe del 2008. Según las organizaciones de beneficencia de Gran Bretaña, en Londres la desigualdad se palpa con mayor intensidad que en el resto del país. 'Somos nosotros contra ellos: la policía, el sistema', indicó un hombre desempleado de origen kurdo de unos 20 años, sentado en la

entrada de una urbanización de Hackney con cuatro amigos afrocaribeños que asentían*. 'Ellos lo llaman saqueos* y delincuencia. No es eso. Hay un odio real contra el sistema', agregó, mencionando lo que consideró como prejuicio de la policía, discriminación y falta de oportunidad que le llevó a él y a sus amigos a saquear tiendas, incendiar* cubos de basura y arrojar* misiles a la policía el lunes. 'Hay dos mundos en esta ciudad. Cada vez llega más gente de las clases medias y estamos siendo expulsados. Las tiendas ponen precio a los productos como si fuera el West End, no podemos pagar las rentas. Somos los parias*, no nos quieren más. No hay nada para nosotros', agregó.

Los que estaban en las calles de Hackney la noche del lunes, y los que se habían reunido en medio de los escombros* la mañana del martes, aseguran que no ha habido interacción entre las dos comunidades, pese a vivir prácticamente juntas una y otra. 'Los jóvenes se sienten frustrados, quieren tener ropa bonita, por ejemplo, pero no tienen ni dinero, ni trabajo', aseguró un joven trabajador de 41 años, parado y desalojado* de su propiedad de Pembury, escenario de gran parte de los problemas del lunes por la noche y hogar de muchos jóvenes negros. 'Para vivir, para tener dinero en los bolsillos, tienen que hurtar*, tienen que robar. La gente que lidera este país, tiene dinero, son ricos, tienen casas bonitas. Y no se preocupan por la gente pobre', concluyó.

REUTERS

GLOSARIO

arrojar	to throw	**hurtar**	to steal
asentir	to agree	**incendiar**	to set on fire
(la) brecha	a gap	**(el) paria**	outcast
cotizado	sought after	**poner a la venta**	to put on sale
(los) escombros	rubble	**(el) saqueo**	looting
desalojado	evicted		

Higher Level

1. **Busca en el texto una palabra o frase en español que tenga el mismo sentido (más o menos) que las siguientes:**

   (a) obvia (paragraph 1)   (b) grande (paragraph 1)
   (c) instituciones (paragraph 2)   (d) alquileres (paragraph 2)
   (e) desempleado (paragraph 3)   (f) gobierna (paragraph 3)

2. **Write, in English, the meaning, in the context, of the following phrases:**

   (a) .... existe una brecha muy visible, y cada vez es más amplia, entre ricos y pobres. (paragraph 1)

   (b) ... en Londres la desigualdad se palpa con mayor intensidad que en el resto del país. (paragraph 2)

   (c) La gente que lidera este país, tiene dinero, son ricos, tienen casas bonitas. (paragraph 3)

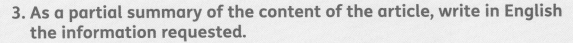
3. **As a partial summary of the content of the article, write in English the information requested.**

   (a) What has aggravated the tension in the last few years in London?

   (b) A man of Kurdish origin talks about real hate against the system. What does this hate lead to?

   (c) What evidence is there to show that two worlds exist in this city?

4. **Escribe en español tu opinión (entre 80 y 150 palabras) sobre la siguiente afirmación:**

   En la mayoría de ciudades irlandesas existen dos mundos.

👍 RECUERDA

Good planning is the key to writing a good opinion piece. Plan your ideas in advance, remembering that this question is worth 50 marks out of 400.

- Introduction: agree or disagree with the title.
- Develop three points in three separate paragraphs.
- Conclusion: sum up your arguments and maybe offer a solution.

Remember to use simple, correct Spanish and stick to the point.

Repaso – La casa

Higher Level and Ordinary Level

1. **Repasa el siguiente vocabulario relacionado con la casa.**

VOCABULARIO

(la) almohada	pillow	(el) horno	oven
(la) bañera	bath	(la) lámpara	lamp
(la) cacerola	saucepan	(la) lavadora	washing machine
(el) cesto de la ropa sucia	laundry basket	(las) literas	bunk beds
(la) chimenea	chimney	(la) nevera	fridge
(la) ducha	shower	(la) pared	wall
(el) edredón	quilt	(el) sótano	basement
(la) escalera	stairs	(el) techo	roof
(el) espejo	mirror	(el) tocador	dressing table
(el) grifo	tap	(el) ventilador	fan

2. ¿En qué lugar de la casa puedes encontrar los siguientes artículos?

(a) una sábana

(b) un sacacorchos

(c) una butaca

(d) un ordenador

(e) la cortina de ducha

(f) un armario

(g) un mantel

3. Lee lo que las siguientes personas tienen que decir sobre sus casas y contesta las preguntas que siguen:

Experiencias   Mi Blog   Sígueme   Archivos descargables

Vivo en una casa adosada en las afueras de la ciudad de Cork. Mi casa es bastante pequeña tiene dos pisos. Abajo, está la cocina, el comedor y el salón. La cocina es muy soleada y da al jardín. Arriba, hay tres dormitorios: el dormitorio de mis padres, el dormitorio de mi hermano y mi dormitorio; también hay un cuarto de baño. Tengo suerte porque no tengo que compartir mi dormitorio, mi dormitorio es pequeñito pero es muy cómodo. Hay una cama, una mesa donde hago los deberes, un armario para la ropa y una televisión. Las cortinas y la alfombra son azules y las paredes están pintadas de amarillo. Todos los muebles son de madera: la cama, el armario y la mesa. Mi parte favorita de la casa es el salón y paso mucho tiempo allí, viendo la televisión, leyendo o charlando con mi familia. Tenemos un pequeño jardín detrás de la casa. A mi madre le gusta mucho el jardín, sobre todo, en primavera cuando aparecen las primeras flores del año.

1. Where does this person live?

2. What is the kitchen like?

3. Describe her bedroom in detail.

4. What is her favourite room and why?

5. At what time of year does her mother especially like the garden? Why?

Experiencias (Mi Blog) (Sígueme) (Archivos descargables)

Vivo en un piso en el centro de Bilbao que es bastante grande y tiene una terraza fantástica con vistas maravillosas a la ciudad. Tiene un salón, una cocina, un comedor, cuatro dormitorios y dos cuartos de baño. Sin duda, mi parte de la casa favorita es mi dormitorio porque me gusta pasar mi tiempo libre allí, sobre todo cuando quiero escaparme de las peleas de mis hermanas menores. Es grande y, como el verde es mi color favorito, todo en mi dormitorio es de color verde: las paredes, la alfombra, el edredón, las sábanas, las almohadas y las persianas. En la pared hay un espejo y una estantería para mis cosas. El piso tiene muchos ventanales* que dejan entrar mucha luz. Toda la familia suele comer en la cocina, pero cuando hace calor comemos fuera en la terraza. Lo único que no me gusta de mi piso es que está en el cuarto piso y no hay ascensor.

1. What is this person's apartment like?
2. What is his favourite room? Why?
3. Describe his bedroom in detail.
4. Where does the family eat?
5. What is the one thing he does not like about his apartment?

GLOSARIO

(los) ventanales   large windows

¡OJO!
In Spain an apartment with one or two bedrooms is called 'apartamento'. 'Piso' is an apartment with three or more bedrooms.

 Listening

La casa

Track 1.64–65

Higher Level and Ordinary Level

Escucha a las siguientes personas hablando sobre su parte de la casa favorita y responde las preguntas que siguen:

A (a) Where does this person live?
(b) Where would he like to move to?
(c) Why is sharing a bedroom with his brother a nightmare?
(d) What happened a few months ago?
(e) What is his favourite part of the house? Why?
(f) Mention some details about this room.

B (a) Where does this person live?
(b) What rooms are downstairs in her house?
(c) Why is the kitchen mentioned?
(d) What is her favourite part of the house? Why?
(e) What does she do there?

 **Pairwork**

Pregunta a tu compañero/a:

1. ¿Cómo es tu casa?
2. ¿Te gusta tu casa?
3. ¿Qué tipo de casa es?
4. ¿Cuántas habitaciones hay?
5. ¿Cómo es tu habitación?
6. ¿Tienes que compartir tu habitación?
7. ¿Tienes alguna parte favorita de la casa?
8. ¿Tienes jardín?
9. ¿Llevas mucho tiempo viviendo allí?
10. ¿Hay algo de tu casa que no te gusta?

 **El condicional – The conditional tense**

We use the conditional tense when we want to express 'would'. Like the future, it is formed by taking the infinitive and adding the following endings:

	hablar
(yo)	hablar**ía**
(tú)	hablar**ías**
(él, ella, usted)	hablar**ía**
(nosotros/as)	hablar**íamos**
(vosotros/as)	hablar**íais**
(ellos, ellas, ustedes)	hablar**ían**

¡OJO!
The endings are the same for **-ar**, **-er** and **-ir** verbs.

Práctica

1. Say what the following mean.

(a) compraría
(b) hablarías
(c) no me levantaría
(d) bailaríamos
(e) ella cantaría
(f) iríais
(g) encontraríamos
(h) darían
(i) yo estudiaría
(j) comerían

2. Express the following in Spanish.

(a) she would play
(b) we would drink
(c) I would go
(d) they would write
(e) she wouldn't wake up
(f) they would start
(g) would you sing?
(h) they would sell
(i) he would see
(j) you (pl) would help

There are **12 irregular verbs** in the conditional tense and they are the same ones that are irregular in the future tense. Eleven are listed here in the first person singular. This is the form you should learn and then just change the ending for the relevant person.

caber (to fit)	**cabría**
decir (to say, tell)	**diría**
hacer (to do, make)	**haría**
poder (to be able)	**podría**
poner (to put)	**pondría**
querer (to wish, want)	**querría**

saber (to know)	**sabría**
salir (to go out)	**saldría**
tener (to have)	**tendría**
valer (to be worth)	**valdría**
venir (to come)	**vendría**

¡OJO!
The conditional of *hay* (there is, are) is **habría** (there would be).

Práctica

1. Say what the following verbs mean.

(a) saldría (b) haríamos (c) ¿Podrías? (d) vendríamos (e) ella sabría
(f) querrían (g) diríais (h) pondrían (i) yo tendría (j) cabría

2. Express the following in Spanish.

(a) she would put (b) they would have (c) we wouldn't go out
(d) I would be able (e) we would do (f) would you know?
(g) they would want (h) you (pl) would come (i) she would say

 Comprehension

El campo o la ciudad

Higher Level and Ordinary Level

Blog

Hay muchas diferencias entre la vida en el campo y la vida en las grandes ciudades.

1. Lee lo que las siguientes personas tienen que decir sobre el sitio donde viven.

2. After reading the 3 blogs, list seven advantages of living in the city and seven advantages of living in the countryside in your copy.

Note: Review the vocabulary on page 139 before completing this exercise.

Experiencias   Mi Blog   Síueme   Archivos descargables

Vivo en pleno centro de Barcelona y estoy muy contento. Me encanta la vida urbana porque es muy dinámica. Hay mucho que hacer en cualquier momento del día y todo está a mano. La ciudad ofrece oportunidades de ocio y de trabajo que no se pueden encontrar en el campo. Me parece que la vida rural es mucho más aburrida porque en los pueblos hay menos posibilidades de ocio. Hay que desplazarse para ir al cine o quedar con los amigos. Aquí en Madrid, tengo a todos mis amigos muy cerca y hay muchas cosas que hacer. En mi barrio las instalaciones son fantásticas hay una piscina municipal, un centro comercial y tres canchas de baloncesto. Cuando vives en una ciudad, puedes hacer muchas cosas: ir al cine, a las discotecas, a partidos de fútbol, a conciertos, de compras y muchas más cosas. Dicen que hay más problemas en la ciudad pero, en mi opinión, vale la pena vivir allí.

Experiencias Mi Blog Sígueme Archivos descargables

Vivo en un pueblecito a unas tres horas de Madrid. La semana pasada pasé tres días en Madrid con mi padre. Para mi cumpleaños mis padres me regalaron una entrada para un partido de fútbol y fue la primera vez que visité la ciudad. Antes de ir, pensé que me gustaría mudarme a una gran ciudad cuando terminara el colegio. Después de los tres días que pasé allí, he cambiado de opinión porque no me gustó nada la ciudad. Todas las calles estaban llenas de gente y me sentí muy inseguro. Al salir del estadio de fútbol, alguien me robó la cartera. Según la policía, la delincuencia está aumentando por la crisis económica. Además de mi mala experiencia, me entristeció ver a los mendigos en las calles. Parecían tener mucha hambre y nadie les daba dinero. No debe ser saludable vivir en una ciudad donde el aire está contaminado, donde hay suciedad y basura por todas partes y donde la circulación de los vehículos produce tanto humo. Estoy seguro de que en el futuro viviré en el campo.

Experiencias Mi Blog Sígueme Archivos descargables

Yo vivo en pleno campo en el norte de España, cerca de la ciudad de Santiago de Compostela. Me encanta vivir en el campo y no me gustaría mudarme a la ciudad. Aquí en el campo, la vida es más sana y se respira aire puro. A mi parecer, el paisaje es precioso y desde mi casa hay unas vistas increíbles de las montañas. Hay mucho menos ruido que en las ciudades y tengo que decir que me gustan mucho la paz y la tranquilidad de mi pueblo. El ritmo de vida es más lento y es más seguro ya que no hay delincuencia. Es verdad que hay menos lugares adonde ir y que a veces es un poco aburrido pero, sin duda, la vida aquí es menos estresante y es mejor ver crecer a los hijos en un sitio pequeño. El ritmo de vida en la ciudad es demasiado rápido y muchas personas sufren estrés o agotamiento y enferman.

 Pairwork

Higher Level and Ordinary Level

Pregunta a tu compañero/a:

1. ¿Vives en la ciudad o en el campo?
2. ¿Dónde prefieres vivir? ¿Por qué?
3. ¿Cuáles son las ventajas de vivir en una ciudad?
4. ¿Cuáles son las desventajas de vivir en la ciudad?
5. ¿Cuáles son las ventajas y desventajas de vivir en el campo?

Repaso – El campo o la cuidad

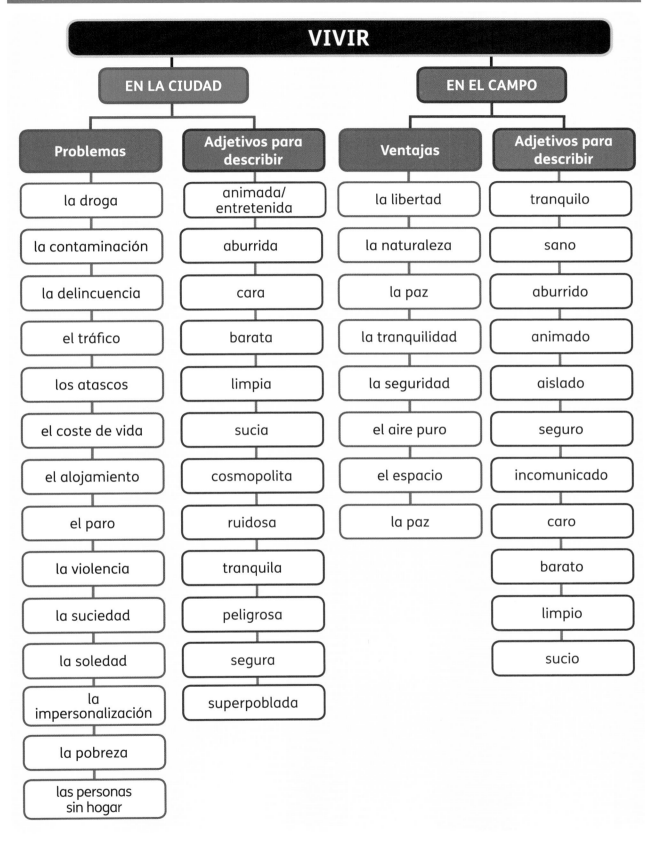

VIVIR

EN LA CIUDAD

Problemas	Adjetivos para describir
la droga	animada/ entretenida
la contaminación	aburrida
la delincuencia	cara
el tráfico	barata
los atascos	limpia
el coste de vida	sucia
el alojamiento	cosmopolita
el paro	ruidosa
la violencia	tranquila
la suciedad	peligrosa
la soledad	segura
la impersonalización	superpoblada
la pobreza	
las personas sin hogar	

EN EL CAMPO

Ventajas	Adjetivos para describir
la libertad	tranquilo
la naturaleza	sano
la paz	aburrido
la tranquilidad	animado
la seguridad	aislado
el aire puro	seguro
el espacio	incomunicado
la paz	caro
	barato
	limpio
	sucio

 Nota cultural

'Las personas sin hogar' y 'los sin techo' son sinónimos.

Writing

Higher Level and Ordinary Level

Diary entry

You are on holidays in Spain and you are staying in the countryside with your cousins. As you live in the city in Ireland this is a new experience for you. Write a diary entry in Spanish using all of the following guidelines:

- Say that you are enjoying yourself in the countryside and you think it is very beautiful.
- Mention two things you particularly like about life in the countryside.
- Say that the only thing you don't like is that there aren't a lot of shops nearby.
- Say that when you return to Ireland you are going to visit the countryside more often.

Comprehension

Read the following article and answer the questions.

'Antes prefería la ciudad pero ahora me gusta más vivir rodeada de* verde', Paula Echevarría, actriz

'Ella siempre se había sentido una chica urbana, 'más de tacones'. Fue a raíz del rodaje* de la serie *Gran Reserva* (TVE), ambientada en la campiña* riojana*, cuando Paula Echevarría empezó a cogerle gusto a pasar más tiempo en el campo. Dentro de poco la veremos también en un ambiente* campestre (aunque muy opresivo), en la película *Vulnerables*, un film en el que interpreta a una joven madre que tiene que trasladarse* a una vieja finca familiar.

Para tu día a día, ¿prefieres la ciudad o el campo? Antes era más partidaria de la ciudad, pero desde que vivo a las afueras de Madrid me quedo con la calidad* de vida y tranquilidad que ofrece estar rodeada de verde.

¿Sueles ir a tu casa de Asturias? Sí. Está situada en plena naturaleza y lo que más disfruto es todo lo que me aporta ese ambiente natural: aire limpio, pureza, tranquilidad, sensación de bienestar*…

¿Cuáles son tus actividades favoritas para realizar al aire libre? Pasear o caminar, ¡que no es lo mismo! También me gusta mucho organizar un picnic, bien sea en familia o bien con amigos.

¿Estás muy concienciada con la protección del medio ambiente*? En el instituto leí un libro que se titulaba *1000 formas de salvar el Planeta y* me marcó para siempre. Desde entonces intento ser lo más respetuosa posible. Las cosas cotidianas en las que podemos contribuir son las más importantes.

www.ar-revista.com

GLOSARIO

(el) ambiente	atmosphere	(el) rodaje	filming, shooting
(el) bienestar	well-being	riojana	from the Rioja area of Spain
(la) calidad	quality		
(la) campiña	the countryside	rodeado de	surrounded by
(el) medio ambiente	environment	trasladarse	to move

Español en acción · Unidad 5 · 140

Ordinary Level

1. When did Paula become interested in spending more time in the countryside?
2. What role does she play in the film Vulnerables?
3. What does she like about living in the suburbs of Madrid?
4. What does she like about the atmosphere in Asturias?
5. What things does she do outdoors?
6. Is she environmentally aware?

 ## Comprehension

Read the following article and complete the exercises.

Los jóvenes prefieren vivir en el lugar en el que han nacido

Después de la gran desbandada* que se produjo en el mundo rural en los años cincuenta y sesenta, que llevó a la desaparición de la vida en muchos pueblos, los jóvenes de hoy se resisten a emigrar a las ciudades y prefieren vivir en el lugar en el que han nacido. 'En los pueblos la vivienda y la vida es mucho más barata y hoy día las redes de Internet les permiten comunicarse con el mundo y los amigos', ha manifestado a EFE el catedrático* de Sociología Benjamín García Sanz, director del primer estudio sobre el mundo rural, realizado con los datos del último censo* de 2009.

Benjamín García Sanz ha destacado la importancia de este cambio: "Hemos pasado de un mundo rural que perdía población a un mundo rural que gana habitantes y que vuelve a tener niños, muchos de ellos de padres inmigrantes". *Ruralidad emergente, posibilidades y retos* es el título del estudio, publicado por el Ministerio de Medio Ambiente y Medio Rural Marino, en el que se analizan los cambios en la población rural, las tendencias del presente y del futuro. El 40% de la población laboral reside en el mundo rural y si no trabaja en el lugar que ha nacido, lo hace en un pueblo o una ciudad cercana, a la que tarda en trasladarse* una media de cuarenta minutos, un tiempo aceptable.

Benjamín García considera que además de razones económicas, en este cambio tienen mucha importancia "las raíces*, los padres, los hermanos, los amigos, porque en los años cincuenta y sesenta todos éramos extranjeros en las ciudades grandes, pero hoy los jóvenes del campo se sienten extranjeros* en las ciudades, en primer lugar porque no tienen dinero y no se pueden integrar". El papel* de las mujeres en la reactivación de la vida rural, la situación de los mayores, la inmigración extranjera, la actividad y el paro y la situación económica son otros factores que analiza el catedrático.

Esta vuelta al mundo rural se produce a pesar de que los ingresos son inferiores: los de las mujeres, los jóvenes, los adultos y los mayores, en cualquier tipo de trabajo y de lugar de España, excepto en Canarias. En el caso de la mujer, la marginación le afecta tanto por ser mujer como por ser mujer rural: sus ingresos son siempre mucho más bajos que los de los hombres.

andaluciainformacion.es

GLOSARIO

(el) catedrático	professor	**(el) papel**	role
(el) censo	census	**(la) raíz**	root
(la) desbandada	scattering	**trasladarse**	to move
(el) extranjero	foreigner		

Higher Level

1. Answer the following questions in English.

(a) Why are young people of today choosing to live in the place they were born?

(b) What effect has this had on the rural world?

(c) According to Benjamín García Sanz, apart from economic reasons, what other factors are important in this change?

(d) What other factors does he analyse in his study?

(e) How are women affected?

2. Escribe en español las frases del texto que tengan el mismo sentido (más o menos) que las siguientes:

(a) alojamiento (paragraph 1)   (b) residentes (paragraph 2)   (c) nombre (paragraph 2)

(d) vive (paragraph 2)   (e) regreso (paragraph 4)

3. Explain in English the meaning of the following in their context.

(a) Después de la gran desbandada que se produjo en el mundo rural en los años cincuenta y sesenta ... (paragraph 1)

(b) ... si no trabaja en el lugar que ha nacido, lo hace en un pueblo o una ciudad cercana ... (paragraph 2)

(c) ... sus ingresos son siempre mucho más bajos que los de los hombres. (paragraph 4)

Higher Level and Ordinary Level

Opinion

Escribe en español tu opinión sobre una de las siguientes afirmaciones.

La vida en la ciudad es más interesante.

o

Vivir en el campo es más natural y más sano.

 Listening

Rafa Nadal

Track 1.66–67

Escucha el siguiente pasaje y responde las preguntas.

Ordinary Level

1. What is Rafa Nadal's profession?

2. Tick the correct box: The item stolen was worth

(a) 300, 000 euros   ❏

(b) 800, 000 euros   ❏

(c) 35, 000 euros   ❏

3. What country has he gone to now?

4. When did he discover the item had gone missing?

5. What other people had access to his hotel room?

Higher Level

1. What was stolen from Rafa Nadal? (Give **full** details.)
2. Why has he left France?
3. Where did the item go missing from?
4. Where had he left the item and when?
5. How do we know there was no sign of a break-in?

Repaso – Tareas domésticas

Higher Level and Ordinary Level

Repasa el siguiente vocabulario relacionado con las tareas domésticas.

VOCABULARIO

ordenar el dormitorio	to tidy the bedroom	pasar la aspiradora/ aspirar	to hoover
barrer el suelo	to sweep the floor	pasear al perro	to walk the dog
cambiar las sábanas	to change the sheets	planchar	to iron
cocinar	to cook	poner la lavadora	to put the washing machine on
cortar el césped	to mow the lawn		
dar de comer a las mascotas	to feed the pets	quitar el polvo	to dust
fregar/ lavar los platos	to do the washing up	regar las plantas	to water the plants
		sacar la basura	take out rubbish
hacer la compra	to do the shopping	secar los platos	to dry the dishes
lavar el coche	to wash the car	tender la ropa	to hang up clothes
limpiar la casa	to clean the house	vaciar el lavavajillas	to empty the dishwasher

 Listening

Las tareas domésticas

Track 1.68–69

Higher Level and Ordinary Level

Escucha a estas dos personas que nos cuentan lo que hacen para ayudar en casa y contesta las preguntas que siguen:

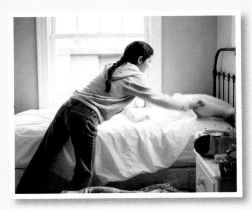

A (a) Why does this person think that it is important to help at home?

(b) What does she do every morning to help?

(c) What does she do when she gets home from school?

(d) What does she do at the weekend?

Higher Level and Ordinary Level

B (a) What does this person have to do every day to help at home?

(b) What happens if he doesn't do it?

(c) What does he have to do twice a week?

(d) What does he say about his younger sister?

(e) What happens when he complains to his mother?

 Pairwork

Higher Level and Ordinary Level

Pregunta a tu compañero/a:

1. ¿Ayudas en casa?

2. ¿Qué sueles hacer para ayudar?

3. ¿Quién cocina en tu casa?

4. ¿Sabes cocinar?

5. ¿En tu casa el reparto de las tareas domésticas es justo?

6. ¿Quién se encarga de la mayoría de las tareas en tu casa?

7. ¿Crees que es importante que todo el mundo ayude en casa?

8. ¿Qué hiciste ayer para ayudar en casa?

9. ¿Hay alguna tarea que no te gusta hacer?

10. ¿Crees que los hombres deberían ayudar en casa?

 Writing

Ordinary Level

Letter/email

Write a letter or email to your friend in Spain. Include the following:

- Say that you are sorry for not writing back sooner.
- Say that your mother is sick and that you have been very busy at home.
- Mention three things you have had to do around the house.
- Say that your brother hasn't helped and say how you feel about this.
- Say that tonight you are going to make dinner for the family.

Higher Level

Opinión

Lee la siguente opinion.

'A mi hijo adolescente, no le gusta ayudar con las tareas domésticas. Pienso que es muy importante que todos los miembros de la familia participen en las tareas de casa. Los niños tienen que aprender a ser responsables y si ayudan desde muy pequeños se sentirán más útiles. He hablado muchas veces con mi hijo, pero nada, se niega a ayudar. ¿Qué puedo hacer para hacerle ver que todo el mundo tiene que compartir las tareas para crear buen ambiente en el hogar?'

¿Es importante echar una mano con las tareas del hogar? Justifica tu opinión escribiendo entre 80 y 150 palabras.

 # Oral

Track 1.70

Higher Level and Ordinary Level

Listen to Megan doing her oral exam.

1. **Megan, ¿dónde vives?**

   Vivo en un barrio que se llama Glasnevin y que está bastante cerca del centro. Me gusta mucho mi barrio porque hay mucho que hacer, sobre todo para los jóvenes. Soy bastante deportista y en mi barrio hay una piscina y un gimnasio. Otra cosa que me gusta es que es muy fácil ir al centro. El servicio de autobuses es excelente y voy allí menudo para quedar con mis amigos.

2. **¿Hay muchos sitios interesantes para los turistas?**

   Claro que sí. A mi parecer, Dublín es una ciudad muy interesante donde hay mucho que ver y hacer. Las tiendas son fantásticas y hay muchos museos que visitar. Desafortunadamente, Dublín es una ciudad muy cara y por eso no es el lugar ideal para pasar las vacaciones.

3. **¿Cómo es tu casa?**

   La verdad es que mi casa es bastante pequeña. Tiene dos pisos, abajo está el salón, el comedor y la cocina. Arriba hay tres dormitorios: el dormitorio de mis padres, la habitación de mi hermano y mi habitación. Tengo que compartir la habitación con mi hermana menor. ¡Qué rollo! No nos llevamos bien y pasamos mucho tiempo peleándonos. Siempre me coge mis cosas sin pedirme permiso.

4. **¿Cuál es tu parte favorita de la casa?**

   Sin ninguna duda es el salón. Es muy cómodo y las paredes están pintadas de azul, mi color favorito. Paso horas allí viendo la televisión. No me gusta la cocina porque es muy pequeña y cuando estoy en la cocina, siempre tengo que ayudar a mi madre.

5. **¿Te gusta vivir en la ciudad?**

   Sí, me encanta el ambiente de la ciudad. No es posible aburrirse porque hay muchísimas cosas que hacer. Todo está muy cerca y si quiero ir a algún sitio, puedo ir a pie o en autobús, así mis padres no tienen que llevarme en coche.

6 **¿Te gustaría vivir en el campo?**

   Creo que el campo en irlanda es muy bonito. Estoy muy contenta en la ciudad pero también me atrae la vida en el campo. Hay menos contaminación y claro, es más

tranquilo. Todos los veranos, paso dos semanas en el campo con mis abuelos y suelo pasarlo bien.

7. ¿Ayudas en casa?

Claro que sí. Todos los días, después de levantarme, hago la cama y ordeno el dormitorio. Una vez a la semana tengo que preparar la cena. Me encanta cocinar y mi plato preferido es la tortilla española. Los sábados, les ayudo a mis padres con las tareas de casa. Suelo pasar la aspiradora o planchar la ropa aunque odio planchar, ¡es muy aburrido!

Comprehension

Lee el siguiente texto sobre David Beckham y contesta las preguntas que siguen.

David Beckham: 'Me encanta pasar la aspiradora'

En una entrevista* con la revista *People*, David Beckham ha dicho que es un amante* de la limpieza* y el trabajo doméstico. Su tarea favorita es pasar la aspiradora. El centrocampista* británico que juega con el club estadounidense LA Galaxy dice que le gusta mucho el orden en la casa. Además de hacer los quehaceres domésticos*, le gusta mucho cocinar. Para su mujer Victoria, suele preparar langostinos* con verdura fresca y para sus niños, pasta con salsa de tomate y aceitunas*.

Lo más importante para David Beckham es su familia y admite que es una persona muy romántica; David y Victoria Beckham tienen cuatro hijos. Cuando termine su carrera futbolística, planea pasar más tiempo con su familia y recaudar dinero* con fines benéficos. Dice que le encantaría ser Embajador* de UNICEF.

GLOSARIO

(la) aceituna	olive	**(el) langostino**	shrimp
(el) amante	lover	**(la) limpieza**	cleaning, cleanliness
(el) centrocampista	midfielder	**(los) quehaceres**	
(el) embajador	ambassador	**domésticos**	household chores
(la) entrevista	interview	**recaudar dinero**	to raise money

Ordinary Level

1. In an interview with the magazine *People*, what did David Beckham say he is a lover of?

2. What is his favourite task around the house?

3. What does he like to cook (a) for his wife and (b) for his children?

4. What kind of person does he say he is?

5. What does he plan to do when his footballing career is over?

Comprehension

Lee el siguiente texto y completa los ejercicios que siguen.

Hombres y mujeres comparten las tareas sólo en uno de cada diez hogares catalanes

La vida moderna no es tan moderna como la venden y es que, en pleno siglo* XXI, las tareas del hogar siguen llevando nombre de mujer. Sólo en el 9,77% de los hogares catalanes hombres y mujeres comparten las tareas de forma igualitaria, mientras que* en el 74,5% de los casos siguen siendo ellas quienes organizan lo que se tiene que hacer. Una campaña de la Generalitat intentará corregirlo e implicar más a los niños.

En cuanto al tiempo semanal destinado a llevar a cabo* las tareas domésticas o al cuidado de personas con dependencia, ellas siguen ganando por goleada*: casi triplican el tiempo destinado por los hombres. Así, las mujeres dedican una media de 23 horas por semana a llevar a cabo estos quehaceres, contra las 7,6 horas de ellos.

En el caso de los niños, el porcentaje es similar y sólo un 11,8% colaboran en casa, según datos de la Secretaria de Polítiques Familiars i Drets de la Ciutadania. La Generalitat presentó el martes una nueva herramienta* para fomentar* la igualdad de responsabilidades en el hogar desde la infancia. Se trata de la página web www.gencat.cat/dasc, que ya está en funcionamiento. Dispone de juegos, talleres y otros materiales para potenciar la corresponsabilidad y el respeto y evitar la discriminación por sexos.

'Buscamos una mayor implicación de los hombres en las responsabilidades domésticas, que, hoy por hoy, deja mucho que desear', afirma la secretaria de Polítiques Familiars, Carme Porta. Y añade: 'Si bien mucha gente dice que en sus casas se reparten las tareas, el discurso no es real'.

- De 2 a 3 años: Pueden dar las pinzas* para tender la ropa*, llevar su plato al lavadero y recoger sus juguetes y libros.

- De 4 a 6 años: Guardar su ropa donde corresponda, ordenar el baño tras la ducha o ayudar a acabar de hacer la cama.

- De 7 a 12 años: Bajar la basura, ir a comprar cosas concretas, doblar la ropa o quitar el polvo*.

- De 13 a 18 años: Ayudar en el cuidado de algún miembro de la familia, ir a la compra, planchar.

20 minutos

 # Nota cultural

España está dividida en 17 comunidades autónomas (o regiones). Cada comunidad tiene un gobierno autonómico; la Generalitat es el gobierno de Cataluña.

GLOSARIO

fomentar	to promote, encourage	**en pleno siglo**	in the middle of the century
(la) goleada (fig.)	difference		
(la) herramienta	tool	**(la) pinza**	clothes peg
llevar a cabo	to carry out	**quitar el polvo**	to dust
mientras que	while	**tender la ropa**	to hang out the clothes

Higher Level

1. Escribe las frases del texto que sean equivalentes más o menos a las siguientes:

(a) tratará de cambiarlo (paragraph 1)

(b) en lo que concierne al (paragraph 2)

(c) las hora dedicadas (paragraph 2)

(d) promover la paridad (paragraph 3)

(e) una participación superior (paragraph 4)

2. Write in English the meaning, in the context, of the following phrases:

(a) ... en el 74,5% de los casos siguen siendo ellas quienes organizan lo que se tiene que hacer. (paragraph 1)

(b) ... casi triplican el tiempo destinado por los hombres. (paragraph 2)

(c) 'Buscamos una mayor implicación de los hombres en las responsabilidades domésticas' ...(paragraph 4)

3. Busca en el texto una palabraofrase en español que tenga el mismo sentido (más o menos) que las siguientes:

(a) casas (paragraph 1)

(b) dividen (paragraph 1)

(c) promover (paragraph 3)

(d) la niñez (paragragh 3)

(e) actualmente (paragraph 4)

4. As a partial summary of the content of the article, write in English the information required.

(a) Mention three details that show us that housework is mainly being done by women in Catalan households.

(b) Why has the Generalitat set up the website www.gencat.cat/dasc?

(c) What housework is suggested for each of the following age groups? (Give **one** detail for each group.)

(i) 2 to 3 year olds (ii) 4 to 6 year olds (iii) 7 to 12 year olds (iv) 13 to 18 year olds

5. Expresa de otro modo en español una de las frases siguientes:

Las tareas del hogar siguen llevando nombre de mujer

o

Implicar más a los niños

Situation

Higher Level and Ordinary Level

Trabajad en parejas. Comentad qué os sugiere la imagen.

ℤ𝔸𝔹ℂ Vocabulary list

al principio	at the beginning	(el) crimen	crime
a pesar de	despite	dar miedo	to scare, frighten
acostumbrarse	to get used to	desplazarse	to move, to travel
adaptarse a	to adapt oneself to	(el) disfraz	costume, fancy dress outfit
aislado	isolated		
(el) ajetreo	hustle and bustle	(la) diversión	fun
		entristecer	to sadden
(la) alfombra	carpet	(los) fuegos artificiales	fireworks
(la) almohada	pillow		
aumentar	to increase	(el) granjero	farmer
cambiar de opinión	to change your mind	(el) hincha	fan
(la) cartera	wallet	hoy en día	nowadays
(la) cervecería	(beer) bar	justo	fair
(la) circulación	traffic	(la) madera	wood
(el) corazón	heart	la) manta	blanket
crecer	to grow up	mendigar	to beg

molestar	to annoy
(el) monopatín	skateboard
mudarse	to move (house)
(el) ocio	leisure time
ocupado	busy
padecer	to suffer
(el) paisaje	scenery, landscape
(la) pared	wall
(las) persianas	blinds
(las) personas sin hogar	homeless people

(la) pesadilla	nightmare
(la) población	population
repartir	to share
(la) sábana	sheet
saludable	healthy
(la) urbanización	housing estate
(el) vecino	neighbour
(la) vista	view

Revision test

1. Say what the following words mean.

(a) me costó mucho (b) el calor sofocante (c) una hincha (d) aislado (e) me han dicho que (f) el extranjero (g) la contaminación (h) una cervecería (i) la suciedad (j) vistas increíbles (k) concursos de disfraces (l) la nevera (m) sin duda (n) una pesadilla (ñ) la diversión (o) la delincuencia (p) los mendigos (q) a mi parecer (r) el lavavajillas (s) quitar el polvo

2. How would you say the following in Spanish?

(a) it saddens me (b) homeless people (c) it's not possible to get bored (d) what a pain! (e) noisy (f) it's worth it (g) dangerous (h) oven (i) a mirror (j) the only thing I don't like (k) a big family (l) city life (m) healthy (n) exhaustion (ñ) poverty (o) the environment (p) unemployment (q) to hoover (r) housework (s) to walk the dog

3. What do the following conditional tense verbs mean?

(a) estudiaría   (b) comerían   (c) haría   (d) ¿saldrías?   (e) iríais
(f) cantaríamos (g) me levantaría (h) yo podría (i) no querrían   (j) él ayudaría

4. Put the following into Spanish using the conditional tense.

(a) she would play   (b) we would cook (c) I would hoover (d) they would sing
(e) she would go   (f) I would have   (g) they would do   (h) would you buy?
(i) you (pl) would find (j) we would put

5. Translate the following sentences into Spanish.

(a) At the beginning when I moved to Dublin I felt a little nervous.

(b) What I don't like about my area is that the streets are quite dirty.

(c) I would prefer to live in the countryside because it's quieter

(d) Life in the countryside can be a little boring sometimes.

(e) I get on really well with the family next door and when they are on holidays I water their plants.

(f) In my area there are loads of facilities for young people.

(g) My house has fantastic views and from my room I can see the sea.

(h) The best time to visit Ireland is during the summer when the weather is good.

(i) The pace of life in the city is very fast and a lot of people are stressed.

(j) I hate doing housework but unfortunately my mother makes me help every day. What a pain!

Ordinary Level

6. Email

Your friend in Spain has sent you an email. Write a response to it, making sure you answer all the questions you have been asked.

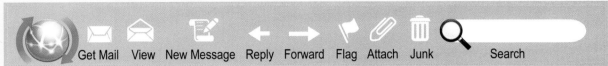
Get Mail · View · New Message · Reply · Forward · Flag · Attach · Junk · Search

```
Hola amigo:

¿Qué tal? Gracias por tu correo que recibí anoche. Me
preguntaste si podía describir mi casa y mi barrio. Bueno,
vivo en un apartamento pequeño en las afueras de Santander.
Me gusta mi apartamento porque es bastante espacioso y
tiene un balcón que da a un parque. Tengo suerte porque
no tengo que compartir mi dormitorio. ¿Y tú, dónde vives?
¿Vives en una casa o en un apartamento? ¿Vives en la ciudad
o en el campo? ¿Tienes que compartir tu habitación?

En general, mi barrio es bastante seguro pero claro que hay
algunos problemas, como los atascos, la contaminación y el
ruido. Por suerte, aquí hay poca delincuencia. ¿Cómo es tu
barrio? ¿Es peligroso? ¿Hay muchos problemas sociales?

No me gustaría vivir en el campo porque hay menos cosas que
hacer y me imagino que sería un poco aburrido. ¿Prefieres
vivir en la ciudad o en el campo?

Bueno me tengo que ir porque mi madre quiere que ordene
mi habitación. ¡Qué rollo! Odio las tareas domésticas pero
supongo que es importante que todo el mundo ayude en casa.
Y tú, ¿tienes que ayudar en casa?
¿Qué tienes que hacer?

Escríbeme pronto.

Hasta luego.

Pablo
```

Higher Level

7. Diary entry

You have just moved from the country to the city with your family because your father has a new job. Write a diary entry in Spanish describing how you feel about the move. Include all of the following:

- Your feelings about city life versus country life.
- Describe your new house.
- Say what you miss about your old area.
- Talk about how you are going to meet new people.

UNIDAD 6

Las vacaciones

At the end of this unit you will be able to:

- Talk in detail about your holidays
- Talk about holidays in Spain
- Talk about Ireland as a holiday destination

Exam practice:
- Reading comprehension
- Email writing
- Listening comprehension
- Internet forum
- Oral practice
- Note writing
- Opinion writing
- Diary entries
- Dialogue construction

Grammar:
- Adverbs
- Negation

Las vacaciones

Las vacaciones nos dan la oportunidad de escapar del estrés de la rutina diara y nos permiten recargar las pilas. A muchos irlandeses les gusta pasar las vacaciones en España.

Comprehension

Lee el siguiente texto y contesta las preguntas.

España, un país turístico

España es el país ideal para pasar las vacaciones. Es famosa por la historia, el arte, el flamenco, las corridas de toros, el clima, el deporte, la gastronomía, las fiestas, las playas y muchas otras cosas. España está situada al suroeste de Europa, en la Península Ibérica que comparte con Portugal. Pertenecen a España también las Islas Canarias, en el Océano Atlántico y las Islas Baleares en el Mar Mediterráneo. Tiene una población de, aproximadamente, 47 millones de habitantes.

España es el cuarto país más visitado por los turistas en el mundo y recibe aproximadamente 60 millones de turistas al año. Es un destino muy atractivo para los turistas por el clima. Tiene un clima muy soleado y temperaturas más altas que otros países europeos. Las temperaturas veraniegas varían entre los 20 y los 40 grados y muchas regiones tienen más de 300 días del sol al año.

España es un país de contrastes; la belleza del país varía mucho del norte al sur. Hay 17 comunidades autónomas y cada una ofrece algo distinto a los turistas. Desde los verdes paisajes del norte hasta las famosas playas del sur; en España hay algo para todo el mundo. No es difícil entender por qué van tantos turistas a España, ya que tiene muchas cosas positivas: el buen tiempo, el ambiente relajado, el bajo coste y, por supuesto, la gente española. Los españoles son conocidos mundialmente por ser abiertos, simpáticos, relajados y todo el mundo sabe que a los españoles les gusta pasarlo bien.

En los últimos años la gastronomía española se ha hecho muy popular debido a su variedad y su riqueza y la dieta mediterránea se considera muy sana. Cada región tiene su plato típico, por ejemplo: la paella valenciana, la fabada asturiana, el cocido madrileño, etc. Otra cosa que atrae a los turistas son las fiestas que se celebran por todo el país de España. Muchas de las fiestas españolas tienen un origen religioso.

Para los que buscan el sol y la playa España tiene muchos kilómetros de costa porque está rodeada por el Océano Atlántico y el Mar Mediterráneo. Las mejores playas de Europa con kilómetros de arena fina están en España. También tiene montañas, perfectas para los que les interesan los deportes invernales en épocas de nieve. A una hora y media del centro de Girona, están los Pirineos con muchas pistas de esquí. Es uno de los países más montañosos de Europa con una altitud media de 650 metros. El turismo es muy importante para la economía porque los turistas dejan en España cerca de 50.000 millones de euros cada año y, a su vez, el turismo genera miles de empleos en todo el país.

Higher Level and Ordinary Level

1. What is Spain famous for?
2. What makes it attractive to tourists?
3. Describe the north–south contrast.
4. How are Spanish people described?
5. Why is Spanish food so popular?
6. Why is tourism important for the country?

Pairwork

Higher Level and Ordinary Level

Habla con tu compañero/a sobre Irlanda.

1. ¿Dónde está Irlanda?
2. ¿Cuál es la población de Irlanda?
3. ¿Qué lenguas se hablan?
4. ¿Cómo es el clima?

5. ¿Qué tiene Irlanda para los turistas?
6. ¿Cómo son los irlandeses?
7. ¿Cuáles son los platos más típicos?
8. ¿Cómo son las playas irlandesas?

Writing

Higher Level and Ordinary Level

Email

Escribe una respuesta al siguiente correo electrónico de tu amigo español. Asegúrate de que contestas todas las preguntas.

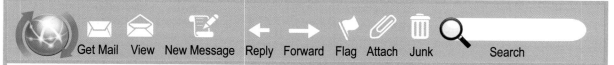

Get Mail   View   New Message   Reply   Forward   Flag   Attach   Junk   Search

De: juan85@mixmail.com

A: Paul

Asunto: Hola desde Toledo

Hola Paul:

¿Qué hay de nuevo? Por aquí todo bien. Por fin, he terminado los exámenes y puedo descansar y dormir mucho. ¡El examen de inglés me salió fatal! Estoy preocupado porque creo que voy a suspenderlo.

¿Has terminado el curso? ¿Tienes planes para las vacaciones? A mi madre le encantaría pasar las vacaciones este año en Irlanda. ¿Nos lo recomiendas? ¿Hay mucho que hacer? ¿Puedes contarme algo sobre el clima, los sitios interesantes para visitar y la comida?

Espero noticias tuyas.

Hasta pronto.

Juan

Comprehension

Lee lo que las siguientes personas tienen que decir sobre sus vacaciones y responde las preguntas que siguen.

Experiencias (Mi Blog) (Sígueme) (Archivos descargables)

Todos los años voy de vacaciones a España con mi familia. Somos muy afortunados porque tenemos una casa en el sur, muy cerca de la bonita ciudad de Sevilla. Desde Irlanda, podemos volar a Málaga o a Sevilla y los billetes no suelen costar mucho. Solemos alquilar un coche en el aeropuerto para llegar a nuestra casa que está en un pequeño pueblo llamado Burguillos. Nuestra casa es bastante pequeña pero es muy cómoda y me encanta pasar las vacaciones allí. No hacemos muchas cosas durante nuestras vacaciones: descansamos, tomamos el sol y disfrutamos de la deliciosa comida. En Burguillos hay muchas actividades que se pueden practicar al aire libre, por ejemplo: equitación, caza y senderismo. Todos los años intento mejorar mi español y estoy orgullosa de hablar bastante bien; además, suelo sacar buenas notas en el examen. En cambio, mis padres no saben decir ni una palabra y cuando estamos en un restaurante o en un bar, me avergüenza oírles hablar en inglés. En mi opinión si vas muchas veces a un país donde hablan otra lengua, deberías aprender por lo menos las cosas más básicas, porque no en todos los países la gente habla inglés. Mis padres me han prometido que van a hacer un curso de español antes de volver a España. La verdad es que la mayoría de los habitantes del pueblo no hablan inglés y por esta razón es imprescindible hablar español. En el futuro, pienso estudiar español en la facultad porque me gusta mucho todo lo relacionado con España: la lengua, las costumbres, la comida, la gente, la cultura, el clima. Mi primo me dijo que si estudio español en la universidad, tendré la posibilidad de pasar un año Erasmus en una universidad española y me encantaría poder hacerlo.

1. Where does this person go on holidays every year?

2. Describe how they get to the village of Burguillos.

3. What does she usually do during her holidays?

4. What is she proud of?

5. How do her parents embarrass her?

6. Why is it important to speak Spanish?

7. What does she like about Spain?

8. If she studies Spanish at university, what will she have the possibility of doing?

¡OJO!
'Facultad' y 'universidad' son sinónimos.

Experiencias Mi Blog Sígueme Archivos descargables

El verano pasado fui a España por primera vez. ¡Me impresionó tanto el país! Pienso que el paisaje es increíble y, claro, me gustó mucho el clima. Durante toda mi estancia, no vi ni una gota de lluvia. ¡Qué contraste con Irlanda! Me encantaría vivir en un país con un clima parecido porque a mí me encanta estar al aire libre y en Irlanda, debido al mal tiempo, no puedo. Pasé tres semanas en el norte de España, en la ciudad de Bilbao, donde hice un curso de español. Al principio, no quería estar allí pero como suspendí el examen de español, mis padres me obligaron a hacer un curso. Tengo que decir que me lo pasé fenomenal en Bilbao. Es una ciudad muy moderna y allí está el Guggenheim, un museo de arte contemporáneo, con una media de un millón visitantes al año. Lo que más me gustó de la ciudad fue 'Puppy', una escultura de un cachorro enorme hecha de flores que está a la entrada del Guggenheim. Me gustó mucho el pueblo de Portugalete donde está el puente transbordador colgante que une las dos orillas del río Nervión.

1. What did this person think about the climate in Spain? (Give **full** details.)
2. Why would she like to live in that kind of climate?
3. Why was she in Bilbao?
4. What is the Guggenheim?
5. Mention some details about Puppy.

Experiencias Mi Blog Sígueme Archivos descargables

Hace dos años nuestros padres nos sugirieron pasar las vacaciones en España y mis hermanos y yo nos pusimos muy contentos. Mi padre reservó los vuelos y el hotel y todo el mundo estaba muy entusiasmado. Por fin, llegó el día de la salida; el vuelo se retrasó dos horas y cuando llegamos al aeropuerto de Barcelona, descubrimos que una de nuestras maletas todavía estaba en el aeropuerto de Dublín. Por fin, después de organizar la entrega de nuestra maleta para el día siguiente, cogimos el autobús al centro de Barcelona. Estaba oscureciendo y pasamos cincuenta minutos buscando el hotel. Al llegar al hotel, descubrimos que el dueño se había equivocado con nuestra reserva y no había sitio para todos. ¡Yo tuve que dormir en el suelo! El día siguiente todo el mundo estaba de mal humor por haber dormido poco y mis hermanos discutieron por cosas tontas durante todo el día. Las cosas fueron de mal en peor: a mi madre le robaron el bolso, a mi padre le dolía la cabeza y tuvo que volver al hotel. Después del primer día, las cosas mejoraron mucho y lo pasamos bastante bien, pero la verdad es que creo que no volveré a Barcelona en mucho tiempo.

1. How did this person feel when his parents suggested a holiday in Spain?
2. What happened to their flight?
3. What did they discover when they arrived at Barcelona airport?
4. What did they do before leaving the airport?
5. Why was it hard to find the hotel?
6. What mistake had the hotel made?
7. Why was everyone a little bad-humoured on the following day?
8. Mention **two** other things that happened to them.

Writing

Higher Level and Ordinary Level

Expresa las siguientes frases en español.

(a) Every year I go on holidays with my family to Spain.

(b) I love spending my holidays in Spain because I think that it is a beautiful country.

(c) It is not expensive to fly to Spain.

(d) When I am on holidays I love spending time outdoors doing sport.

(e) I try to speak Spanish as much as possible and every year I learn new words.

(f) The weather in Spain was fantastic during our holidays and we were able to spend a lot of time outdoors.

(g) What I liked most about Spain was the people – everybody was very friendly.

(h) During my holidays, I met lots of people and I had a fantastic time.

(i) I really want to visit Spain because Spanish is my favourite subject at school and I would like to learn more about the country.

(j) I would really like to return to Spain next year.

Las vacaciones

Unidad 6

Español en acción

158

Higher Level and Ordinary Level

Escucha a las siguientes personas hablando sobre sus vacaciones y contesta las siguientes preguntas:

A (a) When, where and with whom is this person going on holidays?

(b) What does she say about la Calle Sierpes?

(c) What has her sister asked her to buy for her?

(d) What did her friend's mother tell her about this time of year in Andalusia?

(e) Why do you have to book your accommodation a long time in advance?

(f) What is La Isla Mágica?

B (a) Why does this person's family usually spend their holidays in Ireland?

(b) Where do they go?

(c) Does he like it? Why?

(d) Where did he go last October? (Give **full** details.)

(e) How did he spend his time there?

(f) What does he say about the food?

(g) What did they do on the last day?

C (a) Why was this girl happy when her father suggested that they go on holidays to Spain?

(b) What did her father want to spend his time doing?

(c) Why was she disappointed?

(d) What agreement did they come to?

(e) What did she like most about the city of Valencia?

(f) What activities do people do there? (Give **full** details.)

(g) Will she stay in touch with Javi?

 **Pairwork**

Higher Level and Ordinary Level

Pregunta a tu compañero/a:

1. ¿Dónde sueles pasar las vacaciones?
2. ¿Vas de vacaciones todos los años?
3. ¿Qué sueles hacer cuando estás de vacaciones?
4. ¿Prefieres pasar las vacaciones en la playa o en el campo?
5. ¿Prefieres pasar las vacaciones en Irlanda o en el extranjero?
6. ¿Fuiste de vacaciones el verano pasado?
7. ¿Tienes planes para las vacaciones de este verano?

 ## Los adverbios – Adverbs

Adverbs are words which are used to modify, quantify or amplify the meaning of a verb, an adjective, or another adverb. They do not change their form to agree with any other word.

Formation

Some adverbs are formed in Spanish by adding **-mente** to the feminine form of the adjective, e.g. *estupenda* > *estupendamente*.

Remember there are adjectives that have just one form for masculine and feminine, e.g. *fácil* > *fácilmente; triste* > *tristemente*.

Práctica

Cambia los siguientes adjetivos a adverbios y di qué significan.

lento	seguro
cuidadoso	feliz
probable	perfecto
cariñoso	fácil
fuerte	furioso

¡OJO!

Don't forget about two important irregular adverbs made from adjectives:

bien (from **bueno**)

mal (from **malo**), e.g. *Estoy bien/mal.*

Comprehension

Lee el siguiente texto y contesta las preguntas.

El puente de mayo concluye con 19 muertos en 17 accidentes de tráfico

Diecinueve personas han perdido la vida* en los diecisiete accidentes mortales ocurridos en las carreteras durante el puente de mayo, que concluyó oficialmente la pasada medianoche.

Según la Dirección General de Tráfico (DGT), en estos mismos siniestros*, contabilizados entre las 15.00 horas del viernes 27 de abril y las 24 horas del miércoles 2 de mayo, ha habido además cinco heridos graves* y 16 leves*.

La jornada con mayor siniestralidad* fue el domingo, ya que murieron siete personas y otra resultó herida grave en seis accidentes de tráfico. De los fallecidos* durante el puente* tres eran motoristas, uno conductor de ciclomotor y otro ciclista. Respecto a las causas de los 17 accidentes, nueve han sido salidas de la vía* y ocho, colisiones. En el acumulado* anual, hasta el 2 de mayo, se han contabilizado 413 víctimas mortales, 14 menos que hasta la misma fecha del año pasado, lo que representa un descenso* del 2,5 por ciento del total.

20 minutos

GLOSARIO

(el) acumulado	total
(el) descenso	fall, drop
(el) fallecido	deceased person
grave	serious
leve	slight, minor

perder la vida	to lose one's life
(el) puente	long weekend
(la) siniestralidad	accident rate
(el) siniestro	accident
(la) vía	road

Ordinary Level

1. When did these accidents take place?

2. Between Friday, 27 April and Wednesday, 2 May, how many people were injured? (Give **full** details.)

3. Why is Sunday mentioned?

4. What were the causes of the 17 accidents?

5. How do these figures compare with last year's?

Writing

Forum

Anne and her family are thinking of spending their summer holidays in Spain this year, probably in the month of August or September. They can't decide which part they want to go to so Anne decides to post a question on a forum to ask other people for some advice.

Imagine you are Anne. Having chosen your holiday destination, post a reply to all the people below, thanking them for their suggestions and telling them where you have decided to go. Give reasons for your choice.

Internet Forum

Hola a todo el mundo. Necesito un consejo. Nos gustaría pasar las vacaciones en España este verano pero no es fácil elegir un sitio. ¿Adónde nos recomendaríais ir? *Gracias*

Pablo: Te aconsejo que vayas a Madrid porque es una ciudad muy moderna y cosmopolita que tiene muchos teatros, cines, operas, galerías de arte y museos. Vale la pena ir al museo Reina Sofía donde puedes ver el famoso cuadro de Pablo Picasso, El Guernica. Hay tanto que hacer en Madrid que es casi imposible aburrirse. Si te gusta ir de compras, sin duda Madrid es tu ciudad. En la calle Fuencarral, en el centro de la ciudad, puedes encontrar las mejores tiendas. Mi lugar preferido de Madrid es el Parque del Retiro donde me encanta dar un paseo con mi familia los fines de semana y de vez en cuando alquilamos un bote y remamos en el lago. Si un día quieres escaparte de la ciudad, puedes ir al parque de atracciones Warner, que está a una media hora del centro, y te lo pasarás muy bien. Es mejor no visitar Madrid en agosto porque hace un calor sofocante; las temperaturas pueden alcanzar 40 grados e incluso más.

Rosario: No estoy de acuerdo con Pablo. A mi parecer, Madrid es una ciudad sucia y muy estresante. No es un buen sitio para pasar las vacaciones. Yo te aconsejo ir a Barcelona: tiene todas las ventajas de una gran ciudad pero lo bueno es que está cerca del mar y por eso, puedes pasar tiempo en la playa, además de disfrutar de las atracciones. Si te gusta practicar deporte, hay un montón de posibilidades en esta ciudad: natación, vela, ciclismo etc. La vida nocturna es fantástica y es posible conocer a gente del mundo entero. Además, hay vuelos directos a Barcelona desde Dublín y Cork.

Nuria: Te aconsejo que vayas a Cádiz porque allí puedes encontrar las mejores playas de España y casi todas tienen bandera azul. También se pueden practicar deportes acuáticos y conocer a gente extranjera. El pescado en esa zona es de lo mejor que he probado. Las vacaciones en las ciudades grandes como Madrid y Barcelona pueden ser muy caras. En el sur de España el coste de vida es más bajo. Fui allí hace tres años y fue el mejor verano de mi vida.

Rodrigo: No es verdad que Cádiz tenga las mejores playas de España. Las mejores playas están en la Comunidad Valenciana, que tiene más de 500 kilómetros de costa. El clima cálido y seco es perfecto y no hace demasiado calor en verano. En Valencia tienes todo lo que necesitas para pasar unas vacaciones estupendas. Hay muchos parques naturales y jardines públicos. Una buena época para visitar esta región es durante las Fallas de San José, una fiesta que celebra el comienzo de la primavera. Se pueden ver enormes monumentos de cartón en las calles y las plazas de la ciudad y el último día de las fiestas se queman.

Listening

Barcelona y Sevilla

Track 2.08–09

Escucha los siguientes extractos sobre Barcelona y Sevilla y contesta las preguntas.

A Barcelona

Ordinary Level

1. Where in Spain is Barcelona situated?

2. The Olympic Games took place in:

   1932 ☐   1872 ☐   1992 ☐

3. How many tourists visit every year?

4. What metro line will take you to Barceloneta beach?

5. What is the name of the most famous street in the city?

6. How much do tickets into the Barcelona FC museum cost? (Give **two** details.)

Higher Level

1. Where is Barcelona situated? Give **three** details.

2. When did Barcelona become a popular destination for tourists?

3. What can you see on Las Ramblas?

4. What year did construction on the Sagrada Familia start?

5. What happened in 1926?

6. What is said about the Barcelona FC museum? (Give **full** details.)

B Sevilla

Ordinary Level

1. What is the Guadalquivir?

2. What is the population of Seville?

3. When is the best time to visit Seville?

4. How much does a ticket for the Flamenco museum cost? (Give **full** details.)

5. What are the museum's opening hours?

6. How are the streets in the Barrio Santa Cruz described?

Higher Level

1. Where is Seville situated? (Give **full** details.)
2. Why is it best not to go there in the summer months?
3. Name **three** things you can do in the Flamenco museum.
4. Mention **two** details about the Barrio Santa Cruz.
5. What tapas dishes are mentioned?
6. How big is the María Luisa Park?

 La negación – Negation

In English when we want to make a sentence negative we put *don't, doesn't, not*, etc. in front of the verb. In Spanish we simply put **no** directly in front of the verb.

Example:

> *Vivo en Madrid.* **No** *vivo en Madrid.*
> *Juan trabaja en el banco. Juan* **no** *trabaja en el banco.*

Note: When there are object pronouns in the sentence, the **no** must also go before them

Example:

> *Mi madre* **no** *se levanta temprano.*

Other negative words:

You can use the negative words right in two ways:

1. If the negative word comes after the verb, you must put **no** in front of the verb, e.g. **No** *como* **nunca** *zanahorias.*

2. However, if you use the negative word at the beginning of the sentence, you leave out *no*, e.g. **Nunca** *como zanahorias.* **Nadie** *viene al gimnasio tan temprano.*

jamás/nunca – never
nada – nothing
nadie – no-one, nobody
ni … ni – neither, nor
ninguno – none, not any
tampoco – either, not either

Práctica

Express the following negative sentences in Spanish.

1. I didn't do my homework last night.
2. Nobody is going to study for the exam.
3. Neither Anne nor Paul can come to the party.
4. I have never been on holidays to Spain.
5. My father doesn't like onions.
6. Nobody buys me presents.
7. Last weekend, we did nothing.
8. I don't have any interest in music.
9. They don't know anybody here.

Oral

Higher Level and Ordinary Level

Listen to Chloe doing her oral exam.

1. ¿Qué sueles hacer durante las vacaciones?

Bueno, normalmente estoy cansada después de un largo año escolar. Me levanto tarde y duermo mucho. ¡Me encanta dormir! Suelo ayudar a mis padres en casa y salgo con mis amigos.

2. ¿Vas a ir de vacaciones este año?

Por desgracia, no vamos de vacaciones al extranjero este año porque debido a la crisis económica, mis padres no tienen bastante dinero. De todas maneras, pasaremos unos días con mis primos en el campo a finales de julio. Me encanta la vida en el campo porque es tranquila. Es agradable escapar del ruido y del estrés de Dublín de vez en cuando. Mi primo Andrew tiene la misma edad que yo y nos llevamos súper bien. ¡También tiene muchos amigos guapos!

3. ¿Has estado alguna vez en España?

Sí, he estado tres veces en España. La primera vez, fui de viaje escolar a Barcelona. ¡Fue fantástico! El año siguiente fui con mi familia a Murcia y el año pasado pasé dos semanas en Málaga con la familia de mi mejor amiga. Nos alojamos en un apartamento muy cerca de la playa y nos divertimos mucho. Málaga es una ciudad muy bonita con un ambiente fantástico. Me gustaron mucho las tiendas del centro pero la verdad es que pasé la mayoría del tiempo tumbada en la playa, tomando el sol y poniéndome morena. En general, prefiero pasar las vacaciones en la costa porque es más relajante y, si quieres, puedes practicar deportes acuáticos como la vela o el buceo.

4. ¿Conociste a algún español?

Sí, el año pasado el segundo día de nuestra estancia, mi amiga Jane y yo conocimos a dos chicos españoles en la playa. ¡Qué guapos son los chicos españoles! Pasamos mucho tiempo con Álex y Enrique y nos enseñaron los sitios más interesantes de la región. También nos ayudaron con el español. Estoy orgullosa de poder decir que aprendí mucho español durante las vacaciones y este año en el colegio mis notas han mejorado mucho.

5. ¿Probaste la comida española durante tu estancia en Málaga?

Claro que sí. Pienso que la comida española es deliciosa, sobre todo, el pescado frito. En Irlanda nunca como pescado pero durante las vacaciones probé muchos tipos distintos. Un día Álex me invitó a cenar con su familia y tengo que decir que su madre cocina muy bien y probé un montón de platos nuevos como la cazuela de fideos, los boquerones en vinagre y una tarta de almendras. Pienso que la dieta española es mas sana que la de Irlanda porque comen más verdura y pescado que nosotros.

6. ¿Te gustaría volver algún día a España?

Tengo muchas ganas de volver a España y cuando termine mis exámenes en junio, voy a buscar un trabajo a tiempo parcial. Quiero ir a Málaga para ver a Álex en agosto pero necesito ahorrar dinero para pagar el vuelo.

Pairwork

Higher Level and Ordinary Level

Practica con tu compañero/a:

1. ¿Has estado alguna vez en España?
2. ¿Te gustó España?
3. ¿Qué te gustó más de España?
4. ¿Probaste la comida española?

5. ¿Qué tiempo hacía durante tu estancia?
6. ¿Qué hacías todos los días?
7. ¿Aprendiste mucho español?
8. ¿Te gustaría volver a España?

Comprehension

Lee este texto y completa los ejercicios.

Todo el mundo ha oído del famoso actor Martin Sheen y sus hijos Emilio Estévez y Charlie Sheen. ¿Pero sabías que la familia Sheen tiene raíces* españolas? Martin Sheen, cuyo nombre real es Ramón Gerardo Antonio Estévez, nació en Ohio y es hijo de padre español, de origen gallego, y madre irlandesa. Su hijo Emilio siempre ha sentido una conexión especial con sus raíces españolas y es el único miembro de la familia que ha conservado el apellido* español de su abuelo. Está muy orgulloso* del origen gallego de su abuelo que emigró a los Estados Unidos en busca de mejores oportunidades.

The Way es una película dirigida* por el director Emilio Estévez en la que actúa su padre, Martin Sheen. La historia transcurre en el Camino de Santiago, un camino de peregrinación en el norte de España. El Camino de Santiago es una ruta en España que anualmente recorren* más de cien mil peregrinos* para llegar a la ciudad de Santiago de Compostela, donde se encuentran los restos* del Apóstol Santiago. Los peregrinos hacen la ruta a pie, en bicicleta o a caballo. A lo largo del Camino hay refugios donde los peregrinos pueden alojarse. Algunas personas hacen el Camino por motivos religiosos, otras por motivos culturales o turísticos. Hay que cumplir un trayecto* mínimo de 100 kilómetros a pie o 200 kilómetros en bicicleta y al terminar, el peregrino recibe un certificado llamado *Compostelana*, que es la prueba* de haber realizado el camino.

La película *The Way* narra la historia de Tom Avery, un reputado oftalmólogo que vive en California y que un día recibe una llamada desde Francia que le comunica el fallecimiento* de su hijo Daniel en un temporal* en los Pirineos. Por tener visiones opuestas de la vida, la relación entre padre e hijo nunca fue muy buena. Tom va a Francia para recuperar el cuerpo de su hijo y cuando descubre que Daniel había comenzado a hacer el Camino, decide hacerlo por él. En la ruta, conoce a tres otros peregrinos: Joost, un holandés que quiere adelgazar, Sarah, una mujer canadiense que está tratando de dejar de fumar y Jack, un irlandés que sufre de un bloqueo de escritor. La película fue rodada* durante siete semanas en el Camino de Santiago y también incluye escenas rodadas en el interior de la Catedral de Santiago.

GLOSARIO

(el) apellido	surname	(la) raíz	root
dirigida	directed	recorrer	to travel
(el) fallecimiento	death	(los) restos	remains
orgulloso	proud	rodada	filmed
(el) peregrino	pilgrim	(el) temporal	storm
(la) prueba	proof	(el) trayecto	journey

Higher Level and Ordinary Level

1. ¿Cuál es el nombre real de Martin Sheen?
2. ¿De dónde era la madre de Martin Sheen?
3. ¿Por qué emigró a los Estados Unidos el abuelo de Emilio Estévez?
4. ¿Dónde transcurre la historia de **The Way**?
5. ¿Cuántos peregrinos recorren el camino anualmente?
6. ¿Dónde se alojan los peregrinos a lo largo del Camino de Santiago?
7. ¿Qué recibe el peregrino como prueba de haber realizado el Camino?
8. ¿A qué se dedica Tom Avery?
9. ¿Por qué no era muy buena la relación entre padre e hijo?
10. ¿Por qué va Tom Avery a Francia?

Higher Level

1. Busca en el texto una palabra o frase en español, que tenga el mismo sentido (más o menos) que las siguientes:

   (a) conocido (paragraph 1)
   (b) ascendencia (paragraph 2)
   (c) cada año (paragraph 2)
   (d) hospedarse (paragraph 2)
   (e) itinerario (paragraph 2)
   (f) oculista (paragraph 3)
   (g) reside (paragraph 3)
   (h) muerte (paragraph 3)

2. Write in English the meaning, in the context, of the following phrases:

   (a) Su hijo Emilio siempre ha sentido una conexión especial con sus raíces españolas. (paragraph 1)
   (b) Algunas personas hacen el Camino por motivos religiosos otras por motivos culturales o turísticos. (paragraph 2)
   (c) Por tener las visiones opuestas de la vida, la relación entre padre e hijo nunca fue muy buena. (paragraph 3)

RECUERDA

Notes

Notes appear on both the Higher and Ordinary Level papers and they are worth 20 marks. On both papers you have to choose between a diary entry and a note.

You are asked to deal with four points and you will lose marks if you don't deal with them all. It is very important to use the tense you are asked for, usually past, present and future.

Notes can be:

(a) informal – when you are writing to someone you know or

(b) formal – when you are writing to someone older than you or someone you don't know that well.

Layout of a note:

In the top right-hand corner put the day and time, e.g. viernes, 3 horas.

Start your note with: **Hola Fernando** (informal) or **Señor/Señora Jiménez** (formal).

At the end of the note you can just sign your name.

Sample note

You are going on holidays tomorrow and you call around to your friend's house because you want to borrow something from him/her. There is nobody at home so you leave a note for him/her. Include all of the following details:

- Say that you called around at two.
- Tell him/her that you are going on holidays tomorrow.
- Mention an item you would like to borrow from him/her.
- Ask him/her to text you when they get home.

Martes, 2pm

Hola Juan/Carmen:

Te dejo este mensaje porque pasé por tu casa a las dos pero no había nadie en casa. Como ya sabes, mañana me voy de vacaciones. ¡Qué ganas! Me apetece muchísimo relajarme en la playa y ponerme morena. Esta mañana he hecho la maleta y he descubierto que no tengo calzado adecuado para la playa. ¿Te importaría prestarme las chanclas rosas que compraste en Francia el verano pasado? Mi bañador es rosa y quedarían muy bien. Si las necesitas, no te preocupes, puedo comprar unas cuando llegue a Málaga. Bueno, mándame un mensaje cuando llegues a casa.

Hasta luego.

Elena

Práctica

Note

You are staying with your Spanish friend, Víctor, at his home in Spain. While he is out, another friend phones and asks you to go to the beach with him. Leave a note for Víctor, including all of the following details:

- Say that while he was out your friend phoned and invited you to go to the beach with him.
- Say that you are going to meet him at 11 o'clock and take the bus to the beach.
- Say that you will spend all day there if it's not too hot.
- Invite Victor to meet you there when he gets home.

 Comprehension

Lee el texto y contesta las preguntas.

I need Spain es el nombre de una aplicación gratuita* para iPad y iPhone que los turistas pueden usar antes, durante y después de su viaje a España. Creada por Turespaña es una excelente forma de mostrar la belleza* y la diversidad del país.

I need Spain, traducido al español, 'Necesito España', es el eslogan de la campaña para promocionar España en el extranjero y los videos promocionales se emitirán en más de cuarenta países. La campaña muestra un país que es mucho más que el sol y la playa y espera atraer* a más turistas.

La aplicación contiene un tour interactivo que permite al usuario recorrer* de forma interactiva el país. Con comentarios de usuarios y más de 3.000 imágenes y fotos, esta aplicación provee información sobre alojamientos, gastronomía, cultura y mucho más.

No cabe duda de que* el turismo es verdaderamente importante para la economía española sobre todo en tiempo de recesión. El año pasado España recibió más de cincuenta y dos millones de turistas que gastaron más de cuarenta y ocho mil millones de euros. Se espera que la campaña de Turespaña despierte* el interés de potenciales visitantes.

 Nota cultural

Turespaña es el organismo del Gobierno español encargado de la promoción de España en el exterior como destino turístico.

GLOSARIO

atraer	to attract	**gratuita**	free
(la) belleza	beauty	**no cabe duda de que**	there is no doubt about
despertar	to awaken, stir up	**recorrer**	to travel

Ordinary Level

1. When can tourists use the application I need Spain? (Give **full** details.)
2. Where will the promotional videos be shown?
3. What does this application provide information about?
4. How many tourists visited Spain last year?
5. How much money did they spend?

 ## Comprehension

Lee el texto y completa los ejercicios.

¿Qué meter en la maleta?

A la hora de ir de vacaciones no es fácil decidir lo que vamos a llevar con nosotros. Es normal tener miedo a olvidar algo importante y todos somos culpables* de llevar cosas que no necesitamos. Pero dejar las cosas innecesarias en casa tiene mucho sentido. Es recomendable reducir el peso* del equipaje* porque resulta más fácil moverse. Además, las compañías de bajo coste cobran* mucho por el exceso del peso. El mejor consejo es llevar poco. Para no olvidar nada imprescindible se recomienda escribir una lista de cosas necesarias una semana antes de ir.

Se permite una pieza de equipaje de mano por pasajero y es una buena idea llevar en el equipaje de mano lo que no quieras perder, como las joyas y el dinero, y también las cosas más imprescindibles, por ejemplo: el pasaporte, las tarjetas de crédito, el carné de conducir*, el seguro* médico, el teléfono móvil y un cargador*. También puede ser práctico llevar un libro o una revista y un bolígrafo con papel. Algunos productos no pueden ir en el equipaje de mano y deben ir en la maleta. El equipaje de mano no puede contener artículos prohibidos como, por ejemplo, objetos punzantes*. Está permitido llevar pequeñas cantidades de líquidos en el equipaje de mano (un máximo de 100 ml. de cantidad) pero hay que colocar estos líquidos en una bolsa de plástico transparente.

Con la mayoría de las aerolíneas, hay que pagar para facturar* una maleta y el límite de peso suele ser de un máximo de 20 kilos. Para evitar los costes adicionales guarda un poco de espacio libre en la maleta para las cosas que compres. Una o dos semanas antes de ir de vacaciones haz una lista de todas las cosas que tienen que caber en la maleta: ropa, ropa interior, calzado, un neceser con jabón, un cepillo y pasta de dientes, champú, desodorante y protector solar. No olvides que es posible comprar muchos productos en tamaños reducidos. Verifica con antelación la previsión metereológica; la ropa que lleves depende del tipo de viaje que hagas y el clima del lugar de destino. Si vas a Irlanda seguramente que vas a necesitar un chubasquero* o un cortavientos*. Por otro lado, si vas a España en verano, necesitarás un bañador. Si vas a una ciudad el calzado más apropiado son las sandalias planas o las zapatillas, mientras que en la playa son las chanclas. También es una buena idea llevar una chaqueta o un chaleco porque nunca se sabe si hará frío por la noche. Otras cosas que quizás sean prácticas son: un adaptador electrónico, un diccionario y una guía de viaje. Nadie debería viajar sin un pequeño botiquín* con todas las cosas básicas: tiritas*, aspirinas, crema para quemaduras*, antiséptico para heridas, unas tijeras, vendas, un termómetro y un tratamiento para las picaduras de insectos. Es muy importante guardar el botiquín en un lugar fresco y seco, fuera del alcance* de los niños. Hay que verificar que el botiquín no contenga medicamentos caducados* porque suponen un grave riesgo para la salud.

GLOSARIO

(el) alcance	reach	**culpable**	guilty
(el) botiquín	first-aid kit	**(el) equipaje**	luggage
caducado	expired, out of date	**facturar**	to check in
(el) cargador	charger	**(el) peso**	weight
(el) carné de conducir	drivng licence	**punzante**	sharp
(el) chubasquero	raincoat	**(la) quemadura**	burn
cobrar	to charge	**(el) seguro**	insurance
(el) cortavientos	windbreaker	**(la) tirita**	plaster

Higher Level

1. **Escribe las palabras o frases del texto que sean equivalentes (más o menos) a las siguientes:**

   (a) los objetos superfluos (paragraph 1)   (d) los zapatos más adecuados (paragraph 3)

   (b) no permitidas (paragraph 2)   (e) implican un serio peligro (paragraph 3)

   (c) los gastos añadidos (paragraph 3)

2. **Write in English the meaning, in the context, of the following phrases:**

   (a) ...todos somos culpables de llevar cosas que no necesitamos. (paragraph 1)

   (b) El equipaje de mano no puede contener artículos prohibidos como, por ejemplo, objetos punzantes. (paragraph 2)

   (c) También es una buena idea llevar una chaqueta o un chaleco porque nunca se sabe si hará frío por la noche. (paragraph 3)

3. **Busca en el texto una palabra o frase en español que tenga el mismo sentido (más o menos) que las siguientes:**

   (a) esencial (paragraph 1)   (d) crema de sol (paragraph 3)

   (b) viajero (paragragh 2)   (e) comprobar (paragraph 3)

   (c) se puede (paragraph 2)

4. **As a partial summary of the content of the article, write in English the information requested.**

   (a) Why is it advisable to bring as little as possible on holidays?

   (b) Give **three** examples of how the clothes that you need depend on the destination.

   (c) What advice is given about first-aid kits?

5. **Escribe en español tu opinión (entre 80 y 150 palabras) sobre una de las siguientes afirmaciones:**

   Irlanda es un destino perfecto para las vacaciones.

   o

   Debido a la crisis económica, mucha gente no puede ir de vacaciones.

Groupwork

Higher Level and Ordinary Level

Debate

En grupos de 4 o 5 personas, decidid cuál es el mejor destino para pasar unas vacaciones: España o Irlanda. Después, escribid un pequeño texto que justifique vuestra decisión.

Vocabulary list

aconsejar	to advise
(el) acuerdo	agreement
alquilar	to rent, hire
(la) arena	sand
asistir a	to attend
avergonzar	to embarrass
(la) belleza	beauty
(la) cachorra	puppy
(el) caracol	snail
(el) cartón	cardboard
(el) castellano	Spanish language
(la) caza	hunting
(el) cocido	stew
(la) comida rápida	fast food
compartir	to share
(el) consejo	advice
(la) corrida de toros	bull fight
(el) desfile	parade
desilusionado	disappointed
(el/la) dueño/a	owner
(la) época	time, period
(la) equitación	horseriding
equivocarse	to make a mistake

(el) espacio	space
estar orgulloso de	to be proud of
(la) fabada	bean stew
(la) falta	lack
(la) frontera	border
(las) gambas	prawns
(el) garbanzo	chickpea
gastar	to spend
hecho de	made of
(el) litoral	coast
montañoso	mountainous
mundialmente	worldwide
(la) naturaleza	nature
oscurecer	to get dark
parecido	similiar, alike
(la) pérdida de tiempo	waste of time
(la) población	population
quemar	to burn
(el) senderismo	hiking
soleado	sunny
sugerir	to suggest
suspender	to fail
(el) viaje escolar	school trip

Situation

Higher Level and Ordinary Level

En parejas, observad estas dos fotos y comentad qué tipo de vacaciones preferís: vacaciones de sol o de aventura y por qué.

Revision test

1. Say what the following words mean.

(a) boquerones (b) coste de vida (c) fallecimiento (d) alimentación (e) cifras (f) orgulloso
(g) el vuelo se retrasó (h) conductor (i) mundialmente (j) soleado (k) se espera que
(l) ola de calor (m) vendedores ambulantes (n) alcanzar (ñ) almendras (o) equitación
(p) gota de lluvia (q) carretera (r) castellano (s) gastronomía

2. How would you say the following in Spanish?

(a) the delicious food	(b) border	(c) the best beaches	(d) a bridge
(e) a serious injury	(f) speed	(g) night life	(h) Fried fish
(i) to lend	(j) a day of fun	(k) good weather	(l) to embarrass
(m) a waste of time	(n) to lose weight	(ñ) scenery	(o) seat
(p) belt	(q) to save	(r) tapas bars	(s) it is worthwhile
(t) things went from bad to worse			

3. Express the following adjectives as adverbs and then say what they mean.

(a) fácil)	(b) lento	(c) curioso	(d) abierto	(e) dramático
(f) discreto	(g) oficial	(h) ansioso	(i) honesto	(j) abrupto

4. Express the following negative sentences in Spanish.

(a) My mother never goes to bed early.
(b) She doesn't like maths or science.
(c) No one lives in that house.
(d) Nothing interesting happened last summer.
(e) The children never eat their vegetables.
(f) I don't know anybody who lives in Spain.

(g)   None of my friends want to go to the concert.
(h)   I will never get good results in English.
(i)   Neither my mother nor my father can speak Spanish.
(j)   Last weekend, I spoke Spanish.

5. Translate the following into Spanish.

I usually spend my holidays in Ireland but last year for the first time I went to Spain with my family. I had a great time and I met loads of people. We stayed in a small hotel beside the beach in Alicante. The views of the beach and the countryside were fantastic. I spent a lot of my time at the beach, swimming, relaxing and sunbathing. In my opinion, Spain is the perfect destination for a holiday because it has a lot to offer: the fantastic weather, the delicious food and the friendly people. What I liked most about Spain was the food, especially the fish. During my holiday in Spain I learnt a lot of Spanish and I hope to improve my grades in school this year.

6. Diary entry

You are on holiday in Spain for the first time. Write a diary entry, mentioning the following points:

- Say what you like about the place you are staying in.
- Talk about the people you have met.
- Mention the food (give details about something you like and something you don't like).
- Say what you hope to do during the rest of your stay in Spain.

Higher Level

7. Dialogue

You are planning to go to Spain on your holidays this summer. You meet your Spanish teacher. Complete in Spanish your side of the following dialogue:

Profesor: Hola, ¿qué tal? ¿Cuándo terminaste los exámenes?

Tú: Say that you did your final exam last Friday. Say that you were happy with the majority of your exams but that you thought that the History exam was quite difficult.

Profesor: ¿Qué vas a hacer durante el resto de las vacaciones?

Tú: Tell him that in August you are going to Spain with your uncle and your cousin. Say that you will spend a week in Toledo doing a Spanish course and after that you are going to do the Camino de Santiago.

Profesor: ¡Qué bien! ¿Vas a hacerlo a pie?

Tú: Say you have been told that it's necessary to walk at least 100 kilometres if you want to get a certificate at the end. Say that you would like to walk around 20 kilometres a day if it were possible.

Profesor: ¿Y dónde vas a alojarte?

Tú: Tell him that you are going to stay in a *refugio*. Explain that it is a basic type of accommodation that doesn't cost a lot and that there can be 20 or 30 people in the same room.

Profesor: ¿Vas a llevar muchas cosas?

Tú: Tell him that it is best to bring very little because it's difficult to walk with heavy luggage. Say that you are going to bring a small rucksack and a sleeping bag. Say that it can be quite hot in August so it is essential to bring sun cream.

UNIDAD 7

Los jóvenes y el tiempo libre

At the end of this unit you will be able to:

- Talk about your hobbies and free time
- Talk about concerts and music
- Talk about the sports you like to practise
- Talk about Twitter, Facebook and other social networks

Vocabulary:

- Free time
- Sports

Exam practice:

- Listening comprehension
- Reading comprehension
- Email writing
- Dialogue construction
- Opinion writing
- Diary entries
- Blogs
- Oral practice
- Note writing

Grammar:

- The present continuous tense
- The past continuous tense

El tiempo libre

Los adolescentes pasan una gran parte del tiempo en el colegio. A la mayoria de los adolescentes les gusta tener aficiones o practicar su deporte favorito para relajarse en su tiempo libre.

 **Listening**

Los jóvenes españoles y el tiempo libre
Track 2.11

Higher Level and Ordinary Level

Escucha el siguiente pasaje y contesta las preguntas.

1. How many young people took part in this survey?
2. What age group were these people?
3. Mention **three** other popular pastimes of young people.
4. What do 5 out of 10 people admit to?
5. Where do young people get their music? (Give **full** details.)
6. What do 82 per cent of young people do?

 **Pairwork**

Higher Level and Ordinary Level

Pregunta a tu compañero/a:

1. ¿Te gusta escuchar música?
2. ¿Escuchas música en tu mp3 o en CD?
3. ¿Te bajas música de Internet?
4. ¿Tienes algún cantante o grupo favorito?
5. ¿Te interesa la música t radicional irlandesa?
6. ¿Has ido alguna vez a un concierto?
7. ¿Escuchas música todos los días?
8. ¿Tocas algún instrumento?

Twitter

¿Qué es Twitter? Twitter es una red social en Internet. Es como muchos diarios en Internet que la gente comparte. Permite a sus usuarios mandar y leer mensajes de texto de hasta 140 caracteres. Estos mensajes se llaman 'tweets'. Si te registras en Twitter tú también podrás mandar y recibir estos 'tweets'. Si no te registras lo único que podrás hacer será leerlos. Puedes elegir a la persona que quieras para leer su diario y sus mensajes. Si decides 'seguir' (o suscribirte a) 'tweets' de un usuario en particular podrás recibir mensajes de ese usuario automáticamente en tu teléfono u ordenador. Twitter también te deja organizar los mensajes por tema utilizando 'hashtag' – palabras o frases con el símbolo # delante de la palabra. Por ejemplo: #mineroschile.

¿Para qué lo utiliza la gente?

- La empresa AA lo usa para informar a sus miembros sobre las obras en las carretera y el control de tráfico.
- Las agencias que observan la actividad volcánica lo usan para avisar a la gente de posibles erupciones volcánicas.
- Una panadería lo puede usar para comunicarles a sus clientes que el pan está recién hecho.
- Las compañías lo pueden utilizar para decirle a sus clientes si hay alguna oferta especial.
- Un grupo de música lo puede utilizar para informar a sus fans de sus próximos conciertos.
- En sociedades menos liberales la gente lo usa para contarle al mundo lo que está ocurriendo en su país.

 Pairwork

Higher Level and Ordinary Level

Practica con tu compañero/a.

1. ¿Utilizas Twitter?
2. ¿A cuánta gente sigues?
3. ¿Quién te sigue a ti?
4. ¿Con cuánta frecuencia mandas *tweets*?
5. ¿Cómo mandas *tweets*: por teléfono, ordenador o con tableta?

 Comprehension

Higher Level and Ordinary Level

Lee en la página siguiente el perfil de Ricky Martin en Twitter, elige tres de sus *tweets* y explica en inglés qué dicen.

Ricky Martin
@rickymartin
El Perfil de Ricky Martin

Ricky Martin @rickymartin   10 julio

De vuelta a *Evita** después de unos días de descanso.

Ricky Martin @rickymartin   07 julio

'Que el éxito no se te suba a la cabeza y que el fracaso no te llegue el corazón.'

Ricky Martin @rickymartin   03 julio

¡Playa, sol, familia, buena música, amigos!

Ricky Martin @rickymartin   30 junio

'La vida es tan buena maestra que si no aprendes la lección…te la repite.'

Ricky Martin @rickymartin   28 junio

Lo puedo hacer y lo puedo hacer BIEN.

Ricky Martin @rickymartin   28 junio

¡España a la final!

Ricky Martin @rickymartin   24 junio

San Juan, San Juan, San Juan, qué ganas de estar ahí! Feliz noche.

Ricky Martin @rickymartin   22 junio

¡Saliendo de un almuerzo inolvidable! A sus Altezas Reales los Príncipes de Asturias, Don Felipe de Borbón y Doña Letizia, gracias por el honor.

Ricky Martin @rickymartin   17 junio

Feliz Día de los Padres.

Ricky Martin @rickymartin   31 de mayo

'Nunca puedes cometer el mismo error dos veces. La segunda vez que lo haces, ya no es tu error, es tu opción.'

Ricky Martin @rickymartin   15 de mayo

Hoy no vuelve¡ disfrútalo!

Ricky Martin @rickymartin   12 de mayo

¡Wepa, 6 millones de seguidores! Gracias, mi gente.

Ricky Martin @rickymartin   18 de marzo

Antes de acostarme a dormir, quiero mandar amor y cosa buena para mi gente de América Latina y España. Hasta mañana.

Evita es un musical basado en la vida y muerte de Eva Perón de Argentina.

Repaso – Tiempo libre

Higher Level and Ordinary Level

Repasa el vocabulario relacionado con el tiempo libre.

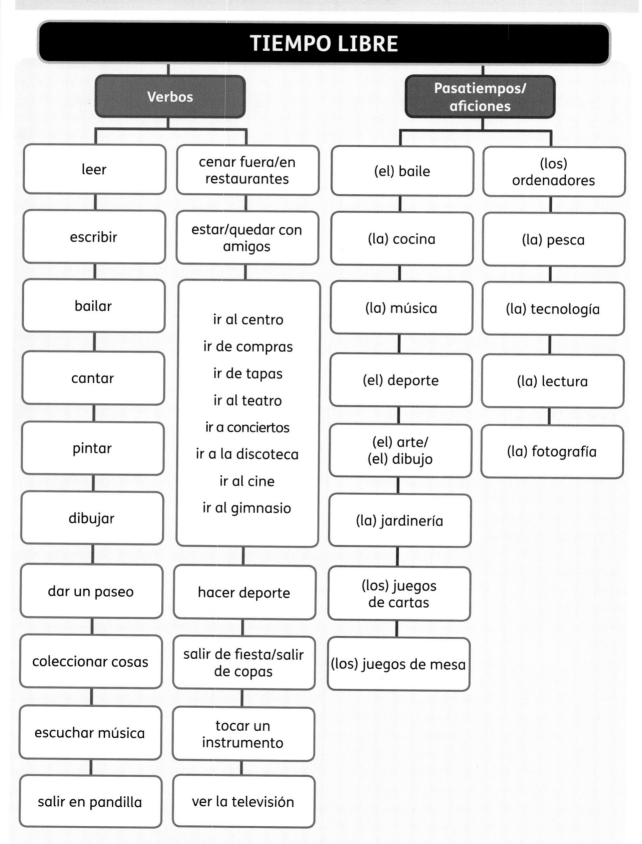

TIEMPO LIBRE

Verbos

- leer
- cenar fuera/en restaurantes
- escribir
- estar/quedar con amigos
- bailar
- ir al centro
- ir de compras
- ir de tapas
- cantar
- ir al teatro
- ir a conciertos
- pintar
- ir a la discoteca
- ir al cine
- ir al gimnasio
- dibujar
- dar un paseo
- hacer deporte
- coleccionar cosas
- salir de fiesta/salir de copas
- escuchar música
- tocar un instrumento
- salir en pandilla
- ver la televisión

Pasatiempos/aficiones

- (el) baile
- (los) ordenadores
- (la) cocina
- (la) pesca
- (la) música
- (la) tecnología
- (el) deporte
- (la) lectura
- (el) arte/(el) dibujo
- (la) fotografía
- (la) jardinería
- (los) juegos de cartas
- (los) juegos de mesa

El deporte

Como todos sabemos practicar deporte tiene muchos beneficios físicos para la salud, pero también ayuda a que los adolescentes aprendan los valores como la disciplina, la competitividad y el trabajo en equipo. Hay algunos datos que demuestran que un adolescente que practica deporte es menos propenso a consumir sustancias nocivas como el tabaco, el alcohol o las drogas. Es aconsejable practicar deporte con regularidad para ayudar a prevenir enfermedades. Además, según los expertos, el deporte aumenta la autoestima.

 Pairwork

Higher Level and Ordinary Level

Pregunta a tu compañero/a:

1. ¿Eres deportista?
2. ¿Cuál es tu deporte favorito?
3. ¿Eres miembro de algún equipo?
4. ¿Qué deportes te gusta practicar en verano? ¿Y en invierno?
5. A tu parecer, ¿es importante que los jóvenes hagan deporte?
6. ¿Te gusta ver deporte en la televisión?

Repaso – El deporte

Higher Level and Ordinary Level

Repasa el vocabulario relacionado con los deportes.

EL DEPORTE

Deportes

- (el) aeróbic
- (el) alpinismo
- (el) atletismo
- (el) automovilismo
- (el) bádminton
- (el) béisbol
- (el) baloncesto
- (el) balonmano
- (el) billar
- (los) bolos
- (el) boxeo
- (el) buceo
- (la) caza
- (el) ciclismo
- (los) deportes acuáticos
- (la) esgrima
- (el) esquí
- (la) equitación

- (el) hockey
- (el) footing*
- (el) fútbol
- (el) golf
- (el/la) maratón
- (el) montañismo
- (el) senderismo
- (la) lucha
- (la) natación
- (el) patinaje sobre ruedas/ sobre hielo
- (el) paracaidismo
- (las) pesas
- (la) pesca
- (el) piragüismo
- (el) rugby
- (el) tenis
- (la) vela
- (el) voleibol

Profesiones

- (el) jugador/ (la) jugadora
- (el/la) deportista
- (el/la) atleta
- (el/la) árbitro
- (el) entrenador/ (la) entrenadora

Objetos

- (la) pelota
- (el) balón
- (la) raqueta
- (el) palo
- (el) arco
- (el) casco

Verbos

- patinar
- ganar
- perder
- empatar
- marcar
- encestar
- tirar
- hacer una falta
- entrenar

Otro vocabulario

- (la) canasta
- (el) campo
- (el) trofeo
- (el) equipo
- (el) entrenamiento
- (el) partido
- (el) campeonato
- (la) pista
- (el) estadio
- (el) vestuario
- (el) empate

¡OJO!

*'**Footing**' is an English word (although it means something else in English) used in some Spanish-speaking countries and it means jogging.

npos

 Comprehension

Higher Level and Ordinary Level

Roberto y Elena nos hablan de sus aficiones. Contesta las preguntas que siguen.

Experiencias (Mi Blog) (Sígueme) (Archivos descargables)

Roberto

Soy muy deportista y practico ciclismo, natación y vela en verano. Mi deporte favorito es el fútbol y estoy en un equipo de fútbol en el colegio. Nuestro equipo entrena tres veces a la semana y solemos jugar un partido el sábado por la mañana. Todo el mundo se lleva fenomenal y el espíritu del equipo es fantástico. Tengo mucha suerte porque las instalaciones deportivas en mi colegio son insuperables y se puede practicar muchos deportes. Fuera del colegio, soy socio de un gimnasio y suelo ir allí dos o tres veces por semana con mis amigos. En mi opinión, es imprescindible practicar deporte porque es muy bueno para la salud y evita problemas como el sobrepeso y la obesidad. Hacer ejercicio es divertido y es una manera ideal de relajarse. Después de hacer ejercicio, me siento más enérgico y menos cansado. También me encanta ver deporte en la televisión. Pienso que el fútbol español es estupendo y los jugadores españoles son muy habilidosos. Me dio mucha rabia cuando el Chelsea ganó al Barça* en mayo en la Liga de Campeones. Sin embargo, ¡qué contento me puse cuando España ganó la Eurocopa!

* Barça is the name in Catalan for Barcelona Football Club.

1. What sports does Roberto like to practise?

2. Mention **three** details about his team.

3. Why does he say he is lucky?

4. What does he do out of school?

5. Why does he think it is important to do sport?

6. How does he feel after exercising?

7. What does he say about Spanish football players?

8. Why was he disappointed in May?

Experiencias   Mi Blog   Sígueme   Archivos descargables

Elena

Tengo un montón de pasatiempos como ir al cine, leer, ir de compras, etc. pero sin duda lo que más me gusta es escuchar música. Siempre que puedo escucho música: en mi dormitorio, en la ducha o en el autobús. Mi hermano me regaló un iPod para mi cumpleaños el año pasado. ¡Qué suerte! Suelo bajarme música de iTunes una vez a la semana pero también compro CD de vez en cuando. A la mayoría de mis amigos también les gusta la música y tenemos los mismos gustos. Por eso, podemos compartir música normalmente a través de Internet. El verano pasado fui a un concierto de mi grupo favorito Florence and the Machine en el Estadio Bernabéu. Creo que Florence tiene muy buena voz y fue una experiencia inolvidable. A pesar de que hizo mal tiempo y de que llovió, había muy buen ambiente y me divertí mucho; pasé toda la noche bailando y cantando. Me gustaría ir a más conciertos pero, desafortunadamente, las entradas son muy caras y no me lo puedo permitir. No toco ningún instrumento pero mis padres van a comprarme una guitarra para mi cumpleaños y espero aprender a tocarla. En el colegio mi asignatura favorita es la Música y espero seguir estudiándola en la universidad.

1. What are Elena's hobbies? (Give **full** details.)
2. Where does she get music?
3. What does she say about her friends?
4. Describe her experience at the concert last summer.
5. Why does she not go to concerts more often?

 # Writing

Higher Level and Ordinary Level

Expresa las siguientes frases en español.

(a)   I'm very sporty and my favourite sport is basketball.

(b)   I belong to a rugby team in school and we train every Thursday.

(c)   Out of school, I am a member of a gym and I usually go there twice a week.

(d)   Doing exercise is very good for your health.

(e)   What I like doing most in my free time is surfing the internet.

(f)   I have the same likes and interests as the majority of my friends.

(g)   Two weeks ago I went to a concert in town and I had a fantastic time.

(h)   When I was younger I used to play hockey.

(i)   I think watching television is a waste of time.

(j)   I love spending time on social networking sites chatting with my friends.

Writing

Ordinary Level

Email

You have received the following email from your Spanish friend. Write a reply making sure to answer all the questions you have been asked.

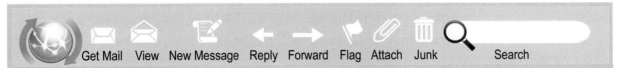

De: Cristina

A: John/Sophie

Asunto: ¡Cuánto tiempo!

Hola amigo/a:

¿Qué tal? ¡Por fin ha llegado el fin de semana! ¡Qué semana tan horrible! Me encantan los fines de semana porque puedo hacer lo que quiero. Como ya sabes, me apasiona el deporte, y todos los sábados voy al gimnasio con mis amigos. ¿Te gustan los deportes? ¿Tienes algún deporte favorito? ¿Estás en algún equipo?

En mi tiempo libre, me gusta quedar con mis amigos. Cuando hace buen tiempo vamos al parque. En invierno, vamos al cine o al centro comercial. ¿Y tú, pasas mucho tiempo con tus amigos? ¿Te interesa el cine? ¿Qué haces cuando hace mal tiempo?

Mi pasatiempo favorito es escuchar música. Suelo pasar una hora escuchando música todos los días. El mes pasado fui a un concierto de mi grupo favorito, Swedish House Mafia. ¡Una experiencia inolvidable! ¿Y a ti te gusta la música? ¿Tienes algún grupo favorito? ¿Has ido alguna vez a un concierto?

Escríbeme pronto.

Un abrazo,

Cristina

Dialogue

Higher Level

Complete in Spanish your side of the following dialogue.

Juan: Hola, ¿qué tal?

Tú: Say that you are really well and that you are very happy because it's Friday. Say you had a very difficult week at school because you had some exams and you had to study a lot.

Juan: ¿Cómo vas a pasar el fin de semana?

Tú: Say that you plan to do a lot of things. Say that you are a very active person and

that you love playing sport. Tell him that if the weather is good you hope to go cycling in the countryside with your brother tomorrow afternoon.

Juan: Creo que mañana va a llover.

Tú: Say that you don't mind. Tell him that if it rains tomorrow you will go shopping in town instead of going to the countryside. Tell him you want to buy yourself a new dress for Sara's party next Friday.

Juan: ¡Qué bien! Esta tarde voy al cine, ¿quieres venir conmigo?

Tú: Thank him for the invitation but say that tonight you have to go to your piano lesson. Tell him that you have been playing the piano for six years. Ask him what film he is going to see.

Juan: Quiero ver *Eternamente comprometidos*. Me han dicho que es muy divertida.

Tú: Tell him that you saw it last week and you thought that it was fantastic. Tell him if you were free you would go to see it again.

 Comprehension

Lee el siguiente artículo y completa los ejercicios.

Alrededor de un millón de personas salieron a las calles para recibir a los héroes

La selección española celebró el título de campeón de Europa por todo lo alto*, siendo agasajada* por un millón de aficionados por las calles de Madrid. Sin duda, un recibimiento a la altura de unos futbolistas que ya son leyendas*. Después de ser recibidos por el Rey en la Zarzuela, los jugadores cambiaron la seriedad del discreto autobús que les trasladó* al Palacio Real por el colorido del descapotable* que les iba a transportar. Antes de embarcar, se ataviaron* con banderas, bufandas y demás adornos, todos ellos con los colores de la selección española, y sacaron sus teléfonos móviles para inmortalizar la celebración. Por delante les esperaban cientos de miles de aficionados, la mayoría concentrados en la Plaza de Cibeles y en sus alrededores.

Una vez llegaron a la famosa Plaza de Callao estaban totalmente rodeados de gente. El autobús y el cordón de seguridad formado por la policía eran un oasis en un desierto de gente que había esperado horas para ver a sus héroes. Los jugadores pasaron toda la ruta cantando, saltando y bailando. El autobús fue una fiesta en la que no faltó de nada. Risas*, música, bebida y alguna que otra botella de champán que sirvieron para elevar el tono y llegar a Cibeles por todo lo alto.

La gran mayoría de los futbolistas de la Roja quisieron compartir su alegría con todos los fans que no pudieron acudir a las calles de Madrid. Como es ya costumbre entre ellos, mediante Twitter y Facebook se pusieron en contacto con sus miles de seguidores. Gerard Piqué, Cesc Fàbregas, Mata, Javi Martínez, Arbeloa, etc. Muchos colgaron* fotos y comentaron las sensaciones que les generaba el aliento* de la gente.

El seleccionador español Vicente del Bosque le prometió a su hijo Álvaro que si volvían a ganar la Eurocopa podría subir al autobús para recorrer junto a los jugadores el trayecto hasta Cibeles y celebrarlo con ellos. Tras la consecución del título, el míster cumplió su promesa y el joven Álvaro disfrutó de un paseo junto a sus ídolos que jamás olvidará.

Mundo deportivo

GLOSARIO

agasajada	smothered	**descapotable**	open-top
(el) aliento	encouragement	**(la) leyenda**	legend
ataviarse	to dress up in	**por todo lo alto**	in a big way
colgar	to hang, to post (on Internet)	**(la) risa**	laugh
		trasladar	to transfer, move

Ordinary Level

1. ¿Qué celebró la selección española? (paragraph 1)

2. ¿Qué hicieron en la Zarzuela? (paragraph 1)

3. ¿Cómo viajaron al Palacio Real? (paragraph 1)

4. ¿De qué color eran las banderas, las bufandas y los adornos que lleban? (paragraph 1)

5. ¿Por qué sacaron sus teléfonos móviles? (paragraph 1)

6. ¿Quién formó el cordón de seguridad? (paragraph 2)

7. ¿Cuánto tiempo llevaba esperando la gente? (paragraph 2)

8. ¿Cómo se pusieron en contacto los futbolistas con sus miles de seguidores? (paragraph 3)

9. ¿Cómo se llama el hijo de Vicente del Bosque? (paragraph 4)

10. ¿Qué le prometió Vicente a su hijo si volvían a ganar la Eurocopa? (paragraph 4)

Higher Level

1. Busca en el texto sinónimos de las siguientes palabras:

   (a) homenajeada (paragraph 1)
   (b) seguidores (paragraph 1)
   (c) conocida (paragraph 2)
   (d) felicidad (paragraph 3)
   (e) asistir (paragraph 3)
   (f) nunca (paragraph 4)

2. Write in English the meaning, in the context, of the following phrases:

   (a) El autobús y el cordón de seguridad formado por la policía eran un oasis en un desierto de gente ... (paragraph 2)

   (b) Muchos colgaron fotos y comentaron las sensaciones que les generaba el aliento de la gente ... (paragraph 3)

 ## Nota cultural

- (Palacio de) La Zarzuela es la residencia principal de la Familia Real española en Madrid.

- `La Roja´ es el sobrenombre con el que se conoce a la Selección Española de Fútbol por llevar la camiseta roja.

Listening

Tragedia en los Alpes franceses

Track 2.12–13

Escucha la siguiente noticia sobre una avalancha y contesta las preguntas.

Ordinary Level

1. How many people (a) died and (b) were injured in the avalanche?
2. Mention **two** nationalities of the dead people.
3. When was the last serious accident in the Alps?
4. Mention **one** detail about each of the Spanish victims.

Higher Level

1. Where and when did this avalanche take place? (Give **full** details.)
2. What nationalities were the dead people?
3. What is said about the missing people?
4. Mention **two** details about the last serious accident in the Alps.
5. Mention **two** details about each of the Spanish victims.
6. What could have caused the avalanche?

 # Comprehension

Lee el siguiente artículo y completa los ejercicios.

En tiempos de crisis, el fútbol da alegrías a los españoles

Hinchas del Athletic Bilbao viendo la final de la Liga Europa entre el Atlético Madrid y el Athletic Bilbao

En un momento de gran pesimismo* en España por la mala marcha de la economía, los buenos resultados del fútbol español están proporcionando un consuelo* a muchos aficionados.

Esta semana se produjo un hecho sin precedentes: cinco representantes españoles se han clasificado entres los ocho semifinalistas de las dos grandes competiciones europeas. Dos de ellos, el Barcelona y el Real Madrid, que compiten en la máxima competición europea, la Liga de Campeones, consiguieron su pase

(continued)

a las semifinales el martes y el miércoles respectivamente. Y otros tres, Athlétic de Bilbao, Atlético de Madrid y Valencia, consiguieron este jueves su clasificación entre los cuatro mejores de la Liga Europa, la anteriormente* conocida como Copa de la UEFA. Inglaterra, Alemania y Portugal tendrán un representante entre los ocho semifinalistas: el Chelsea londinense, el Bayern de Múnich (ambos en la Liga de Campeones) y el Spórting de Lisboa, en la Liga Europa.

Crisis

Este éxito para el fútbol español se produce a pesar de que* sus clubes no son ajenos* a los problemas del resto de la economía. España es el país con la tasa de desempleo* más alta de toda la Unión Europea (23,6%), un porcentaje que asciende al 50,5% entre los jóvenes. Además, el ánimo* de los españoles se encuentra muy afectado por las duras medidas de austeridad* impuestas por el gobierno para salir de la crisis. Muchos analistas no descartan* que España corra la misma suerte* que Grecia, Irlanda y Portugal que tuvieron que negociar un rescate* con la UE y el Fondo Monetario Internacional para evitar entrar en situación de impago a sus deudores*.

BBC Mundo

GLOSARIO

(el) ánimo	spirit	**(el) deudor**	debtor
anteriormente	previously, before	**a pesar de que**	despite, in spite of
(la) austeridad	austerity	**(el) pesimismo**	pessimism, gloom
(el) consuelo	consolation, comfort	**(el) rescate**	rescue, bailout
correr la misma suerte (fig.)	to suffer the same fate	**ser ajeno**	to remain unaware
descartar	to rule out, dismiss	**(la) tasa de desempleo**	rate of unemployment

Ordinary Level

1. Why is it a time of gloom and pessimism in Spain?
2. What unprecedented event happened in Spain this week?
3. Why are Barcelona and Real Madrid mentioned?
4. What was the Europa League formerly called?
5. What do the figures 23,6% and 50,5% refer to?
6. Why has the government imposed austerity measures?

 # Listening

Los tatuajes

Track 2.14–15

Higher Level and Ordinary Level

1. What kind of famous people have tattoos?
2. In the past, who had tattoos?
3. Why should you think carefully before getting a tattoo?
4. What tattoos are the most popular with young people?
5. What parts of the body are mentioned?

Higher Level

1. Busca en el texto sinónimos de estas palabras:

(a) desesperanza (paragraph 1) (b) seguidores (paragraph 1) (c) torneos (paragraph 2)
(d) más importante (paragraph 2) (e) triunfo (paragraph 3) (f) paro (paragraph 3)

2. Write in English the meaning, in the context, of the following phrases:

(a)   ...los buenos resultados del fútbol español están proporcionando un consuelo a muchos aficionados. (paragraph 1)

(b)   España es el país con la tasa de desempleo más alta de toda la Unión Europea. (paragraph 3)

(c)   Muchos analistas no descartan que España corra la misma suerte que Grecia, Irlanda y Portugal... (paragraph 3)

3. Escribe en español tu opinión (entre 80 y 150 palabras) sobre la siguiente afirmación:

El éxito deportivo de un equipo nacional tiene un impacto muy positivo para todo el mundo en el país.

4. Diary entry

You have just spent the evening watching the Irish football team playing a match. Write a diary entry in Spanish, mentioning the following points:

- Say that the match was fantastic.
- Say that you are very happy that Ireland won.
- Say that you are going to celebrate tomorrow with your friends.
- Say that you hope to buy a ticket for the next match that Ireland plays.

El presente y el pasado continuo – The present and past continuous tenses

Use

Continuous tenses are used to talk about what is/was happening at a particular moment. For example:

The boy is eating./We were dancing./I am living in Spain at the moment.

Form

In Spanish continuous tenses are formed using the verb **estar + gerund**.

Formation of the gerund: take the infinitive and add **-ando** for **-ar** verbs and **-iendo** for **-er/-ir** verbs, e.g. *trabajar, trabajando, salir, saliendo.*

There are some irregular gerund forms:	
caer	**cayendo**
leer	**leyendo**
creer	**creyendo**
oír	**oyendo**
construir	**construyendo**

Radical-changing verbs that end in -ir have a spelling change:	
dormir	**durmiendo**
pedir	**pidiendo**
sentir	**sintiendo**
venir	**viniendo**

The present continuous tense

This is formed using the present tense of **estar + gerund:**

estoy hablando	I am talking
estás hablando	you are talking
está hablando	he/she is talking
estamos hablando	we are talking
estáis hablando	you (pl) are talking
están hablando	they are talking

¡OJO!
Do not confuse the present continuous tense with the immediate future in Spanish since the same form is used in English.
I am working now = *Estoy trabajando ahora.*
I am working tomorrow morning = *Voy a trabajar mañana por la mañana.*

The past continuous tense

This is formed using the imperfect tense of **estar + gerund:**

estaba comiendo	I was eating	**estábamos comiendo**	we were eating
estabas comiendo	you were eating	**estabais comiendo**	you (pl) were eating
estaba comiendo	he/she was eating	**estaban comiendo**	they were eating

Práctica

1. Say what the following sentences mean:

(a) Los chicos están haciendo los deberes.

(b) Estamos almorzando con nuestros primos.

(c) Mi madre está durmiendo.

(d) Estaba limpiando la cocina cuando llegaste.

(e) Los estudiantes estaban estudiando los verbos irregulares.

(f) ¿Estás saliendo ahora de casa?

(g) Miguel está lavando el coche.

(h) ¿Estabas buscándome?

(i) Mi padre estaba trabajando.

2. Express the following in Spanish:

(a) They were making the dinner.

(b) I am learning my Spanish vocabulary.

(c) They are eating.

(d) We were playing football.

(e) I was going out when John arrived.

(f) My mother was chatting.

(g) We are dancing.

(h) Are you listening to me?

(i) The girls are reading.

(j) She was drinking a glass of wine.

 **Writing**

Lee este blog antes de completer el ejercicio abajo.

EL BLOG DEL SKATE

Este blog está hecho por *skaters* **para** *skaters*

02/09/2011
7:30 pm

Vente al nuevo Parque de Skate en Barcelona con un increíble arte urbano y rampas fantásticas. Hay algo para todos los gustos: rampas de tamaño mediano y otros circuitos para los *skaters* con más experiencia. Tony Hawk estuvo patinando delante de las cámaras e inauguró el parque con unas tijeras. Hice algunas fotos. Aquí tienes el enlace...

skaterdude

01/09/2011
11:12 am

Hola *skaters*,

Más DVD nuevos de *skating* a la venta este mes de Alien Workshop and 'the Hawkster'. Ved un vídeo promocional en el enlace de debajo de Youtube...*skatetastic*!!

Hola boardski- yo mismo he estado allí. Echadle un vistazo a la indumentaria de protección. Tienen unos cascos fantásticos.

"¡Siente el miedo pero hazlo de todas maneras!"

jfa

28/08/2011
1:45 pm

Hola a todos,

Pregunta de un novato. ¿Alguien me podría recomendar unas buenas rodilleras y coderas? He tenido un pequeño incidente y no quiero dejarme la piel la próxima vez.

Muchas gracias.

boardski

Higher Level and Ordinary Level

Blog

Imagina que has empezado un nuevo hobby y tienes tu propio blog donde escribes sobre tus experiencias. Publica una entrada en el blog describiendo tu experiencia.

Listening

David y Samantha Cameron

Track 2.16–17

Escucha esta noticia sobre la visita de David y Samantha Cameron a España y contesta las preguntas siguientes:

Ordinary Level

1. When did David and Samantha Cameron arrive in Spain?
2. What is the population of Granada?
3. How many rooms are there in the hotel?
4. How many visitors does the Alhambra receive every year?
5. How far from Granada is Güéjar Sierra?
6. Mention **one** thing David was wearing.
7. What colour were Samantha's shoes?
8. Why is spring the ideal time to visit Granada?

Higher Level

1. What is David Cameron doing in Spain?
2. How did they get to Granada? (Give **full** details.)
3. Mention **three** details about Granada.
4. Why is 18 April mentioned?
5. Describe the hotel they stayed in.
6. Mention two details about the Alhambra.
7. What did they do in Güéjar Sierra?
8. How were they both dressed? (Give **full** details.)
9. Why is a dolphin mentioned?

Comprehension

Lee el siguiente texto y contesta las preguntas.

Las redes sociales

Los avances de la tecnología han cambiado mucho los gustos y las aficiones de los jóvenes. Ocho de cada 10 españoles de 12 a 17 años usan las redes sociales y tienen un perfil en Facebook u otras redes sociales.

Parece que la mayoría de la juventud española elegiría las redes sociales como su preferencia de ocio, frente a la televisión. Conectarse a la red es cada vez más popular entre los jóvenes. Muchos adultos, sobre todo los padres, piensan que los jóvenes de hoy en día se han vuelto adictos pero no es verdad. La mayoría de los adolescentes no pasan todo su tiempo libre delante del ordenador, también les gusta hacer deporte, ir al cine y salir con sus amigos. Muchos jóvenes utilizan las redes sociales porque les gusta mantenerse en contacto con sus amigos. Una red social es una comunidad virtual donde se pueden, hacer nuevas amistades, entablar contacto con gente y comparar información e intereses comunes. Pertenecer a una red social es muy importante en las vidas de los jóvenes y parece que si no tienes perfil en Facebook, no existes.

Facebook es la red social más utilizada en el mundo y cuenta con cerca de 900 millones de usuarios alrededor del mundo. Fue creada para los estudiantes de la Universidad de Harvard, cerca de Boston, en Estados Unidos, por Mark Zuckerberg cuando era estudiante. Para hacerse miembro de Facebook, lo único que necesitas es una dirección de correo electrónico.

Las redes sociales como Facebook nos permiten localizar a viejos amigos y comunicarnos con ellos, mantener contacto con amigos o familiares que viven en otras ciudades o países y ampliar nuestro circulo de amigos. Se estima que la mayoría de personas tiene el doble de amigos en las redes sociales que en la vida real.

Una clara desventaja de estos sitios es que pueden ser muy adictivos. Las redes sociales no son peligrosas en sí mismas, pero su incorrecta utilización puede ser peligrosa. Uno debe educarse en el uso adecuado de Internet para no ponerse en peligro. Es muy importante protegerse, aceptar solo a gente conocida y no poner datos privados ni personales. Existe la creencia común de que las redes afectan al rendimiento académico de los jóvenes porque a que pasan mucho tiempo en Internet y dedican menos horas a estudiar. Sin embargo, las redes sociales utilizadas de una forma adecuada, pueden ser una herramienta de aprendizaje.

Cuando usamos las redes sociales tenemos que tener cuidado y no hacer lo mismo que Kyle Doyle, un australiano de 21 años que trabajaba como teleoperador en Sydney. El lunes después de un fin de semana muy ocupado, no quiso ir a trabajar y decidió tomarse un día libre. Le mandó un correo a su jefe, informándole de que estaba enfermo. Después, entró en su perfil de Facebook y les contó a todos sus amigos lo que había hecho. Kyle se olvidó de que su jefe era amigo suyo en Facebook y vio el mensaje; como consecuencia, fue despedido de su trabajo.

Higher Level and Ordinary Level

1. What has changed teenagers' likes and hobbies?
2. Why is 8 out of 10 mentioned?
3. What do adults think?
4. What is a social network?
5. Mention **four** details about Facebook.
6. What do social networking sites like Facebook allow us to do?
7. Are they dangerous? (Give **full** details.)
8. Describe what Kyle Doyle did.

 # Oral

Track 2.18

Higher Level and Ordinary Level

Escucha a John haciendo el examen oral.

1. **¿Qué te gusta hacer en tu tiempo libre?**

   Tengo muchos pasatiempos pero, por desgracia, no tengo mucho tiempo libre este año porque tengo que estudiar mucho para los exámenes finales. Soy una persona muy sociable y me encanta pasar el tiempo libre con mis amigos. Los fines de semana solemos ir al cine o al centro comercial. Cuando estoy en casa, me gusta leer; pienso que es un pasatiempo muy relajante y mientras estoy leyendo, me olvido de todas mis obligaciones y del estrés del último año en el colegio.

2. **¿Te gusta escuchar música?**

   Por supuesto, escuchar música es uno de mis pasatiempos favoritos. Además, Música y es mi asignatura favorita y toco el piano. Llevo ocho años aprendiendo a tocarlo y mi profesor me dice que toco muy bien. También, paso mucho tiempo escuchando música en mi iPod y suelo bajarme música de Internet. El verano pasado fui a un concierto y me divertí mucho. Por desgracia, las entradas para los conciertos son muy caras y por eso no puedo ir muy a menudo.

3. **¿Eres deportista?**

   Cuando era más joven, era muy deportista y jugaba al fútbol con un equipo de mi barrio. Ahora, estoy muy ocupado con mis estudios y no tengo tiempo para practicar deporte. Doy un paseo con mi madre dos o tres veces por semana para mantenerme en forma y los sábados por la mañana voy a la piscina con mis hermanos. Estoy loco por el fútbol y soy hincha del Málaga. Los fines de semana suelo ver los partidos en la televisión.

4. **¿Piensas que es importante que los jóvenes hagan deporte?**

   Sin ninguna duda. A mi parecer, es imprescindible que los jóvenes practiquen deporte porque todo el mundo sabe que el deporte es muy bueno para la salud. Hoy en día la mayoría de expertos y médicos dicen que hay muchos problemas de sobrepeso y obesidad y que es muy importante mantenerse en forma. El año que viene, cuando termine el colegio y tenga más tiempo, voy a hacerme socio del polideportivo de mi barrio.

5. **¿Utilizas las redes sociales?**

   Sí, utilizo las redes sociales; tengo mi perfil en Facebook y lo utilizo casi todos los días. Me gusta mucho estar en contacto con mis amigos y, como mi hermano vive

en Estados Unidos, puedo comunicarme con él muy fácilmente. Creo que no paso demasiado tiempo en Facebook y estoy seguro de que no estoy enganchado a las redes sociales. De vez en cuando utilizo Twitter para seguir a mi grupo favorito y suelo mandar los *tweets* desde mi móvil.

6. ¿Qué hiciste el fin de semana pasado?

El fin de semana pasado hice muchas cosas. Tuve que estudiar mucho porque los exámenes se están acercando. Al mismo tiempo, creo que es muy importante relajarse y desconectar de los estudios; por eso, pasé el sábado con mis amigos. Fuimos al centro y, después de almorzar en nuestra hamburguesería preferida, fuimos al cine. El domingo, después de hacer los deberes, vi un partido de fútbol en la televisión. También pasé una hora en Facebook, poniéndome al día con todas las novedades de mis amigos.

Vocabulary list

aconsejable	advisable	elegir	to choose
(el) almuerzo	lunch	(la) encuesta	survey
(el) alpinista	mountain climber	(el/la) encuestado/a	person surveyed
ampliar	to widen	(la) enfermedad	illness, sickness
aumentar	to increase	(el) enlace	link
(la) autoestima	self-esteem	entablar	to establish
(el) casco	helmet	(el/la) esposo/a	wife
compartir	to share	(la) estrella	star
(el) correo electrónico	email	fallecer	to die
(los) datos	information	grabar	to record
despedir	to sack	(la) herramienta	tool
intentar	to try	(el) perfil	profile
(el/la) jefe/a	boss	pertenecer	to belong
(la) juventud	youth	(la) piel	skin
mandar	to send	prevenir	to prevent
navegar por Internet	to surf the internet	(la) red social	social network
(el/la) novato/a	beginner	(el/la) seguidor/a	follower
nocivo/a	harmful, damaging	(el) sobrepeso	extra weight
		(el/la) socio/a	member
(las) obras de carretera	roadworks	(el) tatuaje	tattoo
(la) panadería	bakery	(las) tijeras	scissors
patinar	to skate	(el) tobillo	ankle
(el) peligro	danger	(el/la) usuario/a	user

Situation

Higher Level and Ordinary Level

Observa la foto, lee la opinión y contesta las preguntas de abajo. Después, pon las respuestas en común con otro/a compañero/a

'Mi madre dice que paso demasiado tiempo en mi habitación conectado a Internet, escuchando música o mandando mensajes. Suelo pasar dos o tres horas todas las tardes después de terminar los deberes. No creo que sea demasiado. Piensa que estoy enganchado al ordenador pero eso es una tontería.'
Alberto, 17 años, Valencia

- ¿Crees que Alberto es adicto a la tecnología? ¿Por qué?
- ¿Qué harías tú en esas dos o tres horas?
- ¿Qué consejo le darías a Alberto?
- ¿Crees que eres adicto/a a la tecnología?

Revision test

1. What do the following words mean?

(a) una encuesta (b) una herramienta educacional (c) la vela (d) descargar música (e) seguir (f) el descanso (g) la equitación (h) avisar a la gente (i) inolvidable (j) los mismos gustos (k) una enfermedad (l) ampliar (m) un perfil en Facebook (n) anualmente (ñ) aterrizar (o) un enlace (p) tamaño (q) diariamente (r) los ajustes (s) es aconsejable

2. How would you say the following words and expressions in Spanish?

(a) to surf the net (b) a bakery (c) a tattoo (d) a low cost flight (e) a special offer (f) health (g) a waste of time (h) three-star hotel (i) team work (j) self-esteem (k) a match (l) sports facilities (m) a helmet (n) boss (ñ) skin (o) to keep in contact with friends (p) an email address (q) to belong (r) to increase (s) to record

3. Express the following sentences in Spanish using the present continuous tense:

(a) We are working hard. (b) They are having dinner. (c) She is washing the car. (d) My mother is playing tennis. (e) Are you watching that film? (f) He is training. (g) The girls are chatting. (h) The dog is eating. (i) I am surfing the internet. (j) Is she looking for her brother?

4. Express the following in Spanish using the past continuous tense:

(a) We were playing golf. (b) It was raining. (c) She was making dinner. (d) They were cleaning their bedroom. (e) The phone was ringing. (f) The children were crying. (g) Were you studying? (h) The boys were swimming. (i) You were dancing. (j) I was writing an email.

5. Note

A Spanish boy is staying with your neighbour. You are going to the beach with your friends and you decide to invite him. As he is not there when you call by, you leave him a note, including all of the following details:

- Introduce yourself and explain who you are.
- Tell him about your plans for going to the beach this afternoon and say what you plan to do there.
- Invite him to go with you, leave him your phone number and ask him to get in touch with you.
- Tell him something else you like to do in your free time and ask him if he likes it too.

6. Diary entry

You have decided to leave Facebook. Write a diary entry mentioning the following points:

- Say that you think you are spending too much time on Facebook and that from tomorrow you are going to leave it.
- Say what you usually do on Facebook and say whether you enjoy it or not.
- Say that this year you really have to study and it's a waste of time to spend so much time on the computer.
- Say that when you have finished your exams, you will have more free time and that you will rejoin Facebook.

La comida y la salud

At the end of this unit you will be able to:

- Talk about your eating habits and what you like and don't like to eat
- Say whether or not you have a healthy diet
- Talk about changes you could make to your diet to make it healthier
- Talk about Spanish and Irish eating habits
- Talk about your health

Exam practice:

- Reading comprehension
- Listening comprehension
- Internet forum
- Email writing
- Opinion writing
- Note writing
- Diary entries
- Oral practice
- Informal letter writing

Grammar:

- The subjunctive

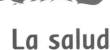
La salud

Todos sabemos que es muy importante llevar un estilo de vida saludable. Para evitar problemas de salud, es imprescindible comer bien y hacer ejercicio regularmente.

 ## Comprehension

Lee el texto y completa los ejercicios.

La importancia de comer bien

Todo sabemos lo importante que es comer bien pero no es siempre fácil seguir una dieta saludable. Mucha gente no tiene tiempo para cocinar porque trabaja fuera de casa. Hoy en día la vida es más ajetreada y todo el mundo tiene menos tiempo para comprar y cocinar alimentos. Los hábitos alimenticios de los españoles han empeorado en los últimos años. La comida precocinada se ha hecho muy popular en muchos hogares. Los anuncios tienen mucho que ver en esto ya que animan a comprar ciertos tipos de comida, normalmente con altos contenidos en azúcar o grasas. Tener una dieta equilibrada nos ayuda a estar sanos y nos hace sentir mejor. Comer bien empieza con el desayuno; es importante no saltárselo ya que nos ayuda a estar de buen humor y a estar concentrados durante la mañana. Nunca es tarde para cambiar nuestros hábitos alimenticios.

Muchos estudios europeos han demostrado que los jóvenes españoles no tienen una dieta sana y equilibrada. Es necesario que los jóvenes tengan una dieta sana porque la adolescencia es un período de gran crecimiento físico. Las necesidades nutritivas de un adolescente son similares a las de un adulto y su dieta debería incluir: fruta, legumbres, verduras, pescado y lácteos. Además, hay que beber dos litros de agua diarios. Por desgracia, los adolescentes son frecuentes consumidores de comida rápida (también llamada comida basura) que es rica en calorías, sal, grasas y colesterol y tiene un bajo contenido de nutrientes. Los adolescentes comen muy a menudo fuera de casa y normalmente quedan con sus amigos en lugares donde ofrecen este tipo de comida. El bajo coste de la comida rápida y su disponibilidad en cualquier lugar a cualquier hora la hace muy atractiva a los jóvenes. Además, a los adolescentes les gusta picar, es decir, consumir alimentos entre comidas. Estos alimentos suelen ser pobres en nutrientes por ejemplo: galletas saladas, perritos calientes, hamburguesas, patatas fritas, bebidas azucaradas y muchas otras cosas. Para los jóvenes, estos productos son prácticos, saben bastante bien, tienen precios asequibles y se pueden encontrar por todos lados.

Hoy en día los jóvenes son menos activos que en el pasado. Hacen menos ejercicio y pasan más tiempo delante de la televisión o del ordenador. Como consecuencia de esta vida sedentaria, engordan. Para quemar calorías hay que incluir el ejercicio en la rutina diaria pero eso no implica pasar horas en el gimnasio. Da un paseo con el perro; si usas el transporte público, baja una parada antes de tu destino, usa las escaleras en vez de coger el ascensor. Es recomendable practicar alguna actividad física durante al menos treinta minutos al día, por lo menos, cinco días a la semana.

(conitnued)

Muchos padres se preocupan de la dieta de sus hijos, sin embargo, es posible enseñar a los adolescentes a elegir alimentos saludables. Comer de una manera sana es algo que debe enseñarse a una edad temprana. Los padres pueden controlar lo que comen sus hijos. Es buena idea ir juntos al supermercado para seleccionar los alimentos que quieren. Los padres deberían ayudar a sus hijos a entender los ingredientes de los alimentos y explicarles por qué no deben saltarse las comidas. Las empresas multinacionales gastan cada año miles de millones de euros con el objetivo de atraer a los consumidores adolescentes. Las cadenas de comida rápida invierten mucho en publicidad para promocionar sus productos entre los jóvenes. Con la ayuda de los padres los adolescentes pueden entender mejor los mensajes que reciben de los medios de comunicación.

Los consejos más útiles que los padres pueden dar a sus hijos son:

- Elige comidas saludables.
- Come más pescado.
- Come menos sal.
- Come mucha fruta y verdura.
- Come menos grasas saturadas y azúcar.
- Sé activo.
- Bebe dos litros o dos litros y medio de agua al día para evitar la deshidratación.

Higher Level and Ordinary Level

1. **Contesta las siguientes preguntas:**
   (a) Why is it not always easy to have a healthy diet?
   (b) What part does advertising have to play in the popularity of convenience food?
   (c) Why is it necessary for young people to have a healthy diet?
   (d) Why are young people frequent consumers of fast food?
   (e) What is said about young people and snacking?
   (f) How can young people burn calories? (Give **full** details.)
   (g) How can parents help teenagers to choose healthy food?
   (h) What useful advice can a parent pass on to a child? (Give **full** details.)

2. **Express the following in English.**
   (a) la vida es más ajetreada
   (b) los hábitos alimenticios
   (c) nunca es tarde
   (d) una dieta sana y equilibrada
   (e) bajo coste
   (f) precios asequibles
   (g) las cadenas de comida rápida

3. ¿Tienes una dieta saludable?

Haz el test para ver lo saludable que es tu dieta

1. **Si te levantas tarde, ¿qué haces?**

   (a) Saltarte el desayuno.

   (b) Hacer tiempo y tomar un bol de cereales con un plátano.

   (c) Comerte una barrita de chocolate por el camino.

2. **¿Qué tomas en el recreo?**

   (a) Una lata de coca cola y una bolsa de patatas fritas.

   (b) Una botella de agua y una manzana.

   (c) Una taza de té y dos galletas.

3. **¿Cuántas porciones de fruta y verdura comes cada día?**

   (a) Ninguna   (b) Más de 5   (c) Tres

4. **¿Cuántos vasos de agua bebes cada día?**

   (a) Ninguno   (b) Más de 7   (c) Entre 3 y 4

5. **Si vas a pedir comida rápida, ¿qué eliges?**

   (a) Pescado y patatas fritas con salsa curry.

   (b) Verduras salteadas con arroz hervido.

   (c) Pizza.

6. **De postre, ¿qué elegirías?**

   (a) Un trozo grande de tarta de chocolate con nata.

   (b) Ensalada de fruta.

   (c) Tarta de manzana.

Resultado: Si la mayoría de tus respuestas son (a): necesitas cambiar tu dieta para evitar problemas como la obesidad o las enfermedades del corazón. Intenta comer por lo menos cinco piezas de fruta y verdura diariamente. Cambia los aperitivos dulces y grasos por fruta y frutos secos.

Si la mayoría de tus respuestas son (b): tienes una dieta saludable y bien equilibrada. Desayunar te ayuda a mantener un peso saludable y te da energía para el resto del día. La fruta y la verdura que comes son fuentes vitales de vitaminas y minerales.

Si la mayoría de tus respuestas son (c): podrías mejorar tu dieta para hacerla más saludable. Es importante comer más fruta y verdura y beber más agua. Intenta reducir la cantidad de grasas saturadas y azúcares que consumes.

Groupwork

Higher Level and Ordinary Level

En grupos de cuatro o cinco, hablad sobre los resultados del test anterior. Decidid si vuestra dieta es o no lo suficientemente sana y hablad sobre cosas que podéis hacer para mejorarla.

Listening

El desayuno

Track 2.19–21

Escucha el siguiente extracto sobre el desayuno en España y contesta las preguntas que siguen.

Ordinary Level

1. What percentage of Spanish people have breakfast out?
2. What percentage of Spanish people never have breakfast?
3. What **three** things does the most popular breakfast contain?
4. Mention **three** other popular breakfast foods.
5. What can eating well prevent?
6. How can a good breakfast help children?

Higher Level

1. How has the recession affected the Spanish people who have breakfast out?
2. Why do a percentage of the population never have breakfast? (Give **two** details.)
3. What does the figure 13 refer to?
4. What is *pan de tomate* made with?
5. What effect can skipping breakfast have? (Give **full** details.)
6. What is breakfasting well associated with in all countries?

 Nota cultural

Todos los años, en muchas ciudades españolas, se celebran concursos de paella y premian a los mejores cocineros. Anualmente, durante las Fallas de Valencia, se organizan concursos de paella en las calles de la ciudad. En octubre de 1992, un cocinero Juan Galbis hizo la paella más grande del mundo para más de 100.000 personas y está inscrita en el libro *Guinness de los Récords*.

Comprehension

Lee el siguiente artículo y contesta las preguntas.

La paella

La paella es un plato muy típico de la cocina española y es famoso en todo el mundo. El plato recibe su nombre del recipiente* donde se hace: un tipo de sartén* ancha que se llama una paellera o una paella. Es una sartén con dos asas* que tiene un diámetro mínimo de veinte centímetros. Hay muchas versiones de la paella en las diferentes regiones de España, pero el arroz es el ingrediente principal en todas. También el azafrán* es un ingrediente importante en todas las versiones porque da sabor al arroz.

Receta de la paella valenciana

Tiempo de cocción: 40 minutos

Ingredientes:

300 g de arroz
700 g de pollo
500 g de conejo
Una docena de caracoles*
5 cucharadas de aceite de oliva
200 g de judías* verdes
100 g de judías blancas
Tomate (triturado)*
Sal
Agua
Ajo
Una pizca* de azafrán
Pimentón* rojo
Romero*

Preparación:

1. Calentar el aceite en la paellera.

2. Añadir los trozos* de pollo, los trozos de conejo y los caracoles y cuando empiecen a dorarse*, añadir las judías, el tomate y el pimentón.

3. Remover todo y dejar cocinar 5 minutos.

4. Añadir el arroz, el ajo, el agua y el azafrán y cocinar todo a fuego lento durante 30 minutos aproximadamente hasta que todo el agua se evapore.

5. Antes de servir, añadir un poco de sal.

6. Aderezar* con romero.

7. ¡Que aproveche!

GLOSARIO

aderezar	to season, dress, garnish	**(una) pizca**	a pinch of
(el) asa	handle	**(el) recipiente**	container
(el) azafrán	saffron	**(el) romero**	rosemary
(los) caracoles	snails	**(la) sartén**	frying pan
dorarse	to brown	**triturado**	crushed/blended
(la) judía	bean	**(el) trozo**	piece
(el) pimentón	paprika		

Ordinary Level

1. Where does paella get its name from?
2. What **two** ingredients are used in all paellas?
3. Mention **five** ingredients needed for this recipe.
4. Explain briefly how you would make a paella.
5. What takes place every year in many Spanish cities?
6. What happened in October 1992?

Comprehension

Lee el siguiente artículo y completa los ejercicios.

El Congreso aprueba la ley que limita los refrescos y la bollería* en los colegios

El Congreso de los Diputados ha aprobado hoy de forma definitiva la Ley de Seguridad Alimentaria y Nutrición, que prácticamente destierra* las chucherías*, los aperitivos salados, la bollería industrial y los refrescos de las cafeterías y máquinas expendedoras* de colegios e institutos. La norma prohíbe la venta de alimentos y bebidas con un alto contenido en ácidos grasos trans*, ácidos grasos saturados, sal y azúcares. El objetivo es frenar el aumento de la obesidad infantil en España, que está llegando a niveles alarmantes: uno de cada cuatro niños padece sobrepeso u obesidad, según datos de Ministerio de Sanidad. Con la entrada en vigor* de la ley, tras su publicación en el Boletín Oficial del Estado, los refrescos quedarán limitados de forma drástica en las escuelas. Tanto en las máquinas expendedoras como en las cantinas no estará permitida la venta de productos que no cumplan* unos determinados criterios nutricionales.

Será el reglamento que desarrolle la ley el que precise cuáles estarán vetados*, pero parece que irá en la línea de lo que marca el documento de consenso firmado en julio de 2010 por las Comunidades Autónomas y Sanidad, según el cual no podrá haber nada con más de 200 calorías, más de 0,5 gramos de sal, ni, por supuesto, que lleve algún ácido graso trans (excepto los que tienen de forma natural los lácteos o productos cárnicos). Así, en el recreo tocará comer fruta, bocadillos no envasados* –al estar compuestos de pan mayoritariamente no ofrecen un aporte excesivo de grasas, azúcares y sal, sostiene Sanidad – o zumos. Y mucha agua. Preferiblemente no embotellada, dice Sanidad. Respecto a los menús escolares, la ley establece que tendrán que ser sanos y ser diseñados por expertos en nutrición. En las instalaciones que lo permitan, se cocinarán menús adaptados a las necesidades especiales de los alumnos que padezcan alergias e intolerancias alimentarias.

El 17% de la población adulta y el 13,9% de los niños españoles son obesos, según el Centro de Investigación Biomédica en Red sobre Obesidad y Nutrición (Ciber-Obn). Y las cifras no cesan de crecer. Tanto que la Organización Mundial de la Salud (OMS) ya ha bautizado esta patología como 'la primera epidemia no vírica'. El tratamiento de las enfermedades derivadas de este problema nutricional supone el 7% del gasto del Sistema Nacional de Salud, unos 2.500 millones de euros.

El País

GLOSARIO

(los) ácidos grasos trans	transfatty acid
(la) bollería	pastries
(las) chucherías	sweets
cumplir	to fulfil, carry out
desterrar	to banish
(la) entrada en vigor	entry into force
envasado	packed, in packets
(la) máquina expendedora	vending machine
vetado	vetoed, forbidden

Higher Level

1. **Answer the following questions in English:**

   (a) Give details about the law that was passed today. (paragraph 1)

   (b) What changes will there be to school menus? (paragraph 2)

   (c) Mention four details about obesity. (paragraph 3)

2. **Escribe en español las palabras o frases del texto que tengan el mismo sentido (más o menos) que las siguientes:**

   (a) ha autorizado (paragraph 1)

   (b) de manera radical (paragraph 1)

   (c) principalmente (paragraph 2)

3. **Explain in English the meaning of the following in their context:**

   (a) El objetivo es frenar el aumento de la obesidad infantil en España, que está llegando a niveles alarmantes… (paragraph 1)

   (b) …no estará permitida la venta de productos que no cumplan unos determinados criterios nutricionales. (paragraph 1)

   (c) Respecto a los menús escolares, la ley establece que tendrán que ser sanos y ser diseñados por expertos en nutrición. (paragraph 2)

4. **Explica (o expresa de otro modo) en español una de las frases siguientes:**

   Preferiblemente no embotellada (paragraph 2)

   o

   Expertos en nutrición (paragraph 2)

 Listening

Hábitos alimentarios

Higher Level and Ordinary Level

Escucha a las siguientes personas y contesta las preguntas:

A (a) What does Raúl say about chocolate?

(b) What does he have for breakfast?

(c) What do the experts recommend?

(d) What does he have at breaktime?

(e) When does he have a cup of hot chocolate?

B (a) What does Carlos want to do when he leaves school?

(b) What event is taking place tomorrow?

(c) What does he hope to make?

(d) What did he make for dinner last Sunday?

(e) What plans does he have for the summer?

C (a) What does Ana say about fast food? (Give **full** details.)

(b) What is her favourite dish?

(c) What does her mother do?

(d) What does she say about breakfast?

(e) How often does she exercise?

 Writing

Higher Level and Ordinary Level

Express the following in Spanish:

(a) Most of the time I have a healthy and balanced diet.

(b) I try to eat at least five portions of fruit and vegetables every day.

(c) Young people like fast food because it is cheap and it tastes quite good.

(d) Everyone knows that convenience foods are bad for your health.

(e) It is not a good idea to skip meals especially breakfast.

(f) I would like to improve my diet so I am going to eat fewer sweets and drink more water.

(g) If you want to be healthy, it is essential to do exercise regularly.

Pairwork

Practica con un/a compañero/a:

1. ¿Qué te gusta comer?
2. ¿Tienes algún plato preferido?
3. ¿Te saltas el desayuno de vez en cuando?
4. ¿Por qué es importante desayunar bien?
5. ¿Te gusta la comida rápida?
6. ¿Tomas 5 piezas de fruta y verduras todos los días?
7. ¿Sabes cocinar?
8. ¿Quién cocina en tu casa?
9. ¿Te parece importante comer de manera sana?
10. ¿Necesitas cambiar tu dieta para hacerte más saludable?
11. ¿Has probado comida de otros países o la cocina española??

Comprehension

Lee el siguiente texto y contesta las preguntas.

Comer en familia

Hoy en día, la vida es muy ajetreada y, como consecuencia, la costumbre de comer en familia se está perdiendo. En el pasado, la mayoría de las familias españolas se sentaban juntas para compartir las comidas. Pero en los últimos años más y más niños comen solos, a veces delante de la televisión o el ordenador. Muchos estudios sobre el tema muestran que compartir la mesa tiene muchas ventajas para todo el mundo. Las largas jornadas laborales, las numerosas actividades después del colegio y el frenético ritmo de la vida actual hacen difícil tener tiempo para comer en familia, pero vale la pena porque, según los expertos, existen muchos beneficios de comer juntos.

Comer en familia promueve la buena comunicación y mejora las relaciones entre los miembros de la misma. Sentados alrededor de la mesa, podemos compartir los acontecimientos del día. Es la oportunidad perfecta para el diálogo y todo el mundo puede hablar de la escuela, los amigos, el trabajo y las noticias. Los niños aprenden a escuchar a los otros, a expresar opiniones y a recibir consejos. Otros estudios han demostrado que comer en familia promueve que los adolescentes adopten una dieta saludable y es menos probable que adquieran malos hábitos en la alimentación. Los niños que comen con su familia consumen más verduras y fruta. También puede reducir los riesgos de sufrir trastornos alimenticios en los jóvenes. Comer en familia tiene un impacto positivo en el desarrollo de los hijos y ayuda a fortalecer la autoestima del individuo. Además, los adolescentes que comparten la mesa con la familia regularmente son menos propensos a consumir drogas y alcohol.

Para establecer una rutina donde toda la familia come junta, es buena idea intentar que la cena sea siempre a la misma hora y en el mismo lugar. Todo el mundo debería involucrarse en la rutina, los niños pueden poner la mesa o ayudar a preparar la comida. Es imprescindible apagar el televisor porque si tenemos la televisión encendida es imposible mantener una conversación. Lo mismo se aplica para los teléfonos y por ello deberían ponerse fuera del alcance de los niños durante el tiempo que dura la comida.

Higher Level and Ordinary Level

1. What has happened to the custom of eating as a family in the last few years?
2. What makes it difficult for families to find time to sit down together?
3. How can eating as a family encourage communication?
4. In what way can eating as a family affect teenagers and children in a positive way?
5. What suggestions are made to facilitate eating as a family?

 ## Comprehension

Problemas

Tres personas escriben a una revista buscando consejo sobre el tema de la comida. Lee los problemas que tienen y lee también los consejos que reciben del experto nutricional, Alberto Silva. Luego, contesta las preguntas que siguen.

PREGUNTA 1

Mis hijos no quieren comer pescado, dicen que no les gusta. Estoy preocupada porque todo el mundo sabe que el pescado es muy bueno para la salud y los expertos recomiendan que los niños lo coman dos o tres veces a la semana. ¿Qué puedo hacer para que les guste?

Carmen, Zaragoza

RESPUESTA

A muchos niños no les gusta comer pescado porque tiene un sabor fuerte, pero es posible cambiar o esconder el sabor, utilizando otros ingredientes y variadas salsas. Otra cosa que recomiendo es que le quites la piel y las espinas antes de dárselo a tus hijos porque a la mayoría de niños no les gustan ninguna de estas dos cosas. Hay un enorme número de recetas que llevan pescado, como: los espaguetis con atún, la tortilla con gambas, la lasaña de pescado y las croquetas de bacalao. Y acuérdate de que cocinar con pescado es muy fácil, rápido y saludable.

PREGUNTA 2

El octubre pasado me fui de la casa de mis padres y me mudé a Valencia para seguir los estudios en la universidad. Estoy compartiendo piso con una chica de Estados Unidos. Desde que llegué a Valencia, he engordado mucho y necesito su ayuda. El problema es que no sé cocinar y por eso, como mucha comida rápida. Voy a una hamburguesería al menos tres veces a la semana y también como mucha pizza. Por las tardes suelo comerme un paquete grande de patatas fritas y una barrita de chocolate en vez de preparar algo. Ahora tengo ganas de perder peso y al mismo tiempo aprender a comer mejor. ¿Puede ayudarme?

Juan, Murcia

RESPUESTA

Hola Juan, esto le pasa a muchísima gente. Cuando dejan la casa de sus padres, empiezan a comer mal. Es importante que aprendas a cocinar para dejar de comer comida rápida todos los días. Hay muchas escuelas de cocina en Valencia que ofrecen cursos dirigidos a los que quieren aprender a cocinar. Lo bueno de estos cursos es que suelen limitar el número de alumnos a doce como máximo. La mayoría de las escuelas ofrecen cursillos desde nivel básico a avanzado y hay una selección excelente de posibles cursos: cocina española, cocina vegetariana, menús de Navidad, cocina baja en calorías, cocina mexicana etc. Te aconsejaría ponerte en contacto con una escuela en tu barrio para pedir más información. En tu carta no mencionaste si hacías ejercicio o no. Te recomiendo empezar a hacer ejercicio que te ayudaría a perder peso.

(continued)

PREGUNTA 3

Busco consejo. Trabajo a tiempo parcial y hace poco mi marido se quedó sin trabajo. Tenemos tres niños y me resulta muy difícil llegar a final de mes. El subsidio de desempleo no es mucho y los gastos del hogar son muy altos: la hipoteca, las facturas de la luz, del teléfono y del agua. Me he dado cuenta de que, recientemente, hemos estado comiendo muy mal y esperaba que usted pudiera darme algún consejo para saber cómo comer bien sin gastar mucho dinero.

Victoria, Toledo

RESPUESTA

Cada vez es más el número de personas sin trabajo y la crisis económica está afectando a lo que comen los españoles. Como consecuencia de no tener mucho dinero, muchas familias tienen que ahorrar en la alimentación. La crisis no debería ser una excusa para comer mal. Comer bien por poco dinero no es imposible. Es importante mantener una dieta sana y no dejar de comprar productos saludables como fruta, verdura y pescado. Abajo encontrarás una lista con sugerencias te ayudarán a mejorar la dieta y al mismo tiempo te ayudarán a prevenir un gasto excesivo de dinero:

- Compra siempre productos de temporada, son más baratos y sanos.

- Compara los precios de los alimentos en todos los supermercados de tu barrio.

- Organiza bien los alimentos en la nevera para asegurarte de que los consumes antes de la fecha de caducidad.

- Haz platos con los restos de la comida, por ejemplo: croquetas.

- No vayas nunca al supermercado con hambre.

- Escribe una lista de lo que necesitas antes de ir al supermercado y no compres nada que no esté en la lista.

- Aprovecha las ofertas; puedes congelar productos que están de oferta.

Higher Level and Ordinary Level

1. Why is Carmen worried?
2. What is recommended to disguise the taste of fish?
3. What **two** things do children not like about fish?
4. What recipes with fish are mentioned?
5. Why is Juan looking for help? What kind of things does he eat?
6. What does the expert recommend?
7. Why are Victoria and her family finding things difficult financially?
8. What household expenses does she have? What advice is she looking for?
9. Mention **six** pieces of advice she is given.

 # Comprehension

Vacaciones en Irlanda

Alejandro from Salamanca is going to spend his holidays in Ireland but he is worried about what food they eat in Ireland so he posts a question on a forum looking for advice. Read the forum and answer the questions that follow.

¿Alguien ha estado en Irlanda? ¿Podéis decirme qué comen los irlandeses? Este verano me voy de vacaciones allí y voy a vivir con una familia irlandesa. Tengo muchas ganas de ir pero me han dicho que la comida no es muy buena, ¿es verdad? A ver si me podéis ayudar. Muchísimas gracias. Álex, Córdoba

Hola, no diría que la comida en Irlanda no es buena. Es verdad que es diferente a la comida española pero no es mala. Las diferencias principales son que usan mantequilla en vez de aceite de oliva y comen mucha carne: cordero, cerdo, pollo y ternera. Los irlandeses no comen tanto pescado como los españoles, pero en mi opinión, el bacalao y el salmón ahumado están riquísimos. Otra cosa diferente a España es que a los irlandeses les gusta mucho beber té y está muy rico.

Alfonso

Me gustó mucho la comida irlandesa sobre todo el desayuno tradicional que es muy conocido en el mundo entero. Es un plato enorme con beicon, salchichas, huevos fritos, champiñones fritos, tomates a la parrilla, patatas salteadas, todo acompañado por tostadas con mantequilla. ¡Delicioso!

Ángela

Los irlandeses suelen hacer tres comidas al día: el desayuno por la mañana, el almuerzo al mediodía y la cena por la tarde. Cenan muy pronto, normalmente a eso de las seis. ¡Me impresiona que los irlandeses coman tantas patatas! Comen patatas con todo: patatas hervidas, patatas asadas, patatas fritas, patatas cocidas al horno y puré de patatas. No me gustó mucho la comida en Dublín, eché de menos la tortilla de patatas y la verdura. Te recomiendo que lleves algo de comer.

Alma

Cuando estuve en Irlanda, probé el estofado irlandés. ¡Qué rico! Se hace con cordero, zanahorias, cebollas y patatas. Alguien me dio la receta y lo hice para mi familia cuando volví a España y les gustó mucho también. Tienes que probarlo. ¡Que disfrutes mucho, va a ser una experiencia fantástica!

Esteban

Higher Level and Ordinary Level

1. What information is Alejandro looking for? Why? (Give **full** details.)

2. What differences are there between Spanish and Irish food, according to Alfonso?

3. What did Alfonso particularly like?

4. How does Ángela describe the Irish breakfast? (Give **full** details.)

5. What does Alma say about the time of dinner in Ireland?

6. List **five** types of potato dishes she mentions.

7. Describe the dish that Esteban liked.

8. What did he do when he returned to Spain?

 **Writing**

Higher Level and Ordinary Level

1. Forum

En grupos de cuatro o cinco escribid un foro similar. Imaginad que vais a ir a España de vacaciones y queréis saber cómo es la comida. Colgad vuestras preguntas y escribid tres o cuatro respuestas.

2. Email

You have received the following email from your Spanish friend. Write a reply, making sure to answer all the questions asked.

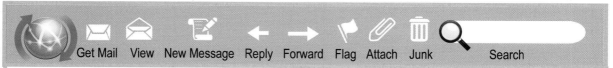
Get Mail   View   New Message   Reply   Forward   Flag   Attach   Junk   Search

De: Miriam
A: Shauna
Asunto: Vacaciones

Hola Shauna:

¿Qué tal? Yo estoy estupendamente porque las vacaciones han empezado. Voy a hacer muchas cosas durante el verano. Voy a pasar dos semanas en el sur de España, en Málaga, en casa de mis abuelos; espero pasarlo bien. La comida en el sur de España está muy rica. Como mis abuelos viven cercan del mar, el pescado es de muy buena calidad. Y a ti, ¿te gusta comer pescado? ¿Qué tipo de pescado se come en Irlanda? Mi abuela cocina muy bien y mi plato favorito es el gazpacho que hace. Es muy refrescante cuando hace calor. ¿Sabes qué es el gazpacho? ¿Lo has probado alguna vez? ¿Qué piensas de la comida española? En agosto voy a pasar tres semanas en Irlanda para hacer un curso de inglés porque mis padres quieren que mejore las notas. Mi primo fue a Cork el año pasado y me dijo que Irlanda es un país muy bonito y que la gente es muy simpática. Lo único que no le gustó fue la comida; durante su estancia allí adelgazó dos kilos. ¿Es verdad que la comida irlandesa es mala? ¿Cuáles son los platos más típicos? ¿Qué coméis en tu casa? Mi primo me dijo que la dieta irlandesa es poco saludable ¿Estás de acuerdo? ¿Qué me recomendarías que me llevara?

Hasta pronto,

Miriam

Listening

El kétchup

Track 2.25–26

Higher Level and Ordinary Level

Escucha el siguiente extracto sobre el kétchup y contesta las preguntas.

1. What does ketchup go perfectly with?

2. What have a group of scientists discovered?

3. Apart from ketchup, where else can find the ingredient licopeno?

4. How much sugar does ketchup contain?

5. What are the main ingredients of ketchup?

6. What did Heinz do in 2010?

7. How many bottles of ketchup Heinz sell every year?

El presente de subjuntivo – The present subjunctive

The subjunctive is not a tense. It is a mood and it must be used in certain situations. All the tenses that we have previously seen (past, present, future, etc.) are in the indicative mood. The subjunctive mood is usually used to express feelings, influence, doubt or uncertainty.

Form

Regular verbs

Regular verbs take the first person singular of the present tense. Take off the **-o** and add the endings. Note that verbs ending in **-er** and **-ir** have the same endings.

	-ar	-er	-ir
	hablar	**comer**	**vivir**
(yo)	habl**e**	com**a**	viv**a**
(tú)	habl**es**	com**as**	viv**as**
(él/ella/usted)	habl**e**	com**a**	viv**a**
(nosotros/as)	habl**emos**	com**amos**	viv**amos**
(vosotros/as)	habl**éis**	com**áis**	viv**áis**
(ellos/ellas/ustedes)	habl**en**	com**an**	viv**an**

Irregular verbs

1. **Radical-changing verbs** follow the same pattern as in the present tense but the endings will change. Note that verbs ending in -ir are completely irregular, i.e. they also change in the we and you plural.

e > ie querer	e > i pedir	o > ue volver	u > ue jugar
quiera	pida	vuelva	juegue
quieras	pidas	vuelvas	juegues
quiera	pida	vuelva	juegue
queramos	pidamos	volvamos	juguemos
queráis	pidáis	volváis	juguéis
quieran	pidan	vuelvan	jueguen

2. **Completely irregular verbs** – here are some of the most common ones.

ser	estar	haber	ir	saber	dar
sea	esté	haya	vaya	sepa	dé
seas	estés	hayas	vayas	sepas	des
sea	esté	haya	vaya	sepa	dé
seamos	estemos	hayamos	vayamos	sepamos	demos
seáis	estéis	hayáis	vayáis	sepáis	deis
sean	estén	hayan	vayan	sepan	den

3. **Verbs that are irregular in the first person** of the present indicative will carry this irregularity through to the present subjunctive:

infinitive	pres. indicative	pres. subjunctive
conducir	conduzco	conduzca
tener	tengo	tenga
decir	digo	diga
salir	salgo	salga

Práctica

Put the following verbs into the subjunctive:

(a) yo (comer) (b) él (bailar) (c) nosotros (mostrar) (d) ella (saber) (e) tú (parecer)
(f) ellos (escribir) (g) vosotros (descansar) (h) ellas (vender) (i) yo (ser) (j) él (lavarse)

Uses

The subjunctive will be used after:

1. **Expressions of doubt or uncertainty**

Dudar que	No parecer que
Es dudoso que	Temer que
Esperar que	Existe la posibilidad de que
No es cierto que	Puede ser que
No estar seguro de que	

Examples:

*Es dudoso que Miguel **venga** pronto.*

*No parece que el gobierno **esté** haciendo nada para cambiar la situación.*

2. **Impersonal expressions**

Es bueno que	Es preferible que
Es importante que	Es preciso que
Es imposible que	Es probable que
Es increíble que	Es sorprendente que
Es interesante que	Es triste que
Es necesario que	Es una lástima que
Es posible que	

Examples:

*Es sorprendente que tantos adolescentes no **coman** suficiente fruta.*
*Es una lástima que no **haga** buen tiempo.*

3. **Verbs of influence when the subject of the sentence wants, likes, p refers, requests, advises or suggests that someone do something.**

Examples:

*Mi madre quiere que yo **estudie** mucho este año.*

*El profesor prefiere que los alumnos **trabajen** solos.*

4. **After certain time expressions when they refer to actions that may take place in the future:**

cuando	después de que
en cuanto	antes de que
tan pronto como	mientras
hasta que	una vez que

Examples:

*Hasta que no **pare** de llover, no podemos salir.*

*Después de que **dejes** de fumar, te llevaré a Londres.*

5. After certain expressions of purpose:

para que / a fin de que	so that, in order that
con el objeto de que / con tal de que	provided that
a menos que	unless
a condición de que	on condition that
en caso de que	in case
sin que	without

Examples:

*A menos que **estudies**, no sacarás buenas notas en tus exámenes.*

*Le compré una cámara a mi madre para que **haga** un curso de fotografía.*

6. The subjunctive is also used to express opinion when the sentence is negative. Look at the following structures and examples:

creo	
pienso + que + indicative	
me parece	

creo	
No pienso + que + subjunctive	
me parece	

Examples:

*Creo que viene a la fiesta./No creo que **venga** a la fiesta.*

*Pienso que es una buena persona./No creo que **sea** una buena persona.*

Práctica

Put the following sentences into the subjunctive:

(a)   It is possible that he will fail his exams.

(b)   I doubt that the bus will come on time.

(c)   As soon as I have money, I will buy a new phone.

(d)   Provided that the weather is good, we'll go to the beach.

(e)   I don't think it rains much in Spain.

(f)   It's surprising that so many teenagers like fast food.

(g)   My mother wants me to be a doctor.

(h)   As soon as it stops raining, I'll go out.

(i)   It's a pity that she can't come to the party.

(j)   Unless the government does something, the situation will not change.

Comprehension

Lee el siguiente extracto de un cuento y completa los ejercicios.

'Cierto día, Daniel se levantó temprano para ir a la escuela. Aunque su mamá se enfadó con él, sólo quiso tomar un pastel para desayunar. Al salir de casa para ir a la escuela con su amiga Margarita, su mamá le colocó una mascarilla*, advirtiéndole que debía tomar precauciones para no infectarse con el virus influenza. Nada más doblar* la esquina, Daniel se quitó el tapabocas*, aunque Margarita le pidió que no lo hiciese. Daniel tampoco hizo caso de los consejos que les dio la profesora a los niños del salón para protegerse de influenza.

¿Sabéis que le pasó a Daniel unos días después? Comenzó a estornudar* y a toser*, también le subió la temperatura y le dolían todos los músculos del cuerpo. Su mamá lo llevó a la consulta del doctor, le hicieron pruebas* y lo dejaron ingresado en el hospital. Daniel lloró y lloró durante horas porque no quería estar allí, y una enfermera muy simpática le dijo: 'No llores Daniel, todos te avisaron que debías tomar precauciones para no enfermar: colocarte el tapabocas, no tocar* cosas que podían haber tocado las personas enfermas, lavarte las manos con frecuencia, jamás llevar las manos a la boca sin haberlas lavado antes, llevar una alimentación y una vida sana. No hiciste caso y ahora estás enfermo. Llorando no vas a pelear y a vencer* la influenza,' le aseguró. 'Debes tomar las medicinas y seguir los consejos de los adultos y verás que muy pronto estarás sano como un roble*.'

Daniel hizo caso a la enfermera y al doctor y se curó; regresó a su casa y siempre hizo caso de los consejos de los adultos para no volver a enfermar. Pero hizo algo más; dedicó todo su tiempo libre a confeccionar* tapabocas para regalar a todos los niños de la escuela y a recomendar las precauciones que debían tomar para no enfermar. Ahora, Daniel estudia mucho porque quiere ser doctor cuando sea mayor, y de ese modo ayudar a muchos niños cuando estén enfermos.'

www.pequeocio.com

GLOSARIO

confeccionar	to make	(la) prueba	test
doblar	to turn, go around	(el) tapabocas	mask
estar sano como un roble (fig.)	to be in excellent health	tocar	to touch
estornudar	to sneeze	toser	to cough
(la) mascarilla	mask	vencer	to overcome, beat

Higher Level and Ordinary Level

1. Why was Daniel's mother angry with him?
2. What did she do when he was leaving the house? (Give **two** details.)
3. At school what did Daniel not take any notice of?
4. How did Daniel feel a few days later?
5. According to the nurse in the hospital, what precautions should you take to avoid getting sick? (Give **full** details.)
6. What suggestion does she make to help him get better?
7. After he got better what did he do? (Mention **three** details.)
8. Why is Daniel studying a lot now?

Higher Level

Opinion

Escribe en español tu opinión (entre 80 y 150 palabras) sobre la siguiente afirmación:

Siempre se recomienda hacer caso de los consejos de los adultos.

 Comprehension

Lee lo que estas personas tienen que decir sobre la salud y contesta las preguntas que siguen.

A Mi salud es muy importante e intento llevar un estilo de vida sano. Practico muchos deportes en mi tiempo libre, porque es necesario estar en forma. Muchos de mis amigos no practican ningún deporte y pasan mucho tiempo sentados delante del ordenador o jugando a los videojuegos. No puedo entender por qué no todo el mundo quiere tener una vida activa. Ser activo te hace sentir mejor y evita problemas como la obesidad. La obesidad es un problema muy grave hoy en día. Yo tengo una dieta equilibrada e intento no comer comida rápida o poco sana. Por supuesto, de vez en cuando, me gusta comer patatas fritas o chucherías pero intento no abusar. No fumo pero, por desgracia, mi madre sí fuma.

Ha intentado dejarlo muchas veces pero no puede. Fumar es un hábito difícil de dejar porque los cigarrillos contienen nicotina que es muy adictiva; es un vicio asqueroso. Cuando salgo con mis amigos los fines de semana, me tomo unas copas pero nunca bebo mucho ya que normalmente tengo que jugar un partido al día siguiente y no quiero desperdiciar el día tirado en la cama con resaca*.

B Como tengo dieciocho años, mis padres me dejan beber alcohol pero no bebo mucho. Muchos amigos míos beben demasiado pero no me gusta verlos borrachos. En mi opinión, uno no tiene que beber para pasárselo bien. Este año tengo que estudiar muchísimo y es importante sentirte bien después de haber salido la noche anterior. Algunos de mis amigos tienen que quedarse en la cama los domingos si salieron por la noche anterior y pierden todo el día siguiente. ¡Vaya desperdicio! Por otro lado, el precio del alcohol me parece excesivo. No trabajo, ni siquiera a tiempo parcial, así que el único dinero que tengo es mi paga* y no quiero malgastarla en alcohol. Me pone muy triste ver a tantísima gente borracha en la ciudad los fines de semana. La semana pasada vi a una chica joven vomitando en la calle. ¿No se dan cuenta del daño que se hacen a sí mismos? ¿Es que no han visto los anuncios en la tele que aconsejan beber con moderación?

C Soy una persona bastante saludable, como bastante bien y no fumo. Sé que mi dieta podría ser mejor y que no tomo suficiente verdura pero por lo general, soy bastante sana. Probé los cigarrillos cuando tenía catorce años pero me puse muy mala y nunca he intentado fumar otra vez. ¡Y qué contenta estoy de no fumar! Todo el mundo sabe que fumar es malo y que puede provocar problemas muy serios para la salud. No me gusta estar con mis amigos cuando están fumando porque, al ser fumador pasivo, el humo me molesta y me hace toser. Todo el mundo tiene derecho a respirar aire puro. A mi opinión, fumar es poco atractivo: los cigarrillos te ponen los dientes amarillos, tienes mal aliento y la ropa huele fatal. Parece que hay muchas razones por las que los jóvenes deciden empezar a fumar: para sentirse más mayores, porque lo hacen sus amigos o como forma de rebelarse contra sus padres. Creo que es una pérdida de dinero, y yo prefiero gastar el dinero en ropa o yendo a conciertos.

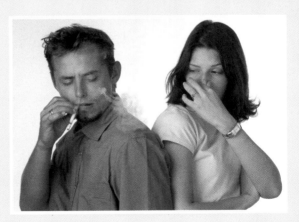

GLOSARIO A		GLOSARIO B	
(la) resaca	hangover	**(la) paga**	pocket money

Higher Level and Ordinary Level

A 1. In what way does this person lead a healthy lifestyle?
2. According to him, how does being active make you feel?
3. What is his diet like?
4. Why is smoking hard to give up?
5. Why does he not drink much when he goes out with his friends?

B 1. What are this person's feelings on drinking alcohol?
2. What does she say about her friends?
3. What is her attitude to money and alcohol?
4 What makes her sad?

C 1. Does this person have a healthy diet?
2. What does she say about her experience of smoking?
3. Why does she not like being with her friends when they are smoking?
4. In what ways does she think smoking is unattractive?
5. In her opinion, why do young people start smoking?

 Pairwork

Higher Level and Ordinary Level

Practica con un/a compañero/a.

1. ¿Estás en forma?
2. ¿Qué haces para mantenerte en forma?
3. ¿Comes bien?
4. ¿Comes cinco piezas de fruta y verdura al día?
5. ¿Te gusta la comida rápida?
6. ¿Crees que es importante estar en forma?
7. ¿Cuándo fue la última vez que fuiste al médico?
8. ¿Fumas?

Comprehension

Lee el siguiente artículo.

Las ventajas de hacer ejercicio

Hacer ejercicio con frecuencia tiene muchos beneficios. Muchos estudios han demostrado que hacer ejercicio reduce el estrés y te hace sentir mejor. Es una forma muy buena de hacer vida social porque tienes la oportunidad de conocer a gente nueva, especialmente si practicas deportes en equipo. Estar en forma te ayuda a mantener tu peso ideal y reduce el riesgo de enfermedades del corazón. Es aconsejable practicar deporte tres o cuatro veces por semana durante treinta minutos, más o menos. Es muy importante hacer algo que te guste ya que eso te ayudará a mantenerte motivado.

Hacer ejercicio con tus amigos es muy buena idea porque puede convertirse en una actividad muy agradable para todos. Por supuesto, si quieres seguir un estilo de vida saludable, aparte de hacer ejercicio, es importante que tengas una dieta equilibrada con mucha fruta y verdura, necesitas beber gran cantidad de agua, tienes que evitar fumar y debes beber alcohol con moderación. Fumar es la segunda causa de muerte en el mundo y los adolescentes que fuman, empiezan a fumar, normalmente, entre los trece y los quince años. Los cigarros contienen sustancias nocivas que dañan el cuerpo y pueden causar cáncer de pulmón y enfermedades del corazón. Beber mucho alcohol también puede producir muchos problemas de salud. Es importante aprender a beber de forma responsable porque cuando una persona está bebida, no puede pensar claramente y su coordinación y juicio se ven afectados.

Muchos jóvenes beben porque piensan que el alcohol les hace sentirse más seguros de sí mismos y les ayuda a relajarse, pero esto no es verdad. La presión social tiene mucho que ver también, muchos jóvenes beben por la influencia que sus amigos tienen en ellos y para imitar a los adultos, con el fin de demostrar que ya no son niños. El gobierno debe adoptar medidas para limitar la disponibilidad de alcohol para los menores de edad. Hay que diseñar programas de educación sobre los efectos negativos del consumo de alcohol.

 ## Pairwork

Practica con un/a compañero/a.

1. ¿Bebes alcohol?
2. ¿Por qué bebes?
3. ¿Saben tus padres que bebes alcohol?
4. ¿Crees que los jóvenes beben demasiado?
5. ¿El alcohol perjudica tu salud?

 **Groupwork**

Higher Level and Ordinary Level

En grupos hablad sobre un vicio perjudicial y sugerid cosas que se pueden hacer para cambiar este hábito.

 Comprehension

Lee la siguiente noticia y contesta las preguntas.

Detenidos dos jóvenes acusados de robo con fuerza tras entrar en un bajo* en la Milagrosa de Pamplona

La Policía Municipal de Pamplona detuvo el pasado sábado a dos jóvenes en el barrio de la Milagrosa de Pamplona como presuntos* autores de un robo con fuerza al entrar en un bajo. Ambos jóvenes son vecinos de Pamplona y uno de ellos, además, fue detenido tres días antes por conducir bajo los efectos del alcohol y sin puntos en el carné, y chocar su vehículo contra una autocaravana.

El pasado sábado 21 de agosto, sobre las 2.30 horas, un vecino avisó* a la Policía Municipal tras ver cómo dos jóvenes estaban manipulando* un vehículo estacionado en la calle Monte Lakartxela del barrio de la Milagrosa y entraban en un bajo próximo, según ha informado el Ayuntamiento de Pamplona en un comunicado.

Los agentes desplazados al lugar comprobaron que la puerta del bajo estaba totalmente arrancada*, el interior revuelto y los dos jóvenes dentro.

En el momento del arresto, A.O.U., de 20 años, natural y vecino de Pamplona portaba unos calcetines en sus manos a modo de guantes. Su compañero, I.I.Z., de 19 años, natural de Zaragoza y vecino de Pamplona, llevaba en el bolsillo el mando* de una televisión de plasma, que estaba preparada para ser sacada del bajera. Ambos jóvenes opusieron resistencia e intentaron huir*.

Los policías que se desplazaron al lugar sufrieron lesiones leves debido a la violencia utilizada por los detenidos. Los arrestados fueron trasladados a dependencias policiales para ser puestos a disposición judicial.

20 minutos

GLOSARIO

arrancar	to pull/rip off	**(el) mando**	remote control
avisar	to notify	**manipular**	to manipulate, to tamper
(el) bajo	ground floor	**presunto**	alleged, supposed
huir	to flee, run away		

Unidad 8

Español en acción

222

Ordinary Level

1. When and where did the police arrest the two youths?

2. What had one of the youths previously been arrested for? (Give **full** details.)

3. Why did a local person alert the police?

4. What did police find when they arrived at the basement?

5. What had one of the thieves on his hands?

6. What did the other thief have in his pocket?

Comprehension

Lee la siguiente noticia y completa los ejercicios.

Jóvenes y alcohol, mezcla explosiva

1. El consumo de alcohol entre los adolescentes ha aumentado* de forma alarmante. Beber se ha convertido en un ritual del fin de semana motivado por la necesidad de divertirse a toda costa. Según los datos* más recientes, un 3,5 % de los niños españoles de 11 años ya ha probado las bebidas alcohólicas y la edad de inicio del consumo habitual se sitúa entre los 13 y 14 años. El alcohol es la droga más consumida en todos los tramos de edad*, sin distinguir sexos ni grupos sociales. En España, además, goza* de una gran aceptación social: ninguna fiesta se celebra sin alcohol y en los grandes acontecimientos se brinda* con vino o cava.

Desde hace unos años se ha convertido en un problema para los jóvenes. Se ha producido un cambio en los patrones de consumo: del vaso de vino diario (y saludable, por otro lado) asociado a las comidas en familia o con amigos, se ha pasado a un consumo juvenil centrado casi exclusivamente en los fines de semana.

(continued)

Y los jóvenes no beben vino, sino grandes cantidades de cerveza, combinados explosivos y licores de alta graduación. Las consecuencias más graves son los accidentes de tráfico: el alcohol está implicado en más de la mitad de los accidentes automovilísticos, pero también diversos trastornos* físicos, como las intoxicaciones etílicas, y otros no menos importantes de tipo emocional.

2. ¿Por qué beben?

Según los propios adolescentes 'para divertirse', 'para enrollarse a hablar* con los amigos' o simplemente 'para emborracharse'*. El objetivo es 'colocarse* lo más rápido posible'. El consumo de alcohol supone entre los adolescentes un ritual unido a la necesidad de crear vínculos* con el grupo de amigos. Las razones que propician el consumo abusivo de bebidas alcohólicas entre los jóvenes según los especialistas son variadas: falta de opciones para ocupar el tiempo libre, escasez* de temas de conversación, efecto liberador de las inhibiciones que proporcionan las bebidas alcohólicas, necesidad de divertirse, por curiosidad, para reducir el estrés, para identificarse con las personas adultas. Aunque los jóvenes beben casi exclusivamente los fines de semana, existe un perfil candidato a desarrollar problemas de alcoholismo: los jóvenes con antecedentes familiares de abuso de substancias, adolescentes deprimidos, adolescentes con una autoestima baja o que se sienten excluidos del grupo mayoritario o si se ha iniciado muy joven en el consumo de alcohol.

3. Las consecuencias del alcohol

El consumo de alcohol se asocia a un mayor riesgo de padecer* diversas enfermedades. Poco después de beber, el etanol, el principal componente de las bebidas alcohólicas, pasa a la sangre* y desde allí afecta a diferentes órganos.

Problemas físicos:

– síndrome de dependencia alcohólica: aparece aunque sólo consuman los fines de semana
– enfermedades vasculares
– trastornos hepáticos
– intoxicación aguda, que puede llevar al coma o, incluso, a la muerte

Problemas psíquicos:

– demencias asociadas al alcoholismo
– trastornos depresivos
– problemas de integración social
– actitudes violentas
– disminuye la capacidad de atención
– somnolencia

Según datos de la Organización Mundial de la Salud, una de cada cuatro muertes entre los jóvenes europeos está relacionada con el consumo de bebidas alcohólicas.

Noticias Orange

GLOSARIO

aumentar	to increase	gozar de	to enjoy
brindar	to make a toast	padecer	to suffer
colocarse (fig.)	to get high	(la) sangre	blood
(los) datos	data, information	(los) tramos de edad	age groups
emborracharse	to get drunk	(el) trastorno	disorder
enrollarse a hablar (fig.)	to go on and on talking	(el) vínculo	tie, bond
(la) escasez	scarcity		

Higher Level

1. Busca en el texto las palabras o frases que sean equivalentes más o menos a las siguientes:

(a) preocupante (part 1)

(b) comienzo (part 1)

(c) eventos (part 1)

(d) establecer conexiones (part 2)

(e) carencia de alternativas (part 2)

2. Write in English the meaning, in the context, of the following phrases:

(a) Beber se ha convertido en un ritual del fin de semana motivado por la necesidad de divertirse a toda costa. (part 1)

(b) El alcohol es la droga más consumida en todos los tramos de edad, sin distinguir sexos ni grupos sociales. (part 1)

(c) El consumo de alcohol se asocia a un mayor riesgo de padecer diversas enfermedades. (part 3)

3. As a partial summary of the content of the article, write in English the information requested.

(a) What do young people drink? (part 1)

(b) According to the specialists, why do young people abuse alcoholic drinks? (part 2)

(c) What mental health problems can alcohol cause? (part 3) (Give **full** details.)

4. Escribe en español tu opinión (entre 80 y 150 palabras) sobre la siguiente afirmación:

No se necesita beber alcohol para divertirse.

 Listening

Los malos hábitos

Track 2.27–29

Higher Level and Ordinary Level

Escucha a las siguientes personas hablando sobre los malos hábitos que tienen y contesta las preguntas que siguen:

1. What type of fish does this person's mother prepare from time to time? (speaker 1)

2. What does she do when her mother is not looking? (speaker 1)

3. What is she going to do this year? (speaker 1)

4. Why did this person start smoking? (speaker 2)

5. Why does she regret it now? (speaker 2)

6. What advice did her uncle give her? (speaker 2)

7. Why does this person describe himself as lazy? (speaker 3)

8. What is he planning to do this year? (speaker 3)

Writing

Higher Level and Ordinary Level

Note

You call to your friend's house but there is no one at home so you leave a note in Spanish with all of the following details:

- Tell him that your father has given up smoking and he is in bad humour.
- Say you think it's great and say why you think smoking is such a bad habit.
- Say you would like to buy a present for your father.
- Invite your friend to go into town with you and make arrangements to meet.

Diary entry

It is nearly the end of the year and you want to make some New Year's resolutions. Write a diary entry in Spanish mentioning the following points:

- Say that in the New Year you are going to make a bigger effort to be fit.
- Say how you plan to do this.
- Mention something about your diet and how you plan to change it.
- Talk about a bad habit you have that you will give up.

Oral

Higher Level

Listen to Andrew doing his oral exam.

1. **¿Tienes una dieta saludable?**

   Creo que sí, intento comer de una manera saludable la mayoría del tiempo. Por las mañanas, antes de ir al colegio, siempre tomo el desayuno. No tomo comida rápida muy a menudo, pero claro, como a todo el mundo, me gusta comer caramelos o patatas fritas de vez en cuando. A mi parecer, lo importante es no abusar de esta comida todo el tiempo.

2. **¿Te saltas el desayuno de vez en cuando?**

   Nunca me salto el desayuno. Mi madre piensa que es muy importante comer bien por las mañanas y siempre ha insistido en que no salga de casa sin desayunar. De hecho, el desayuno es mi comida favorita del día porque suelo tener mucha hambre después de dormir más de siete horas. Suelo tomar un bol de cereales, una tostada con mermelada y algo de fruta, como un plátano o una manzana, y un vaso de zumo de naranja.

3. **¿Cuántas piezas de fruta y verdura comes cada día?**

   Me cuesta mucho comer cinco piezas de fruta y verdura diariamente, como recomiendan los expertos. Intento comer tres al día. También intento beber mucha agua y raramente bebo refrescos.

4. ¿Te parece importante comer sano?

Sin ninguna duda, es imprescindible comer sano. Todos los días se oyen cosas sobre los problemas que el sobrepeso y la obesidad conllevan, especialmente aquí en Irlanda. Es muy importante seguir una dieta sana para evitar problemas de salud más tarde en la vida.

5. ¿Estás en forma?

Sí, creo que estoy en forma. Como bastante bien y hago deporte dos o tres veces por semana. Los fines de semana suelo dar un paseo con mis amigos. Sin embargo, mi hermano no está en forma. Es muy perezoso y pasa todo el tiempo libre tumbado en el sofá. También le gusta tomar comida basura como hamburguesas, bollería y chucherías. Si no cambia sus hábitos va a engordar mucho.

6. ¿Bebes alcohol?

Bebo alcohol muy de vez en cuando. Como cumplí 18 años el mes pasado, mis padres me dejan beber alcohol. Cuando salgo con mis amigos suelo tomar unas cervezas, pero no bebo en exceso. Algunos de mis amigos beben demasiado; creo que son unos irresponsables porque al día siguiente normalmente se sienten fatal y tienen que quedarse en la cama. ¡Que pérdida de tiempo!

 Vocabulary list

aconsejar	to advise	dañar	to damage
(el) acontecimiento	event	(el) desarrollo	development
ajetreado/a	busy, hectic	desperdiciar	to waste
(el) aliento	breath	diseñar	to design
animar	to encourage	disponer de	to have available, at your disposal
(el) anuncio	advertisement	(la) disponibilidad	availability
asequible	affordable, accessible	empeorar	to worsen, get worse
asqueroso/a	disgusting		
atraer	to attract	engordar	to put on weight
azucarado/a	sugary	equilibrado/a	balanced
(la) bollería	pastries	esconder	to hide
borracho/a	drunk	fortalecer	to strengthen, make strong
(la) cantidad	quantity		
(la) chuchería	sweets	(la) fuente	source
(la) cifra	figure, statistic	(la) grasa	fat
compartir	to share	(el) humo	smoke
(el) contenido	content	(el) lácteo	dairy product
(el) corazón	heart	malgastar	to waste, squander
(el) crecimiento	growth		

nocivo/a	harmful, damaging		quemar	to burn
(el) pastel	cake		razonable	reasonable
(el) peso	weight		(la) resaca	hangover
(la) piel	skin		reunirse	to meet
práctico/a	handy		(el) sabor	taste
prevenir	to prevent		sano/a	healthy
(el) promedio	average		tener prisa	to be in a hurry
promover	to promote		toser	to cough
propenso/a	prone to		(el) trastorno	disorder
(la) publicidad	advertising			

Situation

Higher Level and Ordinary Level

Observa esta foto y lee la opinión de Juan. ¿Estás de acuerdo con él? ¿Por qué? Coméntalo con un/a compañero/a.

'Es injusto que no se pueda fumar en los lugares públicos.'
Juan

Revision test

1. Express the following in English:

(a) los hábitos alimenticios (b) nunca es tarde (c) perritos calientes (d) bebidas azucaradas
(e) una edad temprana (f) enfermedades del corazón (g) la bollería (h) los caracoles
(i) los menús escolares (j) las zanahorias (k) las largas jornadas laborables (l) vale la pena
(m) trastornos alimenticios (n) el desarrollo (ñ) un sabor fuerte (o) la cocina baja en calorías
(p) el bacalao (q) enfermar (r) poco sana (s) el humo

2. Express the following in Spanish:

(a) a healthy diet (b) fast food (c) to skip breakfast (d) to be in a hurry (e) a dairy product
(f) biscuits (g) to pay attention in school (h) beans (i) vending machines (j) it tastes good
(k) my mother makes me (l) good communication (m) self-esteem (n) I have put on a lot of
weight (ñ) to lose weight (o) Indian cooking (p) smoked salmon (q) boiled potatoes
(r) advice of parents (s) a hangover

3. Diary entry

You have just had a very busy weekend. You were out a lot with your friends and you
were at a party. It is Sunday night and you are very tired. Write a diary entry including
all of the following points:

- Say that you are exhausted after such a busy weekend. Mention some of the things
  you did that made you tired.
- Say that you didn't do any study and you are worried because your exams start soon.
- Say that you really want to get good results in your exams so it is important to
  change your habits.
- Mention some things you plan to change over the coming weeks.

4. Letter

Your Spanish friend Ignacio has written to you asking about the eating habits of Irish
people. Write a letter to him including all of the following points:

- Tell him how many meals a day people have in Ireland and roughly what
  time they are at.
- Talk about what you have for breakfast, lunch and dinner.
- Tell him how often you eat out.
- Tell him what your favourite meal is.
- Tell him what you think about Spanish food.

5. Opinion

Escribe en español tu opinión sobre la siguiente afirmación:

Eres lo que comes.

UNIDAD 9

El mundo del trabajo

At the end of this unit you will be able to:

- Talk about what you want to do when you finish school
- Say how you feel about leaving school
- Talk about what grades you need in order to follow your chosen course
- Talk about the importance of studying a second language
- Talk about part-time jobs

Exam practice:

- Reading comprehension
- Listening comprehension
- Diary entries
- Informal letter writing
- Dialogue construction
- Formal letters
- Note writing
- Opinion writing
- Informal letter writing

Grammar:

- The imperative

La vida despues del colegio

¿Quieres ir a la universidad? ¿Quieres encontrar trabajo? ¿Te gustaría tomarte un año libre y viajar o hacer trabajo voluntario en el extranjero? Es importante que decidas qué es lo mejor para ti y que tengas en cuenta tus aptitudes y habilidades personales, la duración de los estudios, los costes y el mercado laboral.

 ## Comprehension

Read the following passage and answer the questions.

Terminar el colegio

Terminar el colegio es el final de una etapa muy significativa en nuestras vidas. Es una etapa de transición y es posible que te sientas como en una nube. Hoy en día, la transición al mundo después del colegio es cada vez más difícil porque existe una diversidad de opciones. '¿Cómo decides qué carrera* estudiar y qué quieres hacer con tu futuro?' Es una pregunta fácil para algunos estudiantes pero hay otros que no sabrían contestarla. Esta decisión puede ser una de las más importantes de tu vida y es necesario no equivocarse. Habla con el orientador escolar en tu colegio, tus padres y tus amigos, ve a la biblioteca, a las ferias educativas y echa un vistazo en Internet para ver qué opciones tienes. Hay muchas páginas web que tienen información sobre qué carreras tienen las mejores expectativas para el futuro.

No te estreses demasiado si no estás seguro de lo que quieres hacer con tu vida, es normal sentirse así. Mucha gente no sabe lo que quiere hacer con su vida hasta que tienen veintitantos años. Es importante que no te sientas presionado por tus amigos o por tus padres. Es difícil decidir lo que quieres hacer a los 17 o 18 años. Lo más importante es ser feliz haciendo lo que haces y el tiempo dirá si has tomado una buena o mala decisión.

Si crees que te gustaría ir a la universidad, es imprescindible que estudies una carrera que verdaderamente te interese, y algo que tenga en cuenta tus habilidades y tus puntos fuertes. Tener una carrera te hará definitivamente más atractivo para los empresarios y puede ser una experiencia fantástica. Un aspecto negativo sobre la universidad es que puede ser muy cara, especialmente si tienes que dejar el hogar. En la situación económica actual, no es fácil encontrar un trabajo a tiempo parcial para ayudar a cubrir los gastos. Si no te sientes preparado para ir a la universidad, puedes ir cuando seas más mayor como estudiante adulto. Ten en cuenta que ir a la universidad, no es necesario para encontrar un buen trabajo.

Terminar el colegio puede ser muy estresante sin tener que preocuparse también por la carrera profesional ya que la vida va a cambiar mucho y va a presentar nuevos desafíos. Mucha gente se preocupa por lo que le depara el futuro, especialmente si tiene que mudarse a otro lugar, dejar la casa de los padres y decir adiós a sus amigos. A la hora de decir adiós al colegio, es normal sentir una mezcla de sentimientos.

GLOSARIO

(la) carrera   degree

Higher Level and Ordinary Level

1. Why is the transition from school difficult?

2. What decision is one of the most important you have to make?

3. Where can you get help making this decision?

4. What options are available on leaving school?

5. What is the advantage of having a degree?

6. Why can leaving school be a stressful time?

7. Express the following in English:
   (a) una diversidad de opciones
   (b) es necesario que no te equivoques
   (c) es normal sentirse así
   (d) es imprescindible que estudies una carrera que verdaderamente te interesa
   (e) la vida va a cambiar mucho y va a presentar nuevos desafíos

 # Comprehension

Lee lo que las siguientes personas tienen que decir sobre el futuro y contesta las preguntas que siguen.

Experiencias   Mi Blog   Sígueme   Archivos descargables

Harry

No sé exactamente lo que voy a hacer el año que viene, pero estoy seguro de que voy a ir a la universidad. En Irlanda, en este momento estamos sufriendo una crisis económica y no es fácil encontrar trabajo. Parece que los jóvenes entre 25 y 35 años son las personas más afectadas y la escasez de trabajo ha empujado a miles de jóvenes a emigrar. Creo que en tiempos de recesión es muy importante estar bien cualificado y por eso voy a seguir estudiando el año que viene. Mi hermana mayor dejó el colegio hace ocho años y no fue a la universidad. Ahora lamenta esa decisión porque el trabajo que tiene no está muy bien pagado y sabe que sin cualificaciones es muy difícil encontrar algo mejor. En el colegio la asignatura que mejor se me da es Economía, así que a lo mejor estudio algo relacionado con este tema. Hay tantas opciones disponibles en la universidad que es difícil decidirse por una carrera, pero espero investigar durante las vacaciones para encontrar lo que más me convenga. Cuando tome la decisión, tendré en cuenta el mercado laboral y si será fácil conseguir un puesto en este campo una vez que haya terminado la carrera. También intentaré buscar información sobre becas o ayudas financieras disponibles porque el coste de la universidad puede ser muy alto.

1. According to Harry, what effect is the financial crisis having in Ireland?

2. Why does Harry's sister regret not having gone to university?

3. What is he thinking of studying in university and why?

4. What will he take into account when he is making this decision? (Give **full** details.)

Experiencias

Mi Blog | Sígueme | Archivos descargables

Julia

El año que viene me gustaría ir la universidad para estudiar Medicina. Desde que era niña siempre he querido ser médica. Mi padre es químico, mi madre es fisioterapeuta y mi hermana es enfermera, así que siempre he estado rodeada de gente que trabaja en el campo de la medicina. Tengo que estudiar mucho este año para sacar los puntos necesarios. El año pasado se necesitaban 580 puntos para entrar en Medicina. ¡Son muchos puntos! Tendré que sacar sobresaliente en la mayoría de las asignaturas. Afortunadamente, soy buena estudiante y he trabajado mucho los últimos cinco años y espero sacar los puntos que necesito. Si no los saco, creo que repetiré curso y lo volveré a intentar porque solo me interesa estudiar Medicina. Vivo en el campo y tendré que mudarme a Galway para seguir estudiando; viviré en una residencia universitaria. Tengo una mezcla de sentimientos: por un lado, estoy muy emocionada porque espero conocer a mucha nueva gente de otras partes de Irlanda, pero al mismo tiempo estoy un poco preocupada porque tendré que dejar a todos mis compañeros aquí en Clare. Echaré de menos el ambiente familiar en casa y las comidas de mi madre. Tendré que aprender a hacer muchas cosas por mí misma; tengo que admitir que estoy bastante mimada en casa y mis padres me lo hacen casi todo. No sé cómo funciona la lavadora así que creo que eso es lo primero que tengo que aprender a hacer.

1. Why does Julia want to study Medicine next year?
2. Why will she have to work hard? (Give **full** details.)
3. How does she feel about moving to Galway?
4. What will she have to learn how to do?

Experiencias

Mi Blog | Sígueme | Archivos descargables

Maeve

Nos preparamos para despedirnos de la vida escolar y me pongo un poco triste. Estoy muy contenta aquí, rodeada de todos mis amigos. Pasar del colegio a la universidad no va a ser fácil para mí. El último año en el colegio conlleva muchos desafíos: hay que concentrarse mucho en los estudios, y al mismo tiempo, tienes que pasar por la difícil tarea de decidir sobre tu futuro. Sin duda, quiero estudiar en la universidad pero no sé qué carrera elegir. En mi familia todos son abogados y quieren que estudie Derecho pero no estoy segura. Creo que es importante estudiar algo que te guste porque es a lo que te vas a dedicar el resto de tu vida. La verdad es que Derecho no me interesa. Psicología me atrae pero tengo miedo de decírselo a mi familia. A mi padre le gustaría que trabajara en el negocio familiar y no quiero decepcionarlo. El orientador escolar me ha dicho que es una mala idea estudiar algo simplemente porque alguien quiere que lo hagas, y sé que tiene razón, pero tengo que atreverme a decírselo a mi padre. Por otro lado, también tengo miedo de elegir mal.

1. How does Maeve feel about leaving school?
2. What challenges does the final year at school bring?
3. What dilemma does she have in relation to her family? (Give **full** details.)
4. What advice has the guidance counsellor at school given her?

Writing

Higher Level and Ordinary Level

Express the following in Spanish:

(a)   I'm not sure what I want to do next year.

(b)   There is a recession in Ireland and it's not easy to find work, especially for young people.

(c)   If you have qualifications, it's much easier to find a well-paid job.

(d)   Going to university can be very expensive, especially if you have to leave home.

(e)   Since I was little I've always wanted to be a teacher.

(f)   I would like to study Law at university but the points are very high.

(g)   When I leave home I will have to learn how to do things for myself.

(h)   It's very difficult to decide what you want to do in the future.

(i)   My parents want me to go to university but I would prefer to find a job.

(j)   It is a bad idea to study something that doesn't really interest you.

Listening

Adiós al colegio

Track 2.31–33

Higher Level and Ordinary Level

Escucha a las siguientes personas y contesta las preguntas.

A   (a)   When will Luis be leaving school?

(b)   What kind of student is he?

(c)   Why does he not want to go to university?

(d)   What did he like to do when he was young?

(e)   What does he like to do in his free time?

(f)   What is he going to do in October?

(g)   What has his uncle offered him?

B   (a)   Why would Michelle like to get a place in Cork university?

(b)   What does she hope to learn over the next few years?

(c)   What would she like to study at university? Why? (Give **full** details.)

(d)   What does she say about her cousin? (Give **full** details.)

(e)   What would she like to do when she finishes university?

C   (a)   Why is Adolfo looking forward to leaving school?

(b)   What does he find it difficult to do?

(c)   What does he hope to do when he leaves school?

(d)   What does he say about his parents?

Writing

Higher Level and Ordinary Level

Diary entry

You will be leaving school next month. Write a diary entry mentioning the following points:

- Say how you feel about leaving school.
- Mention one thing you will miss about school.
- Mention one thing you are looking forward to next year.
- Say what you hope to do next year.

Comprehension

Higher Level and Ordinary Level

Lee lo que estas personas tienen que decir sobre el año próximo. Te ayudará a completar los ejercicios que siguen.

El año próximo

'No estoy segura exactamente de lo que quiero hacer cuando termine el colegio, depende de los puntos que saque en la Selectividad. El mundo de la moda me ha atraído desde muy pequeña y me gustaría ser diseñadora de moda. El Arte es mi asignatura favorita en el colegio y el profesor me dice que tengo mucho talento.'

'Me encanta la informática y quiero aprender más cosas pero no tengo ganas de pasar cuatro años en la universidad. A mí eso me parece aburrido y una pérdida de tiempo. Quizás haré un diploma de Informática; así tendré un título después de un año y podré buscar un empleo. Tengo muchísimas ganas de tener mi propio dinero, estoy harto de depender de mis padres.'

'Paso mucho tiempo pensando en lo que quiero hacer en el futuro. Soy una persona muy motivada y siempre he estado interesada en leer y escribir. Cuando tenía nueve años escribí una novela. Antes de tomar una decisión sobre qué curso quiero hacer, tengo que hablar con mis padres y con el orientador de mi instituto. El verano pasado hice unas prácticas de trabajo en un periódico y cuando terminé estaba segura de que estaba tomando la decisión correcta. Espero obtener plaza en la carrera de Periodismo pero eso depende, por supuesto, de los puntos que saque.'

Pairwork

Higher Level and Ordinary Level

Practica con tu compañero/a:

1. ¿Cómo te sientes al terminar el colegio?
2. ¿Estás contento de la terminar?
3. ¿Qué vas a echar de menos del colegio?
4. ¿Qué te gustaría hacer en el futuro?
5. ¿Por qué te interesa esta carrera?
6. ¿Qué cualificaciones se necesitan?

Writing

Ordinary Level

Letter

Write a letter to your friend in Spain, including all of the following points:

- Say that you will finish school next week and say how you feel.
- Talk about the celebrations that will take place before your exams.
- Tell him/her what you would like to do next year and say why you have made this particular choice.
- Mention one way in which things will be different next year.
- Ask him/her what his plans for next year are.

Dialogue

Higher Level and Ordinary Level

You are on holidays in Spain and while you are in a café, you start chatting to a Spanish girl, Luisa. Complete in Spanish your side of the following dialogue:

Luisa: Hola, me llamo Luisa. ¿Qué haces aquí en Bilbao?

Tú: Say that you are on holidays in Bilbao with your family. Say that you think it is a beautiful city and that you have visited all the important sights and museums.

Luisa: Hablas muy bien español. ¿Lo estudias en el colegio?

Tú: Say you have been learning Spanish for six years. Tell her you finished school in June and you are waiting for your exam results but that you hope to study Spanish at university.

Luisa: ¡Genial! ¿Por qué quieres estudiar español?

Tú: Tell her firstly it is because you love the Spanish language and you think that Spain is a great country. Say that you think it is very important to study something you really like. Tell her you also think it is a very useful language to know.

Luisa: Supongo que sí. ¿Cuánto tiempo vas a pasar en la universidad?

Tú: Tell her that you will be studying for three years but that you might take a year off to come back to Spain to help improve your knowledge of the language. It is possible that you will return to Bilbao because you have heard that the rate of unemployment is not as high here as in other parts of Spain.

Luisa: Es verdad, hay más paro en el sur. Cuando termines la universidad, ¿en qué trabajar te gustaría?

Tú: Say that you are not sure yet. Say that your cousin is a translator and that she says it is a very interesting job. Say that you might like to teach English in Spain or Spanish in Ireland.

Comprehension

Lee este artículo y contesta las preguntas.

Trabajar en un entorno saludable

Desde que en 1995 se aprobó la Ley de Prevención de Riesgos Laborales, todas las empresas tienen la obligación de poner a disposición de sus empleados las mejores condiciones en cuanto a salud e higiene en el trabajo. Más tarde, en un Real Decreto de 1997, se establecieron una serie de disposiciones mínimas de seguridad y salud cuyo cumplimiento tiene que vigilar el empresario.

Limpieza: Mantener las instalaciones limpias es un requisito* fundamental para la salubridad* de los trabajadores. Así, se deben eliminar con rapidez los desperdicios*, las manchas de grasa, los restos de sustancias peligrosas y demás productos residuales que puedan originar accidentes o contaminar el ambiente de trabajo.

Oficinas y talleres: Los locales tienen que ser de una dimensión suficiente como para que los trabajadores realicen sus labores sin riesgo para su seguridad y salud y en condiciones ergonómicas aceptables: iluminación* apropiada a la tarea que se desempeña, mesa a una altura entre 66 y 72 cm, silla a una altura acorde con la mesa para que los brazos reposen sobre ella en ángulo recto, monitor de ordenador a una distancia entre 45 y 50 cm., etc. Están prohibidas las escaleras de caracol*, porque pueden resultar peligrosas; también las puertas correderas* o giratorias* en las salidas de emergencia, ya que es obligatorio que se abran hacia afuera.

Temperatura y ventilación: Hay que mantener la temperatura adecuada. Para una oficina se exige que esté entre 17 y 27°C, pero si trata de un lugar en el que se realizan trabajos físicos, la temperatura se mantendrá entre 14 y 24°C. La renovación total del aire del lugar de trabajo también ha de estar asegurada, con entradas de aire limpio y salidas de aire viciado*. Para evitar el exceso de luz de los rayos solares o la luz directa deben instalarse persianas* o paneles.

Mía

GLOSARIO

(el) desperdicio	waste	**(la) puerta giratoria**	revolving door
(las) escaleras de caracol	spiral staircase	**(el) requisito**	requirement
(la) persiana	blind	**(la) salubridad**	healthiness
(la) puerta corredera	sliding door	**viciado**	stuffy

Ordinary Level

1. ¿Qué obligación tienen todas las empresas desde 1995?
2. ¿Qué requisito es fundamental para la salubridad de los trabajadores?
3. ¿Qué se debe eliminar con rapidez?
4. De qué tamaño que ser los locales? ¿Cómo debe ser la iluminación?
5. ¿Por qué están prohibidas las escaleras de caracol?
6. ¿A qué temperatura se debe mantener una oficina?
7. Por qué deben instalarse persianas o paneles?

Comprehension

Lee este artículo y completa los ejercicios.

¿Deben las empresas poner fin a las pausas para fumar?

Los empresarios alemanes han propuesto una idea, no tan nueva en España, para mejorar la productividad de sus trabajadores: acabar con las pausas para fumar durante su jornada laboral. Nueva polémica* al tanto en el país germano, que permite al mismo tiempo recordar un debate sobre este asunto* en nuestro país que empezó a gestarse* tras la introducción de la ley antitabaco en 2006, la cual, como se sabe, prohíbe fumar en los sitios de trabajo.

"Las pausas para fumar cuestan a las empresas dinero contante y sonante*, y alteran el desarrollo del trabajo", denunció el presidente de la Confederación Alemana de PYMES*, Mario Ohoven, en unas declaraciones que publica el diario *Bild*. Ohoven pone como ejemplo el caso de Suecia, donde las empresas han impuesto el concepto de la jornada laboral sin tabaco y solo permiten a sus empleados fumar en la pausa del almuerzo.

En parecidos términos se expresa en el mismo diario la presidenta de la Asociación de Pequeñas y Medianas Empresas (UMW), Ursula Frerichs, quien reclama 'la abolición de las pausas para los fumadores', ya que ello supone también una discriminación frente a los que no lo son. El rotativo* alemán cita* un estudio elaborado por la Universidad de Hamburgo que habla de un coste de 28 millones de euros anuales para las empresas alemanas por culpa solo de estas pausas de sus trabajadores fumadores.

En España

La Confederación Española de Organizaciones Empresariales (CEOE) ya propuso en 2006 la misma idea que ahora sugieren los empresarios alemanes. La CEOE recomendaba en una circular a las empresas que no permitieran las pausas por, entre otras razones, no generar agravios* con los empleados no fumadores y por no perder productividad de los sí fumadores.

La legislación española no revela nada concreto sobre las pausas para fumar en las empresas, dejando este 'trámite' a los convenios* laborales. Hay compañías que llegan a sancionar*, pero en la mayoría de los casos se apuesta por la permisividad sin fijar límites de pausas.

¿Se pierde productividad? La Sociedad Española de Neumología y Cirugía Torácica (SEPAR), en un estudio presentado en 2010 sobre el año 2008, señaló que el coste que tuvieron las empresas españolas como consecuencia del tabaquismo fue de 7.840 millones de euros. De esta cifra, el 76% se atribuía a la pérdida de productividad, el 20% a costes adicionales de limpieza y conservación de instalaciones y el resto al absentismo laboral.

20 minutos

GLOSARIO

(el) agravio	offence, insult	**gestarse**	to develop
(el) asunto	matter, issue	**(la) polémica**	controversy
citar	to quote	**(las) PYMES**	acronym for small and
(el) convenio	agreement		medium-sized enterprises
(el) dinero contante y		**(el) rotativo**	newspaper
sonante	hard cash	**sancionar**	to punish

Higher Level

1. **Answer the following questions in English:**

    (a) What have German business people proposed to improve productivity?

    (b) Why is Sweden mentioned as an example?

    (c) What does the figure €28 million refer to?

    (d) What did CEOE propose in their circular in 2006?

    (e) According to the study carried out by Separ, what costs do Spanish firms have as a consequence of smoking?

2. **Escribe en español las frases del texto que tengan el mismo sentido que las siguientes:**

    (a) terminar con los descansos (paragraph 1)

    (b) realizado por (paragraph 3)

    (c) crear ofensas (paragraph 4)

3. **Explain in English the meaning of the following in their context.**

    (a) ... para mejorar la productividad de sus trabajadores (paragraph 1)

    (b) ... ya que ello supone también una discriminación frente a los que no lo son (paragraph 3)

    (c) ... en la mayoría de los casos se apuesta por la permisividad sin fijar limites de pausas. (paragraph 5)

4. **Explica (o expresa de otro modo) en español una de las frases siguientes:**

    Los empresarios alemanes han propuesto una idea.

    o

    Las pausas para fumar.

 Groupwork

Higher Level and Ordinary Level

Encuesta

En grupos de cuatro o cinco, contestad la siguiente pregunta de una encuesta y preparad una presentación indicando lo que piensa el grupo sobre las pausas para fumar y por qué.

¿Deben las empresas acabar con las pausas para fumar?

– Sí, los trabajadores pierden tiempo de trabajo y es un agravio para sus compañeros no fumadores.

– No, tienen ese derecho y no se pierde productividad.

– Las empresas podrían fijar un límite diario para esas pausas y ayudarles a dejar de fumar con un programa antitabaco.

Listening

En prisión
Track 2.34–36

Listen to this piece of news and answer the questions in English.

Ordinary Level

1. When did Benjamín De la Mata buy his car?
2. What date did this event occur?
3. What did the police find in his car?
4. How long did Benjamín De la Mata spend in prison?
5. What do we learn about his family?

Higher Level

1. Why did Benjamín De la Mata go to prison?
2. What was he doing in Ceuta?
3. What led to him being arrested? (Give **full** details.)
4. How do we know that he had his car for a long time?
5. What does he say about his experience of prison?

Listening

El paro en España
Track 2.37–38

Listen to the following piece of news and answer the questions.

Ordinary Level

1. When was this report published?
2. The total number of people unemployed in Spain is more than:

   (a) 5.5 million ☐   (b) 50 million ☐   (c) 500,000 ☐
3. What percentage of the population does the figure correspond to?
4. What percentage of under 25's is unemployed?
5. What sectors of the economy are most affected by unemployment?
6. What area in Spain has the highest rate of unemployment?

Higher Level

1. What did the European Commission's report point out about unemployment in Spain? (Give **two** details.)
2. How does the total number of unemployed compare with the European average?
3. What is said about young people and unemployment? (Give **full** details.)
4. What comparison is made between Spain and Germany?
5. What differences are there in the effects on (a) the regions (b) men and women?

 **RECUERDA**

Formal letters

Formal letters appear on the Higher Level paper. You can choose between:
(a) dialogue construction or (b) a formal letter.

Formal letters, like the dialogue, are worth 30 marks and you are asked to deal with five points. It is essential that you deal with all five points and be careful not to just translate the point – it needs to be developed. A knowledge of all tenses is required and it is important to use simple, correct Spanish. Layout is very important when writing a formal letter and the use of formal language is necessary.

Layout of a formal letter

Your address
John Smith
11 Cedar Grove
Dublín 9
Irlanda

Their address
Sr. Martínez
El País
Madrid

Date
Dublín, 12 de mayo de 2013

If you don't know name of the person you are writing to, use: **Muy señor mío:/Muy señora mía:** If you know the name, use: **Estimado:/Estimada:**

Endings that you can use:
A la espera de sus prontas noticias,
Le/les saludo atentamente,
Sin otro particular, le/les saluda atentamente,
Cordialmente,
Un cordial saludo,
Reciba un saludo de...

Example

While you were on holidays in Spain you read an article in a Spanish newspaper in which a Spanish journalist says that teenagers are lazy and they spend far too much time hanging around with their friends doing nothing or getting into trouble. You have your own opinion on the matter so you write a letter to the Editor. (You may loosely base your letter on the points mentioned below, either agreeing or disagreeing with all or some of them. You should make five relevant points and each of these points should be expanded and developed.)

- Not all teenagers are the same; they don't all just hang around doing nothing.
- There are not enough facilities and things to do.
- Recession has meant that it is very difficult to find a part-time job.
- Teenagers need time to relax and enjoy themselves when they are not at school.
- A lot of teenagers are involved in helping in their community and with charity work.

Here is an example of a formal letter on the Higher Level paper.

Mary O'Reilly
24 Eden Park
Limerick
Irlanda

L. García
El Mundo
Valencia
España

Limerick, 11 de agosto de 2013

Muy señor mío:

Le escribo esta carta en respuesta al artículo publicado en su periódico el mes pasado. Estoy en desacuerdo con lo que argumenta y me gustaría explicar las razones.

No estoy de acuerdo con la manera en la que usted describe a los jóvenes diciendo que son perezosos. No es verdad que todos los adolescentes pasan el día con sus amigos sin hacer nada. Es posible que una pequeña minoría haga eso, pero la mayoría de los jóvenes pasa el tiempo haciendo una gran variedad de cosas. Además, en mi opinión, los jóvenes tienen derecho a disfrutar de su tiempo libre con los amigos.

Hoy en día, no hay muchas opciones de ocio gratis para los jóvenes. Hay una gran carencia de instalaciones deportivas y de actividades sociales en la comunidad. Si el gobierno hiciera algo para proveer estas instalaciones, la gente joven pasaría menos tiempo sin hacer nada.

La crisis económica ha jugado una parte importante en esto porque hay muy pocos trabajos a tiempo parcial para la gente joven. Como resultado, los jóvenes tienen más tiempo libre y menos dinero para participar en otras actividades.

La vida en el colegio es muy estresante y los jóvenes tienen mucha presión durante el año escolar. Por eso creo que es muy importante que puedan relajarse y pasarlo bien cuando no están en el colegio. Pasar tiempo con los amigos tiene muchas ventajas.

Es una lástima que no haya mencionado nada sobre las cosas buenas que hacen los jóvenes y que eligiera retratarlos de una forma tan negativa. Muchos jóvenes colaboran como voluntarios en sus barrios haciendo trabajos benéficos para la comunidad, como hacerle compañía a la gente mayor.

Le saluda atentamente,

Mary O'Reilly

Práctica

Formal letter

You read in a Spanish newspaper that the Spanish government is hoping to set up language exchange programmes with Ireland to help improve the language skills of young people. You decide to write a letter in Spanish to the editor of the newspaper. (You may loosely base your letter on the points mentioned below, either agreeing or disagreeing with all or some of them. You should make five relevant points and each of these points should be expanded and developed.)

- Say that you think this is a fantastic idea and why.
- Mention what Ireland has to offer to the Spanish students who come here.
- Suggest the type of classes the students could do.
- Describe other activities that Ireland has to offer.
- Suggest where the Spanish teenagers could stay.

 ## Comprehension

Read the following text and answer the questions.

La importancia de aprender un idioma extranjero

Los efectos de la crisis son más evidentes entre los jóvenes. La educación juega un papel fundamental en la preparación de los jóvenes para el mercado laboral. Para mantener el trabajo en el futuro hay que formarse porque todos sabemos que con una buena educación es más fácil encontrar un trabajo bien remunerado. Hoy en día, aprender un segundo idioma resulta muy útil en un mercado laboral tan competitivo. El conocimiento de otro idioma nos abre las puertas a un mundo lleno de oportunidades. Cada vez más empresas necesitan a personas que hablen idiomas como inglés, español, francés, japonés o chino. En España, hablar otro idioma, sobre todo inglés, es esencial para conseguir trabajo. Además, mucha de la información en Internet está en inglés lo que hace que el aprendizaje de esta lengua sea esencial.

Se recomienda empezar a aprender idiomas a partir de los tres años porque se pueden aprender con mayor facilidad a una edad temprana. Sin embargo, nunca es tarde para empezar. Estudiar en el extranjero es la manera más efectiva de aprender un idioma. Una buena forma de perfeccionar el idioma es irse a otro país a trabajar o veranear*. Se puede cuidar niños en una familia o trabajar en un hotel o un bar. Aprender idioma no solo implica aprender los verbos, las reglas de la gramática y el vocabulario sino que también implica conocer la cultura y las costumbres del país.

En Irlanda, el aprendizaje del español se ha hecho muy popular en los últimos años. A nivel mundial el español tiene cada día más presencia. Hoy en día lo hablan más de 450 millones de personas; es la segunda lengua del mundo por número de hablantes nativos, después del chino mandarín. Es el segundo idioma de comunicación internacional y el tercero más usado en Internet.

Una de cada diez personas en Estados Unidos habla español en casa y se espera que la población hispana alcance casi los cincuenta millones de habitantes en 2015. En muchos estados la publicidad, las revistas, la televisión, los anuncios de periódicos y las señales están en español.

La comida española es cada vez más popular y hay restaurantes de tapas en muchas ciudades europeas. El fútbol español se considera uno de los mejores del mundo y atrae a una audiencia enorme. Si quieres jugar al fútbol con un equipo como el Real Madrid o el FC Barcelona es necesario que aprendas el español para poder comunicarte con la prensa, con tus compañeros y con tu entrenador. El deporte español está disfrutando de mucho éxito y nombres como Fernando Torres, Rafa Nadal, Fernando Alonso, Rafa Cabrera Bello y Pep Guardiola se han hecho mundialmente famosos. El ejemplo más reciente del éxito del fútbol español es el triunfo de la selección española en la Eurocopa el verano pasado.

> **GLOSARIO**
>
> veranear — to spend the summer

Higher Level and Ordinary Level

1. Why is learning a second language so useful?
2. What is the best way to learn a language?
3. Why has learning Spanish become so important?
4. In what way is Spanish in fashion?

 **Pairwork**

Higher Level and Ordinary Level

Pregunta a tu compañero/a:

1. ¿Cuánto tiempo llevas estudiando español?
2. ¿Estudias otros idiomas?
3. ¿Te gusta el español?
4. ¿Crees que es un idioma difícil?
5. ¿Qué sabes sobre la cultura española?
6. ¿Te gustaría continuar estudiando español el año que viene?
7. ¿Crees que es importante hablar un segundo idioma?

 **Writing**

Higher Level and Ordinary Level

Note

You have heard that Spanish lessons are starting in the community centre and would like to do the course. On your way to enroll, you call to your friend's house but he is not there. Leave him a note, including all of the following points:

- Tell him that you called by at 2.30 but there was no one at home.
- Tell him about the Spanish lessons.
- Tell him that you would really like to do them and why.
- Ask him if he wants to do them as well and to text you to let you know.

 # El imperativo – The imperative

We use the imperative tense when we are giving orders or commands. Orders are generally given to the **you** part of the verb and in Spanish there are four ways of saying **you** and so there are four different ways of giving orders.

Affirmative informal commands.

1. Tú

To give an order in the affirmative, e.g. listen, close, open, speak, we take the second person singular of the present tense, e.g. **hablas,** and remove the **-s** to get **habla.**

infinitivo	imperativo	equivalencia en inglés
escuchar	escucha	listen
estudiar	estudia	study
abrir	abre	open
leer	lee	read

Note the following irregulars:

infinitivo	imperativo	equivalencia en inglés
decir	di	say
hacer	haz	do, make
ir	ve	go
oír	oye	listen
poner	pon	put
salir	sal	go out
ser	sé	be
tener	ten	have
venir	ven	come

2. Vosotros

When we want to give an order in the **vosotros** form we take the infinitive and replace the final **-r** with a **-d.**

infinitivo	imperativo
hablar	hablad
escuchar	escuchad
cerrar	cerrad
abrir	abrid

lavarse	→	lavaos
levantarse	→	levantaos
acostarse	→	acostaos
acordarse	→	acordaos

¡OJO!

With reflexive verbs we drop the **-d** before adding the reflexive pronoun.

Negative informal commands: *tú* and *vosotros*

Sometimes we will want to give negative commands, e.g. Don't talk/Don't open.

To do this in Spanish we must use the present subjunctive for both the **tú** and the **vosotros** forms.

no hables	no comas
no habléis	no comáis

Práctica

For the following verbs, give the positive and negative forms of both *tú* and *vosotros* in the informal imperative.

Example: **empujar:** empuja   no empujes   empujad   empujéis

1. correr
2. ducharse
3. escribir
4. leer
5. esperar
6. venir
7. volver
8. ir
9. poner
10. hacer

Formal commands

The present subjunctive is used for **usted** and **ustedes** in both the affirmative and the negative. The third person singular is used for **usted** and the third person plural is used for **ustedes**.

usted/afirm.	usted/neg.	ustedes/afirm.	ustedes/neg.
mire	no mire	miren	no miren
espere	no espere	esperen	no esperen
tenga	no tenga	tengan	no tengan
deje	no deje	dejen	no dejen
llame	no llame	llamen	no llamen

Práctica

For the following verbs give the affirmative and negative forms of both *usted* and *ustedes* in the formal imperative:

Example: **hablar:** hable   no hable   hablen   no hablen

1. cerrar
2. salir
3. venir
4. escribir
5. preparar
6. estudiar
7. cocinar
8. tener
9. poner
10. escuchar

 Comprehension

Read the following text and answer the questions.

¿Qué me pongo para una entrevista de trabajo?

Si estás preparándote para una entrevista de trabajo, debes considerar que la primera impresión es esencial. Lo que llevas puesto puede ayudarte a conseguir el trabajo que siempre has querido. La apariencia es fundamental en el proceso de selección ya que refleja nuestra personalidad. En los cinco primeros segundos el entrevistador se formará una idea de cómo eres. La imagen personal tiene mucha importancia en una entrevista y por eso es aconsejable evitar camisetas, vaqueros y zapatillas deportivas y es mejor si los tatuajes y los *piercings* no son visibles.

La apariencia da mucha información sobre la personalidad del candidato. La entrevista es un momento esencial porque solo tienes una oportunidad para crear una buena impresión. Hay decenas de candidatos que quieren conseguir ese mismo trabajo y, con poco tiempo para impresionar, se recomienda que des una buena impresión con lo que llevas puesto. Para tener éxito hay que maximizar todos los aspectos de la apariencia. Todos los expertos dicen que es mejor evitar llevar ropa de color negro; es mejor escoger colores neutros o claros. Para las mujeres se recomienda una falda o pantalones de color neutral, con zapatos de tacón medio. Ten cuidado de que la falda no sea demasiado corta y sé discreta con el maquillaje y las joyas. Asegúrate de llevar el pelo limpio y retirado de la cara. Nunca lleves gafas de sol. Para los hombres es conveniente llevar un traje con una camisa blanca, una corbata de un solo color (nunca con dibujos de estrellas, flores, ositos, patos o cisnes) y zapatos limpios. Los mejores colores para el traje son el gris o el azul marino. Lo más importante es que te sientas cómodo con lo que lleves puesto porque debes evitar una sensación de incomodidad o de inseguridad durante la entrevista.

Otros consejos que quizás te ayuden:

- Llega temprano a la entrevista.
- No juegues con las manos.
- No cruces las piernas o los brazos.
- No masques chicle.
- Muestra confianza en ti mismo.
- Mantén un buen contacto visual con el entrevistador.

Higher Level and Ordinary Level

1. According to paragraph 1, why is appearance so important in an interview?

2. What should you avoid wearing?

3. What do the experts say about the colour of clothes?

4. What things should women take into consideration? (Give **full** details.)

5. What advice is given to men? (Give **full** details.)

6. Look for three examples of regular imperatives and three of irregular imperatives in the text.

Comprehension

Read the following text and answer the questions.

Trabajar desde casa

El número de gente que trabaja a distancia ha aumentado* en los últimos años gracias al desarrollo* de Internet y de las nuevas tecnologías. Hoy en día, trabajar desde casa es muy común; todo lo que necesitas es conexión a Internet, un ordenador portátil y un teléfono móvil. Muchos estudios han demostrado que los trabajadores se sienten más satisfechos* y menos estresados cuando tienen la posibilidad de trabajar desde casa. Para los empleados, el tiempo y el dinero es ahorro, ya que no tienen que ir al trabajo en hora punta* y, claro, también es beneficioso para el medio ambiente*. La vida familiar es más fácil porque las horas de trabajo son más flexibles. Hay muchas ventajas también para las empresas: reducen los costes en las facturas* de electricidad, calefacción*, teléfono y limpieza. El principal inconveniente de trabajar desde casa es que no tienes contacto con tus compañeros y puede ser un poco solitario. Por esta razón, no es aconsejable* trabajar desde casa más de tres días a la semana.

GLOSARIO

aconsejable	advisable	**(la) factura**	bill
aumentar	to increase	**(la) hora punta**	rush hour
(la) calefacción	heating	**(el) medio ambiente**	environment
(el) desarrollo	development	**satisfecho**	satisfied

Ordinary Level

1. Why have the numbers of people working from home increased in recent years?

2. What is needed to work at home?

3. What advantages do employees get from working at home? (Give **full** details.)

4. What advantages do companies get?

5. Why is it not advisable to work at home more than three days a week?

Comprehension

Read the following text and do the exercises.

El paro marca los nuevos rostros* de la pobreza

Rafael nunca pensó cuando estudiaba Ingeniería Técnica Industrial que acabaría acudiendo a un comedor social*. Con 46 años, ha aceptado empleos muy por debajo de su cualificación profesional pero ahora no encuentra ningún trabajo. Desde hace unos meses se ve obligado a acudir a la caridad para alimentarse. Cobra la ayuda a parados sin prestación de 426 euros y paga 327 euros de hipoteca*. "Tengo que elegir, pagar la hipoteca y las facturas* o comer. No me da para las dos cosas", cuenta a RTVE.es, mientras espera su turno en el comedor de San Francisco (Madrid). En otra fila*, en el comedor social Santa Josefa de Vallecas, espera paciente una mujer de 60 años que no quiere desvelar su nombre. El motivo es que sus hijos desconocen que come cada día en un centro social. Fue auxiliar* de enfermería y ahora paga la hipoteca con el dinero ahorrado en su plan de pensiones. "Mis hijos no saben nada, ya no viven conmigo y me da vergüenza contarlo", relata a RTVE.es. África tiene 57 años. Trabajaba en un hospital con ancianos y desde hace dos años está en paro. Tras muchos años pagando su hipoteca fue desahuciada* y ahora vive en una habitación de alquiler por la que paga 300 euros. Sus únicos ingresos mensuales ascienden a 375 euros, así que también se ve obligada a comer de prestado.

Rafael, África y la mujer anónima no son casos aislados. Los comedores sociales se han llenado de ciudadanos que estaban totalmente integrados en la sociedad y a los que el zarpazo* de la crisis les ha llevado a una realidad que nunca hubieran imaginado vivir. Los tres tienen suerte. Duermen bajo techo. Los hay que se han quedado en la calle. J.M.M trabajaba como técnico electrónico en Soria y se quedó en paro. Probó suerte en Madrid y esta le dio esquinazo*. Ahora duerme cada noche en un cajero y acude a comer y cenar a un comedor social.

Ante este panorama desolador, Cruz Roja ha lanzado, por primera vez en su historia, una campaña para recaudar fondos para la población española que está sufriendo los efectos más virulentos de la crisis. "No son ni indigentes, ni toxicómanos* ni analfabetos*" Cáritas, Cruz Roja y la Red Social contra la pobreza y exclusión social coinciden al asegurar que los rostros de la pobreza han cambiado, y mucho, en los últimos años. No son, en muchos casos, ni indigentes, ni analfabetos, ni toxicómanos ni personas provenientes de familias desestructuradas ni inmigrantes sin familia en España, colectivos que hace tiempo copaban* los comedores sociales. "Sólo el 5–10% de las personas que atendemos son personas sin ninguna cualificación o sin una actividad previa remunerada*", ha explicado a RTVE.es el coordinador general de Cruz Roja, Antoni Bruel. Familias con todos los miembros en el paro, desempleados de la construcción, jubilados con pensiones mínimas y cargas familiares, inmigrantes en paro y parados de larga duración son algunos de los nuevos rostros de la pobreza. Gabriela Jorquera, coordinadora en Madrid de la Red Social contra la pobreza ha afirmado a RTVE.es que actualmente más de 12 millones de personas están en situación de pobreza o en riesgo de pobreza en España. 'Desde 2009 este colectivo aumenta a un millón de personas más por año. El dato es dramático', ha añadido.

Pero, ¿qué es ser pobre? Las organizaciones plantean como principal indicador de la pobreza el nivel de renta mensual y consideran que un ciudadano está en situación de pobreza relativa cuando su renta* está por debajo de los 627–641 euros mensuales. El indicador cambia si hablamos de familias con más miembros. El paro es el denominador común de las nuevas caras que muestra la pobreza. El impacto de la brutal crisis económica ha hecho que muchas personas que se encontraban en contextos socioeconómicos seguros hayan entrado a formar parte de los colectivos atendidos por la organización humanitaria. Jorquera cree que cuando alguien acude a las organizaciones sociales es que ha agotado* ya muchos recursos. Critica también los "débiles mecanismos de protección" en España y echa en falta un plan de lucha contra la pobreza. Por su parte, el secretario general de Cáritas, Sebastián Mora, considera que la pobreza en España se ha hecho "más extensa, más intensa y más crónica".

www.rtve.es

can save money for university. University life can be very expensive and I am fed up asking my parents for money. I am going to borrow my brother's suit for the interview because I want to create a good impression. The only problem is that I have no experience in this area but I am optimistic.

Ordinary Level

4. Letter

You are in your final year at school. Your friend Ramón has written to you asking you about your plans for next year. Write a letter in Spanish including all of the following points:

- Tell him that you will be sad to leave school and say why.
- Say that the final year is very difficult because there is a lot of pressure to study hard.
- Say how you will celebrate leaving school.
- Tell him what you want to do next year.
- Say what your plans are for the summer.

Higher Level

5. Formal letter

While on holidays in Spain you read an article in a Spanish newspaper about bullfighting. TVE has decided to start showing bullfights on television again after a six-year gap and the newspaper seems to think that this is a good idea. You have your own opinions on the matter so you write a letter to the Editor. (You may loosely base your letter on the points mentioned below, either agreeing or disagreeing with all or some of them. You should make five relevant points and each of these points should be expanded and developed.)

- It upset you to read that bullfights are going to be aired on national television again.
- You thought that a lot of Spanish people were against bullfighting and that it was banned in many cities.
- You don't think it is suitable for television as children may see it by accident.
- You think it is very violent and dangerous and that every year people are injured or die.
- It might be a good idea to do a survey to find out how Spanish people feel about it.

6. Note

You have just found out that you have got a part-time job in the local supermarket. You call to your friend's house to tell him/her the good news but here is no one at home. Leave a note including all of the following points:

- Tell him/her where your new job is, what the hours are and what the pay is like.
- Say how you feel about getting the job.
- Say how you plan to spend the money you earn.
- Tell him/her that you will be able to go to the concert in the Phoenix Park next summer because you will have money.

7. Opinion

Escribe en español tu opinión (entre 80 y 150 palabras) sobre la siguiente afirmación:

Es importante estudiar algo que verdaderamente te interese.

UNIDAD 10

La sociedad y el mundo

Esta unidad está pensada para los alumnos que se presenten al examen de Higher Level.

Themes:

- El medio ambiente
- La inmigración
- El racismo
- La crisis económica
- Los toros

Exam practice:

- Reading comprehension
- Listening comprehension
- Opinion writing
- Diary entries
- Formal letter writing

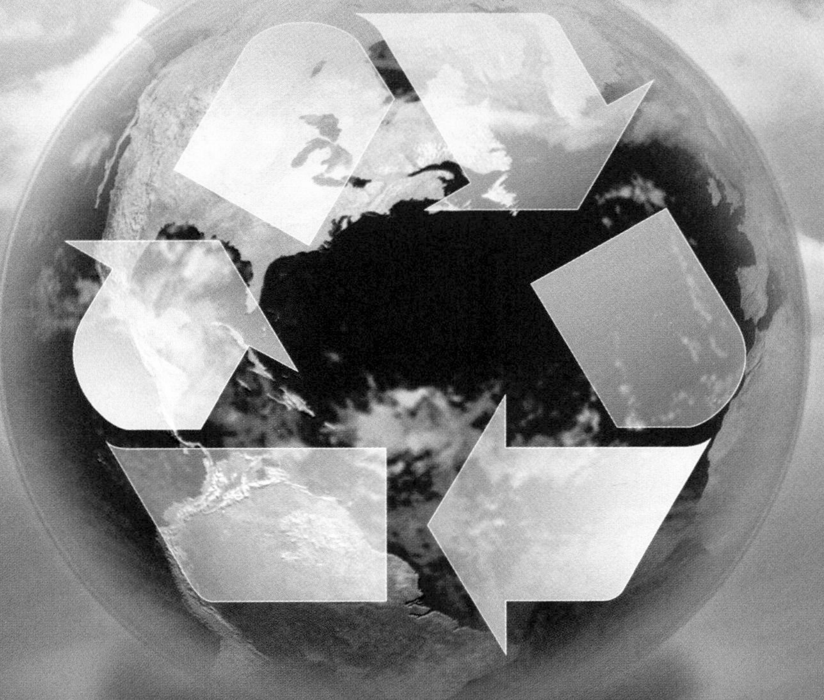

Comprehension

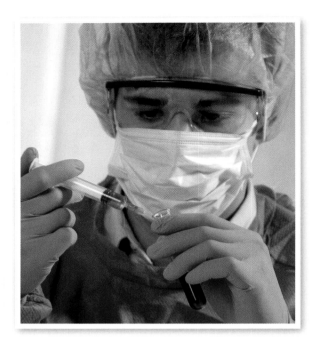

Podemos considerarnos muy afortunados de vivir en el siglo XXI porque tiene muchas ventajas. La sociedad y el mundo han cambiado mucho y continúan cambiando. Vivimos en un mundo más abierto y más desinhibido con más opciones de educación y ocio. El nivel de vida es más alto y los avances científicos, el desarrollo tecnológico y los progresos en el mundo de la medicina han mejorado nuestra vida. Sin embargo hay muchos problemas en el mundo de hoy en día y son problemas que no podemos ignorar como la contaminación, el hambre, la guerra, la pobreza y muchos otros más.

Higher Level

Lee el siguiente texto y marca los 6 temas que más te preocupan.

¿Qué es lo que más te irrita?

¿Con qué causas te comprometerías? Que hable tu corazón....

- ✓ La esclavitud de los niños, a los que se les obliga a trabajar en vez de ir al colegio.
- ■ Los que abandonan a su perro cuando se van de vacaciones.
- ○ La contaminación: ¡ya basta de respirar gases tóxicos!
- ■ Las corridas de toros: te parecen una crueldad.
- ✓ Las personas que juzgan a los demás por el color de su piel.
- ○ Los inconscientes que tiran la basura en el campo
- ■ La extinción de algunas especies amenazadas por el hombre.
- ○ El que millones de personas mueran de hambre en el mundo.
- ○ El despilfarro: hay que reciclar en vez de consumir cada vez más.
- ✓ La pobreza: nadie debería vivir en la miseria.
- ■ Los experimentos con animales: utilizar seres vivos para probar productos de belleza es inadmisible.
- ○ La desaparición de la selva amazónica, el 'pulmón' de la Tierra.

Ahora, analiza tus preocupaciones contando el número de símbolos de cada tipo que has marcado y lee la interpretación de tus preocupaciones.

Si tienes un máximo de ✓

¿Tu lucha? Las injusticias

Los derechos humanos los tienes muy claros. Asqueado por el racismo, la miseria, la intolerancia, sueñas con que todos los hombres tengan las mismas oportunidades. ¡Contribuye a construir un mundo mejor!

Si tienes un máximo de ○

¿Tu lucha? La degradación del medio ambiente

Preocupado por el futuro de nuestro planeta, estás dispuesto a remangarte*, para ayudar a protegerlo. Empieza por actuar en tu entorno inmediato, sensibilizando a las personas que te rodean. Sólo es un pequeño paso, pero puede llevarte muy lejos.

Si tienes un máximo de ■

¿Tu lucha? El maltrato a los animales

Vuelen, corran o naden, los animales tienen en ti su mejor defensor. Indignado por lo que tienen que soportar, te encantaría cerrar filas* con todos ellos y gritar: '¡Todo ser vivo merece un respeto!'

Vivan las chicas (Editorial Marenostrum) © Severine Clochard, Cecile Hudrisier, Audrey Gessat

GLOSARIO

cerrar filas to collaborate **remangarte (fig.)** to roll up one´s sleeves

Comprehension

Lee el siguiente texto antes de escuchar una noticia sobre el medio ambiente.

El medio ambiente

Como ciudadanos de nuestro planeta, es nuestra responsabilidad cuidarlo para las futuras generaciones. Si no cuidamos la Tierra, el cambio climático seguirá afectando a los fenómenos meteorológicos y aumentando el número de catástrofes naturales tales como: las inundaciones*, los incendios forestales, las olas de calor y tormentas, las restricciones de agua y la extinción de ciertos animales. Podemos crear una huella* positiva en el medio ambiente si reducimos las emisiones de carbono. Todo el mundo tiene un papel que desempeñar* para respetar y proteger nuestro entorno. Podemos usar el transporte público o caminar, comprar productos producidos localmente, apagar las luces y los electrodomésticos cuando no se están utilizando, utilizar papel reciclado, plantar un árbol, ahorrar agua, utilizar bombillas de bajo consumo y muchas cosas más. El agua es un recurso muy escaso y tenemos que utilizarla sabiamente. Un buen consejo es comprar productos que sean fáciles de reciclar o reutilizar para crear menos basura porque cada persona produce un kilo de basura todos los días. Tenemos que intentar bajar esta cifra. ¿Sabías que si reciclas una tonelada de papel, salvas diecisiete árboles? Para prevenir más daño a la Tierra, hay que pensar en verde*.

GLOSARIO

desempeñar	to play	**(las) inundaciones**	floods
(la) huella	footprint	**pensar en verde**	to think green

Listening
La contaminación

Track 2.41

Higher Level

1. Listen to the following poem and fill in the missing words.

La contaminación

Los bosques quemados

(a) _____ contaminadas

Coches que nos llenan de (b) _____

Olores insoportables

(c) _____ nuestros ríos

Tiempo inestable

Aves (d) _____ por el petróleo

Mares (e) _____

Incendios provocados por la (f) _____

Nuestra culpa es no (g) _____

Atmósfera con menos oxígeno

Caminos llenos de basura

(h) _____ que liberan gases tóxicos

Océanos sin (i) _____

Naturaleza pura, ¡¡CUIDÉMOSLA!!

Cuadernodepoesia.blogia

2. Lee la primera letra de cada verso en vertical. ¿Qué palabra forman todas las letras? A continuación, siguiendo el modelo, elige una palabra corta e intenta transformarla en un poema.

Comprehension

Read the following article and complete the exercises that follow it.

El día sin coches

Los problemas de la movilidad urbana, la contaminación del aire y el ruido, son una fuente creciente de preocupación para los europeos. Sin embargo, aunque la mayoría de las ciudades tienen graves problemas de circulación, el tráfico urbano aumenta continuamente, contribuyendo al deterioro* de la calidad de vida.

Para intentar poner remedio a esta situación, los países europeos más sensibilizados* decidieron celebrar una jornada* de autorreflexión sobre el auto. El objetivo de este día festivo para los utilitarios* privados es concienciar* a los conductores sobre la necesidad de desarrollar pautas* de conducta que no restrinjan sus desplazamientos, pero que sean compatibles con la protección del medio ambiente. Además, claro está, de intentar que sus habitantes redescubran las ciudades y su patrimonio* cultural, en un entorno* más agradable.

La celebración de los días sin coche no es nueva. En la primera crisis energética de 1974, diversos gobiernos nacionales, regionales y locales europeos, preocupados por el suministro* de petróleo, prohibieron la circulación del tráfico motorizado, aunque sólo los domingos. La experiencia duró tan poco como la crisis petrolífera.

En los años ochenta ecologistas y defensores del uso de la bicicleta volvieron a proponer las jornadas sin coches y, desde entonces, cada año por estas fechas, las ciudades europeas que participan en esta acción reivindicativa, reservan una zona para bicicletas, peatones, vehículos ecológicos que utilizan gas licuado* del petróleo,

gas natural o electricidad y, en particular, para el transporte público.

Con motivo de esta iniciativa, las autoridades municipales ponen a prueba otros medios que propicien* la movilidad urbana diferente. Un buen ejemplo son los sistemas de reparto que utilizan vehículos limpios, nuevas líneas de transporte público, coches compartidos o zonas de aparcamiento para bicicletas, vigiladas.

La celebración de charlas, debates y otras actividades relacionadas con el medio ambiente, el consumo de energía, el transporte urbano y el futuro de las ciudades contribuyen positivamente a sensibilizar a las autoridades competentes sobre la urgencia de tomar medidas. También ayuda a convencer a los usuarios de que deben acostumbrarse a dejar el coche en casa más a menudo. La preocupación por el tema originó a la aprobación, por parte de la Unión Europea, de la Directiva Marco 96/62 sobre la calidad del aire. El objetivo de esta ley es garantizar la salud pública de los ciudadanos.

El Mundo

GLOSARIO

concienciar	to make aware	**(el) patrimonio**	heritage
(el) deterioro	deterioration, decline	**(la) pauta**	guideline, rule
(el) entorno	environment	**propiciar**	to bring about
(la) jornada	day	**sensibilizado**	aware
licuado	liquid	**(el) suministro**	supply
		(el) utilitario	small perfect car

Higher Level

1. Answer the following questions in English:

(a) What would some European countries like to make their inhabitants conscious of?

(b) When were car-free days first celebrated? (Give **full** details.)

(c) What will help make the authorities aware of the urgency to take steps?

2. Busca en el texto las palabras que tengan el mismo sentido (más o menos) que las siguientes:

(a) ambiente (paragraph 2) (b) abastecimiento (paragraph 3)

(c) supervisadas (paragraph 5) (d) concienciar (paragraph 6)

3. Explain in English the meaning of the following in their context:

(a) ... son una fuente creciente de preocupación para los europeos. (paragraph 1)

(b) ... intentar que sus habitantes redescubran las ciudades y su patrimonio cultural ... (paragraph 2)

(c) La experiencia duró tan poco como la crisis petrolífera. (paragraph 3)

4. Escribe en español tu opinión (entre 80 y 150 palabras) sobre la siguiente afirmación:

Moverse en una ciudad sin coche es casi imposible.

 # Comprehension

Read the following article and mention some of the reasons for leaving your car at home.

10 razones para dejar el coche en casa

1. Así muestras que estás concienciado* ante uno de los principales problemas que tienen las grandes ciudades.

2. Es una buena ocasión para conocer cómo funcionan los transportes públicos.

3. Es una excusa ideal para ir al trabajo o al centro de estudios dando un paseo.

4. Contribuirás a que no aumenten, durante esa jornada, los gases que producen el efecto invernadero*.

5. Por un día, no te importará el precio de los carburantes*.

6. Tampoco te preocupará que tu depósito esté en las últimas* y tu monedero también.

7. No tendrás que agobiarte* para encontrar una plaza de aparcamiento.

8. Podrás aprovechar el tiempo que dura tu desplazamiento* para leer.

9. De esta manera, llegarás al trabajo sin la dosis diaria de estrés que te proporciona el conducir por la mañana.

10. Podrás escuchar otros ruidos urbanos diferentes el estruendo* de los tubos de escape*.

El Mundo

GLOSARIO

agobiarse	to get anxious	**estar concienciado de**	to be aware of
(el) carburante	fuel	**estar en las últimas**	to be nearly empty
(el) desplazamiento	trip		
(el) efecto invernadero	greenhouse effect	**(el) estruendo**	din, roar, racket
		(el) tubo de escape	exhaust pipe

Listening

Adiós a las bolsas de plástico

Track 2.42–44

Listen to the following article and fill in the missing word in your copybook.

Primark sustituye las bolsas de plástico por papel 100% reciclado y biodegradable

La cadena textil Primark ha completado el proceso de sustitución de las (a) _____ de plástico por papel cien por cien (b) _____ y biodegradable. El (c) _____ se inició en marzo de 2011 en sus tiendas (d) _____ de Jerez y Algeciras para ir paulatinamente trasladándolo a sus 24 tiendas de toda la Península ibérica. Desde agosto todas las tiendas Primark de España y Portugal han (e) _____ el (f) _____ de las bolsas de plástico para sustituirlas por las de (g) _____ reciclado, según ha informado la (h) _____.

Con esta decisión la compañía ahorrará entre 550 y 600 (i) _____ anuales de material plástico, lo que ayudará a la (j) _____ del medio ambiente. Estas bolsas que ya se han (k) _____ por completo en toda España son (l) _____ con papel y cartón reciclados y no se utilizan lejías, tintas (m) _____ ni disolventes industriales para su fabricación.

Primark eligió España como el lugar en el que comenzar su expansión (n) _____ de Irlanda e Inglaterra. Con la (ñ) _____ de su nueva tienda en Málaga el 26 de octubre, la cadena de (o) _____ da un paso más en sus planes de expansión en España. De esta forma, Primark contará a partir de ahora con 21 tiendas en nuestro (p) _____, a las que se sumará una tienda más en (q) _____ antes de finalizar el año.

20 minutos

Writing

Higher Level

Mira la siguiente foto y lee la frase que está debajo de la foto. describiendo lo que ves. ¿Cómo te sientes? ¿Qué se puede hacer para cambiar las cosas? Después, escribe cinco líneas. Coméntalo con un/a compañero/a.

'Que no se vea, no quiere decir que no exista.'

Pairwork

Higher Level

Pregunta a tu compañero/a:

1. ¿Qué haces para cuidar el medio ambiente?
2. ¿Piensas en verde?
3. ¿Reciclas vidrio, papel y metal?
4. ¿Tomas comida ecológica?
5. ¿Dejas tu ordenador encendido cuando no lo estás utilizando?
6. ¿Apagas las luces cuando sales de una habitación?
7. ¿Utilizas productos que han sido testados en animales?
8. ¿Donas ropa cuando ya no te la pones?
9. ¿Escribes por las dos caras del papel?
10. ¿Dejas el grifo abierto cuando te cepillas los dientes?

Writing

Higher Level

1. Diary entry

You have just watched a programme about the benefits of recycling. Write a diary entry mentioning all of the following points:

- You were surprised with the information you learnt in the programme.
- You feel guilty that you haven't been making an effort to do more recycling.
- Some improvements you hope to make in this area over the coming weeks.
- You are going to encourage other members of your family to help.

2. Read the following native American proverb and give your reaction to it. Try to write 8–10 sentences.

'Trata bien a la Tierra: no te la dieron tus padres, te la han prestado tus hijos.'

Comprehension

Lee el siguiente artículo antes de escuchar una noticia sobre la inmigración.

La inmigración

Muchas personas abandonan sus países de origen y vienen a España porque en su país de origen viven en la pobreza. No es fácil abandonar el país de origen por muchas razones: la familia, los amigos, la cultura, el idioma, la religión, la comida etc. pero a veces es el último recurso. España es un lugar muy atractivo por su clima, su historia y su cultura. Los inmigrantes buscan una nueva vida con más oportunidades pero la realidad es que los trabajos que hacen suelen ser los que los españoles no quieren hacer y pueden estar mal renumerados*. En general, los inmigrantes vienen de países poco desarrollados; muchos vienen de los países de América Latina como Ecuador, El Salvador, Venezuela etc. porque la gente de estos países habla la misma lengua y piensan que integrarse en la sociedad española es más fácil que en otras partes del mundo.

También vienen de países del norte de África, sobre todo Marruecos, desde allí es fácil viajar porque no está muy lejos. Cada año miles de inmigrantes del norte de África intentan llegar a las costas andaluzas a bordo de pateras* que a menudo van sobrecargadas*. Arriesgan sus vidas en busca de una vida mejor.

El 15% de la población española esta compuesta por inmigrantes. España es uno de los países europeos que recibe mayor cantidad de inmigrantes. Muchos vienen a trabajar en los sectores de la construcción y la agricultura pero estos sectores han sufrido mucho durante la crisis y, hoy en día, hay escasez de empleos, tanto para los españoles como para los inmigrantes. Si tienen la suerte de encontrar un empleo, normalmente mandan dinero a sus países de origen, dejándoles muy poco dinero para vivir.

Muchos inmigrantes en España son ilegales y, como resultado, no se integran bien en la sociedad. El desconocimiento del idioma los margina mucho más. A menudo tienen que soportar* actitudes racistas de la gente que piensa que están en España quitándoles los trabajos y que no deberían estar allí. Es importante recordar que todo el mundo debe tener los mismos derechos y que nadie debe ser discriminado por el color de su piel. Todos tenemos la responsabilidad de luchar contra el racismo.

GLOSARIO

mal remunerados	badly paid
(la) patera	open boat used by illegal immigrants to reach Spain
sobrecargado/a	overloaded
soportar	to put up with

Listening

Inmigración

Track 2.45–46

Higher Level

Listen to the following piece of news about some immigrants rescued on the Spanish coast and answer the questions.

1. Where exactly was this patera found?
2. Where have the immigrants been transferred to and why?
3. What state were the immigrants in, according to José Ordóñez?
4. Why had the patera ended up adrift?

El racismo

Comprehension

Read the following text and complete the exercises that follow it.

La UNESCO y el FC Barcelona dejan al racismo en fuera de juego* para marcar el Día Internacional para la Eliminación de la Discriminación Racial

El acuerdo* firmado entre la UNESCO y el FC Barcelona se ha visto reforzado* gracias a un mensaje en video grabado por tres de las estrellas del club: Lionel Messi, Seydou Keita y Gerard Piqué. En el clip, producido con motivo del Día Internacional para la Eliminación de la Discriminación Racial (21 de marzo), los tres futbolistas piden a la audiencia que 'Deje al racismo en fuera de juego'.

La UNESCO y el club catalán firmaron el acuerdo en 2007 con el objetivo principal de potenciar* el papel de la educación y el deporte para el desarrollo y el bienestar de los niños y los jóvenes y para promover el diálogo, el entendimiento mutuo y la cohesión social. Hasta ahora los esfuerzos se han centrado en destacar* el papel del deporte como medio para combatir el racismo y la discriminación, poniendo un especial énfasis en niños y jóvenes.

La Coalición Internacional de Ciudades Contra el Racismo y la Discriminación de la UNESCO (ICCAR) se ha movilizado para celebrar esta Jornada y ha preparado toda una serie de eventos. En Gante (Bélgica) cerca de 5000 personas participarán en el 'apretón* de manos contra el racismo'. En Montevideo (Uruguay) se presentará 'Mundo Afro', una iniciativa que promueve la cultura africana de la ciudad entre los turistas. En Johannesburgo (Sudáfrica) diversos eventos rendirán homenaje* a las 69 personas muertas durante una protesta pacífica *anti-apartheid* en 1960.

En la sede de la UNESCO en París se ha preparado un evento local para alumnos de los suburbios de la ciudad para debatir sobre las relaciones de género. Se animará a los estudiantes a encontrar nuevas maneras de luchar contra la discriminación manteniendo el respeto a las identidades individuales de cada uno. Durante este acto, llamado '¿Hacia la igualdad o la reafirmación de las diferencias?', los alumnos usarán el teatro para representar situaciones diarias ligadas a la relación de género e intercambiarán diferentes puntos de vista sobre cómo afrontarlas.

El Día Internacional para la Eliminación de la Discriminación Racial recuerda la fecha en que en 1960 la policía sudafricana mató a 69 personas que participaban en una manifestación pacífica en contra del *apartheid* en Sharpeville (Sudáfrica). La Asamblea General de la ONU hizo entonces un llamamiento a la comunidad internacional para redoblar los esfuerzos para acabar con toda forma de discriminación racial.

UNESCO

GLOSARIO

(el) acuerdo	agreement	**potenciar**	to boost, promote
(el) apretón	handshake	**reforzar**	to reinforce
destacar	to emphasise, stress	**rendir homenaje**	to pay tribute
(el) fuera de juego (fig.)	offside		

Higher Level

1. Answer the following questions in English:

(a) Mention **three** details about the video that has been recorded.

(b) What was the aim of the agreement signed by UNESCO and FC Barcelona?

(c) What events will take place to celebrate the International Day for the Elimination of Racial Discrimination?

(d) How will theatre be used with students from the suburbs in Paris?

(e) What happened in South Africa in 1960?

2. Explain in English the meaning of the following in their context:

(a) ... el papel del deporte como medio para combatir el racismo y la discriminación ... (paragraph 2)

(b) Se animará a los estudiantes a encontrar nuevas maneras de luchar contra la discriminación... (paragraph 4)

(c) ... redoblar los esfuerzos para acabar con toda forma de discriminación racial. (paragraph 5)

3. Busca en el texto las palabras que tengan el mismo sentido (más o menos) que las siguientes:

(a) impulsar (paragraph 2)

(b) comprensión (paragraph 2)

(c) afueras (paragraph 4)

(d) cotidianas (paragraph 4)

4. Escribe en español tu opinión (entre 80 y 150 palabras) sobre la siguiente afirmación.

El deporte desempeña un papel importante en la educación de los jóvenes.

5. Look at the following picture and give your reaction to it. What message is the picture trying to convey? Do you agree with this message?

 Writing

Formal letter

While you were on holidays in Spain you saw a television programme about African immigrants on boats trying to reach the Spanish coast. It upset you to see that the Spanish authorities send these immigrants back to their countries. You would like to know more about this and so you write to the television station asking for further information. (You may loosely base your letter on the points mentioned below, either agreeing or disagreeing with all or some of them. You should make five relevant points and each of these points should be expanded and developed.)

- Talk about the television programme you saw and how it affected you.
- Say that you think it is very sad that people risk their lives in this way.
- Mention why you think the immigrants shouldn't be sent back to their countries.
- Suggest ways in which these people could be helped.
- Ask where you can find more information on this topic.

La crisis económica

Comprehension

Read the following text and answer the questions that follow it.

Tengo que buscar en la basura para llegar a fin de mes

No queda mucho para la medianoche cuando Pedro, un jubilado* de 70 años, se acerca a un Carrefour Market en el centro de Madrid y deja discretamente su carro de dos ruedas frente a la puerta. El establecimiento lleva un rato cerrado y sólo queda un par de empleados dentro. Pedro se aleja* del carro, mira a la puerta, se distancia un poco más y permanece a la espera.

Unas semanas antes, el gerente* dio la orden a los trabajadores de sacar la basura justo cuando pase el camión de recogida, de modo que nadie pueda llevarse nada de los contenedores. 'La cantidad de personas que se acercaba a por comida era ya demasiado grande', asegura el jefe del establecimiento. Por eso, Pedro no quiere llamar la atención y espera que, como cada semana, los empleados hagan la vista gorda* y le permitan coger algo de la comida 'que hay por arriba, sin rebuscar* demasiado'.

'Vengo una vez por semana, y cojo sobre todo fruta y verduras', explica con media sonrisa este mecánico retirado que no llega a fin de mes con sus 400 euros de pensión. 'Tengo cuidado de que estén empaquetadas, poco dañadas, y que luego se puedan pelar', añade, y asegura que con la cantidad que recoge semanalmente consigue sobrellevar* su situación económica.

Poco después de la llegada de Pedro, se acerca una mujer de piel oscura con dos bolsas de plástico y ambos entablan una conversación distendida*. En las noches más tranquilas, el goteo* de personas que se acercan a buscar lo que el supermercado desecha* es incesante y Maira, dominicana de 34 años y madre de un hijo, es otra de ellas. 'Vengo a coger fruta, leche y otros alimentos que no estén muy dañados y se encuentren dentro de fecha', cuenta.

La joven, que ha trabajado durante años como cuidadora de niños y que ahora está en paro, asegura que ha acudido en varias ocasiones a comedores sociales y a iglesias para pedir ayuda, pero la comida que le suministran no es suficiente.

'Tengo que sacar adelante a mi hijo y, aunque tengo el apoyo de mis hermanos, la cosa está demasiado mal, necesito hacer esto', afirma. Maira es aún una novata*. 'Es la primera vez que vengo sola, pero ya vine la semana pasada con una amiga ecuatoriana que también recoge comida. Ella fue la que me animó', comenta.

Mientras, a pocas calles de distancia Antonio, el gerente de un supermercado AhorraMás, entrega* una bolsa con alimentos básicos a un hombre que lleva todo el día pidiendo una ayuda económica a los clientes al pasar por la puerta. 'Normalmente, si se cae algún producto o se daña un poco el envase* hay que tirarlo, así que de vez en cuando le doy algunos', explica, aunque reconoce que la mayor parte de la basura la tiran, después de triturarla* para que nadie la recoja. 'Me da mucha pena tirar tanta comida, pero es la política de la empresa', se justifica.

Escenas como éstas se repiten en la mayoría de las calles de Madrid, una ciudad que cuenta, según la Red Europea de Lucha contra la Pobreza, con 1,4 millones de personas en riesgo de exclusión y casi un millón por debajo del umbral* de pobreza, mientras que buscar en la basura puede acarrear* una multa de 750 euros. Sin embargo, la decisión del alcalde de Girona de sellar* los contenedores para evitar estas escenas evidencia que el fenómeno es común en otros lugares del país.

Público

GLOSARIO

acarrear	to give rise to, to lead to	**hacer la vista gorda (fig.)**	to turn a blind eye
alejarse	to move away	**(el) jubilado**	pensioner, retired person
desechar	to reject, to throw away	**(el) novato**	novice, beginner
distendido	relaxed	**rebuscar**	to search thoroughly
entregar	to hand out	**sellar**	to seal
(el) envase	container	**sobrellevar**	to bear, endure
(el) gerente	manager	**triturar**	to crush, grind
(el) goteo	drip	**(el) umbral**	threshold

Higher Level

1. Give a short summary of what the article is about.
2. Imagine you are either Pedro or Maira and describe what your life is like.

 # Writing

Higher Level

Diary entry

You are in Spain on holidays and you have noticed quite a lot of people begging and some homeless people who seem to be sleeping on benches or in parks. Write a diary entry including all of the following points:

- Talk about the beggars and the homeless people you have seen.
- Compare the problem in Spain with the problem in Ireland.
- Describe how it makes you feel.
- Suggest something you could do to help.

 # Pairwork

Higher Level

Mirad la foto y describid cómo es la vida de esta persona. ¿Cómo creéis que se puede ayudar a gente como él?

Los toros

Comprehension

Read the following text and answer the questions that follow.

AnimaNaturalis convoca una manifestación* por la primera corrida de toros en Mallorca de la temporada

La organización internacional para la defensa de los animales AnimaNaturalis ha convocado* una manifestación con motivo de la primera corrida de toros de la temporada* que se celebrará este 23 de junio en Muro para protestar en contra de la 'crueldad y la tortura' que supone, según critican, la tauromaquia*.

Según ha explicado a Europa Press el coordinador nacional de la campaña antitaurina, Guillermo Amengual, la intención es realizar 'un acto de protesta pacífico ante las puertas de la plaza toros de Muro' a partir de las 16.30 horas para informar sobre lo que para ellos es un 'acto de crueldad que se repite año tras año'.

Amengual ha señalado que 'en el siglo XXI la gente no debería atender a este tipo de festejos*' pero ha reflejado lo que para él son buenos datos

ya que 'en cinco años la afición taurina ha caído un 39% a nivel nacional'. 'Esto es positivo ya que al haber menos festejos hay menos animales torturados hasta la muerte en las plazas', ha dicho.

El coordinador ha celebrado que el activismo antitaurino haya crecido* en los últimos tiempos debido a que cuando la organización crea eventos 'en los pueblos se unen hasta cien personas y cuando lo realizan en Palma, se llegan a juntar unas 500'.

Así, ha expresado que 'sólo esperamos que con el paso del tiempo las corridas de toro sean una pesadilla* para los amantes de los animales'. En este sentido ha recordado que las 'encuestas indican que un 73% de la población está en contra o es indiferente a la tauromaquia'.

20 minutos

GLOSARIO

convocar	to organise	**(la) pesadilla**	nightmare
crecer	to grow	**(la) tauromaquia**	bullfighting
(el) festejo	celebration	**(la) temporada**	season
(la) manifestación	demonstration		

Higher Level

1. What is AnimaNaturalis?
2. Why are they protesting?
3. According to Guillermo Amengual, where, when and why will they protest?
4. What does the figure 39% refer to?
5. Why is Guillermo happy about this?
6. What does he tell us that surveys have shown?

Listening

Los toros

Track 2.47–49

Higher Level

Listen to the following piece of news about bullfighting on TV and answer the following questions:

1. What did Televisión Española do in October 2006?
2. What did it announce in February of this year?
3. How many people watched the transmission on Wednesday?
4. Give one piece of information about *Sálvame*.
5. How many viewers watched
   (a) *El secreto de puente viejo* and (b) *¡Ahora caigo!*?
6. Why is Murcia mentioned?
7. Give the percentage of viewers for the following areas:
   (a) Galicia
   (b) Valencia
   (c) Andalucia
   (d) Madrid

Comprehension

Read what the following people have to say about bullfighting.

Experiencias   Mi Blog   Sígueme   Archivos descargables

Carmen

Estoy a favor de las corridas de toros porque creo que la tauromaquia es parte de la identidad y de la cultura española. Las corridas de toros son una fiesta nacional y, a mi modo de ver, es un arte. La tradición ha existido en España desde hace mucho tiempo y creo que sería una pena si se perdiera. Antes de las corridas, se trata muy bien a los toros y no existe ningún maltrato. Las corridas son una celebración de los toros, de su belleza y su fuerza. Los espectadores aprecian las habilidades de los toreros y los toros. Igualmente, las corridas atraen a muchos turistas y generan dinero para la economía española.

Experiencias   Mi Blog   Sígueme   Archivos descargables

Juan

Estoy totalmente en contra de las corridas de toros porque creo que maltratar a un animal es cruel. Los animales deberían tener los mismos derechos que los humanos. Es responsabilidad de todo el mundo cuidar y proteger a los animales. Los toros no deben ser explotados para que la gente se divierta. No entiendo cómo una persona puede disfrutar viendo sufrir a un animal. No es un arte, es una tortura.

 # Groupwork

Higher Level

Divide the class into groups of four. In each group, two people agree with Carmen's opinion and the other two with Juan's. Explain why you are for or against bullfighting.

Vocabulary list

(el) acuerdo	agreement	destacar	to emphasise, stress
apropiadamente	appropriately	(el) efecto invernadero	greenhouse effect
arriesgar	to risk	en búsqueda de	in search of
(la) avería	breakdown	en vez de	instead of
(el) ayuno	fast, fasting	escaso	scarce
(la) belleza	beauty	(el/la) gerente	manager
(la) bombilla	bulb	grabar	to record
(el/la) ciudadano/a	citizen	(la) guerra	war
construir	to build	hacer la vista gorda	to throw a blind eye
(la) contaminación	pollution	(el) hambre	hunger
convencer	to convince	hoy en día	nowadays
(la) corrida de toros/tauromaquia	bullfight	(el) humo	smoke
creciente	growing	indignado/a	outraged
(la) culpa	blame	(la) inundación	flood
(el) derecho	right	(el) maltrato	mistreatment
(la) manifestación	demonstration, protest	(la) pobreza	poverty
		promover	to promote
(el) medio ambiente	environment	reciclar	to recycle
(la) mejora	improvement	(el) recurso	resource
merecer	to deserve	(el) respeto	respect
(la) mitad	half	(la) rueda	wheel
(la) multa	fine	sabiamente	wisely
(la) naturaleza	nature	(la) selva	forest
(la) niebla	fog	(el) siglo	century
(el) objetivo	aim, objective	sin embargo	however
(el/la) peatóna	pedestrian	tirar	to throw, throw out
(la) pesadilla	nightmare	tomar medidas	to take measures

Prescribed literature

This chapter will prepare students who have studied the prescribed novel for 2014, *Sin noticias de Gurb* (Eduardo Mendoza, Editorial Seix Barral, 1991).

Introduction

- One option on the Leaving Certificate Spanish syllabus at Higher Level is the novel – it is chosen by the State Examinations Commission.

- Reading a novel is highly recommended as a way to improve fluency and also to increase reading comprehension skills. Reading an entire novel in Spanish will hugely improve your skills and marks in other areas of the paper.

- The current novel, *Sin noticias de Gurb*, will be examined for the first time in 2014. Your teacher will have decided whether or not you will be studying the novel.

- The novel is generally examined in Section A **and students who have studied the novel do not do the Journalistic Text question in Section A.**

- Students who do study the novel tend to score very highly in this section of the exam.

- Three of the five questions are usually to be answered in English and test your understanding of the story.

- If you know the storyline well, follow the guidelines below and take care with the language questions. High marks can be achieved easily in this section.

Marking scheme

- This section is usually worth 50 marks.

- An extract (or extracts) from the novel appears on the paper. It may be one single text or divided into two parts.

- There are generally five questions to be answered and they are usually laid out as follows:

  Question 1. Usually a synonym exercise – three questions at 3 marks each (9 marks)

  Question 2. Usually a translation question – three questions at 3 marks each (9 marks)

  Question 3. Usually a question in English on the extract(s) given, to be answered in English – a minimum of three points to be made (4 + 3 + 3 = 10 marks)

  Question 4. Usually a question in English on the extract(s) given, to be answered in English – three points to be made (4 + 3 + 3 = 10 marks)

  Question 5. Usually a question on the novel as a whole, to be answered in English – four points to be made at 3 marks each (12 marks)

A brief summary of the novel

- *Sin noticias de Gurb* was written by Spanish writer Eduardo Mendoza and published as a novel in 1990, having appeared in regular instalments in the newspaper *El País*.

- The novel is narrated by an alien, part of a two-man crew who land on Earth on an exploratory mission.

- The other member of the crew – a lower-ranking alien, who is in charge of most of the tasks on board – is Gurb.

- After taking on human form, Gurb hitches a lift from a man in a car and disappears, and afterwards makes practically no effort to report back to his commander. Hence the novel's title, which translates as 'No word from Gurb', proves to be the case for most of the novel.

- The rest of the novel describes the alien's search for Gurb.

- The novel, through the eyes of the alien, paints a hilarious picture of Barcelona as it prepares for the Olympic Games that took place there in 1992. It gives us a glimpse of the everyday life of the city from the perspective of an extra-terrestrial.

- The book is 143 pages long and is written in the style of a diary, divided into 16 days – it begins on Day 9 and ends on Day 24.

- Each day sees a number of diary entries, usually little more than a paragraph with a time of day, as the alien writes down his observations about human life while searching for his companion Gurb.

- The diary format means that the reader is taken day by day on the alien's journey as he discovers more and more about humans and life in Barcelona.

- While searching for his colleague Gurb, the alien criticises humans and their behaviour and notes that life on his planet is very different from life on Earth.

- The novel makes a number of comments on the city of Barcelona as it was in 1990, during the run up to the 1992 Olympic Games.

- Local references are an important aspect of the novel – there is a huge number of references to people and places in Barcelona.

- The humour is provided in the book by way of misunderstandings as the alien finds himself in human situations that he doesn't understand.

- While initially very critical of human life, the alien eventually settles in and begins to imagine himself staying on planet Earth. At one stage he begins to make plans to take over the bar from Señor Joaquín and Señora Mercedes, and he falls in love with 'la vecina'.

- An important point to note about the book is that there are fewer key scenes than there are in many other novels. What is most interesting is the comments on humans and the humour that is to be found throughout the story.

Summary: *Sin noticias de Gurb* day by day

Day 9: The space shuttle lands on Earth in Sardanyola, a town in Cataluña. The narrator instructs his colleague, Gurb, to leave their space shuttle to find out more about humans and take on the human form of the famous Spanish singer Marta Sánchez. Gurb goes off in a Ford Fiesta with a man and the alien hears no news from him.

Day 10: The alien decides to leave the space shuttle in search of Gurb. He turns his shuttle into a house and transforms himself into the Conde-Duque of Olivares. He appears on a busy street in Barcelona and is run over various times. He describes how humans walk and what they look like. He spends the day exploring the city and returns to the shuttle tired and missing Gurb.

Day 11: The alien spends the day in the city, searching for Gurb. He has taken on the appearance of the actor Gary Cooper (dressed as a cowboy). He is attacked by a group of youngsters who steal all his clothes. He is arrested and later is allowed to go free, having changed his appearance to that of José Ortega y Gasset, a Spanish philosopher. He goes for dinner and then realises he has no money, so he cheats and wins the lottery. He comments on the differences between rich and poor people. He returns to the shuttle.

Day 12: Under the appearance of Pope Pius XII, the alien opens a bank account. Initially he has only 25 *pesetas*, which he then turns into a huge amount of money and goes shopping. He spends the evening in a bar and, while there, observes the way in which humans speak. He drinks too much, gets into a fight and is taken to the police station.

Day 13: The alien is brought before the superintendent and transforms himself into Paquirrín, a well-known Spanish television personality. He visits his local bar again and meets the owner Señora Mercedes. (Señor Joaquín is having a *siesta*.) He then decides to spend the night in a hotel in the city.

Day 14: The alien decides he would like to buy an apartment so he turns himself into the Duke and Duchess of Kent and goes to an estate agent's office. He buys an apartment and all of the household items he will need. The day ends with the alien wondering if he will ever find a girl with whom he can share his home.

Day 15: The alien helps Señora Mercedes in the bar and asks for her advice on girls. He spends the evening at the theatre. He observes the cultural life of Barcelona.

Day 16: The alien spends the morning helping Señor Joaquín in the bar as Señora Mercedes is unwell. He spends the day in the city. In the evening, he visits a number of bars and comments on the girls he sees. He drinks too much and the day ends with him vomiting in the taxi on his way home.

Day 17: The alien has a hangover and goes for a walk. He decides to try cycling. He comments on the traffic problems in Barcelona. He sees his neighbour from the third floor of his apartment block and helps her and her son with their shopping. He still hasn't heard from Gurb.

Day 18: The alien decides to help Señora Mercedes and Señor Joaquín by looking after the bar for them. He makes a mess of everything. He goes into Barcelona and, while looking at some construction sites, he misinterprets human history. Later he spies on his neighbour by climbing into the electrical cables in her apartment. He comes up with a plan to get to know her by repeatedly asking to borrow ingredients for dinner. She finally tells him to leave her in peace and the chapter ends with the alien feeling very depressed.

Day 19: The alien visits the cathedral to pray for Gurb's return. He goes for a walk and comments on the different stages of human development. He also comments on the issue of race. He later sneaks into his neighbour's apartment and is attacked by a mastiff. Eventually he realises he is in the wrong apartment.

Day 20: The alien meets the caretaker of his apartment block and tries to find out as much as he can from her about his neighbour. Later he goes to the hospital to visit Señora Mercedes. He thinks about how badly designed the human body is. He tries to write a love letter to his neighbour but eventually gives up. He eats in the local Chinese restaurant and goes for drinks with the owner. He ends up in the police station again but is allowed to go home.

Day 21: The alien wakes up, realising he cannot remember the events of the night before. He becomes aware that he seems to have done something to offend his neighbours, but he does not know what it is. He goes to the hospital to visit Señora Mercedes. Later he visits a very exclusive nightclub. He leaves the club later on, drunk, with an executive whom he meets there.

Day 22: The next day the alien is still in the company of the executive. The alien leaves him and goes home. He wants to arrange a party for his neighbours to see if they will explain why they are treating him badly. He receives a note, anonymously, inviting him on a date. He spends the day trying to visit some museums, but they are all closed. He goes to the address he has been given for the date. Initially he goes to the wrong address but finally he finds Gurb. Gurb admits that it was him who ruined the alien's plans and made his neighbours think badly of him. Gurb explains that he sabotaged his plans because he didn't want to see him spending his days serving in the bar and going out with 'la vecina'. They spend the evening catching up.

Day 23: The alien spends the morning doing household chores for Gurb. Gurb goes out to lunch on a date and the alien is left to eat what is in the fridge. He finds a photo album and photos of Gurb in lots of exotic locations. Later he becomes very angry with Gurb and destroys his apartment. He gets drunk in a bar and goes home.

Day 24: The alien leaves his apartment and tells the caretaker that he is giving her his apartment. He tells the chairperson of the residents' association that he is giving him lots of money to renovate the apartment block. He goes to say goodbye to his neighbour and gives her money so that her son can go to Harvard when he is older. He gives her an emerald necklace. He goes back to the space shuttle and is just about to leave to return to his planet when Gurb appears. They are informed by their superiors that they must go on another mission, instead of returning to their planet. The shuttle heads off into space, but without the alien and Gurb – they are staying on planet Earth. However, they now have another problem – they have no money. Gurb flags down a passing car and gets in, and the alien ends the novel as it began – with no news of Gurb.

The narrator

- The unnamed alien is the narrator and main character of the novel.

- He is shy and doesn't want to draw attention to himself.

- He has the ability to 'shape-shift' – to take on different physical forms. He takes on a number of physical appearances throughout the novel.

- While trying not to attract attention from humans is his aim, the narrator can't help but do so as he tries to find Gurb. The human appearances he chooses (for example, His Holiness Pope Pius XII, and Mahatma Gandhi) are not as inconspicuous as he thinks.

- His ignorance of human customs provides some comic moments, like when a woman, mistaking him for a beggar, gives him some spare change and he, out of politeness, swallows it. Or, when asked in a restaurant what he would like to drink, he orders what he thinks is the most common human liquid: urine.

- However, the narrator does display a number of human qualities. For example, he misses his friend Gurb when he disappears and is lonely without him.

- He is capable of friendship – he becomes fond of Señor Joaquín and Señora Mercedes and leaves them a very generous gift towards the end of the novel.

- He is romantic – he falls in love with his neighbour ('*la vecina*') and tries to ask her out on a date.
- He enjoys food as humans do and even worries about his weight at one stage of the novel.
- He is religious and ends a number of his days by saying a prayer. He also visits the Cathedral to light a candle for Gurb's safe return.
- He is generous – he gives large sums of money and gifts to a number of people at the end of the novel.

Other characters in the novel

- Gurb, the other alien who gets lost at the start of the novel. He is instructed by the other alien, his superior, to take on the appearance of a Spanish pop star, Marta Sánchez. He leaves the space shuttle to find out more about humans and disappears. Gurb appears to not care very much for the narrator, as he abandons him at the beginning of the novel, re-appearing again at the end only to abandon the narrator a second time.
- The alien's neighbour – she is simply called '*la vecina*'. She is separated with a young son. The alien falls in love with her and tries to express his love for her in a number of ways.
- Señor Joaquín and Señora Mercedes who own a local bar, which the narrator often visits. They become friendly with him and allow him to look after their bar while Señora Mercedes is in hospital.
- The caretaker ('*la portera*'). She tries to maintain order in the apartment block. She watches the comings and goings of the other residents very closely. She has very little money and lives in the worst apartment. When he is leaving, the alien gives her a present of his apartment.

The narrator changes himself or 'shape-shifts' into different personalities throughout the course of the novel in an attempt to blend in with the humans he encounters. He adopts the following appearances:

- Conde-Duque de Olivares – Spanish nobleman and politician, 1587–1645
- José Ortega y Gasset – Spanish philosopher, 1883–1955
- Julio Romero de Torres – Spanish painter, 1874–1930
- S.S.Pío XII – His Holiness Pope Pius XII – Pope from 1939 to 1958
- Paquirrín – Spanish television personality, appears regularly in gossip magazines, 1984– to present
- Almirante Yamamoto – Japanese admiral involved in the attack on Pearl Harbor, 1884–1943
- Duque y Duquesa de Kent – members of the British royal family
- Frascuelo Segundo – fictional bull-fighter
- Luciano Pavarotti – Italian opera singer, 1935–2007
- Manuel Vázquez Montalbán – Spanish writer, journalist and poet, 1939–2003
- Mahatma Gandhi – Indian politician, 1869–1948
- Jean le Rond D'Alembert – French mathematician and philosopher, 1717–89
- Gilbert Bécaud – French singer-songwriter, 1927–2001
- Alfonso V el Magnánimo – Alfonso the Magnanimous, 14th century Spanish royal

- Tutmosis II-Thutmose II – Egyptian Pharoah, 15th century
- Yves Montand French–Italian actor, 1921–91
- Jacques–Yves Cousteau – French oceanographer and documentary film-maker, 1910–97

Important themes in the novel

Parody

The most important theme in *Sin noticias de Gurb* is parody. The author, via the narrator, takes a humorous look at life on planet Earth and satirises humans in a number of ways:

Physical appearance

- The alien laughs at the physical form of humans – he describes the human body in a very humorous way in Day 10 and mocks the fact that humans are so keen to see each other, even though they are '*abiertamente feos*'.
- On Day 10, he also comments humorously on how humans walk.
- On Day 12, he mocks the limited powers of verbal expression that humans have and points out that they only have the power to express themselves well with curses and blasphemy. '*Su capacidad de expresión es limitadísima, salvo en el terreno de la blasfemia y la palabra soez.*'
- On Day 20 he points out that humans were very unlucky in evolution, saying that there is no bigger mess in the universe than the human body.

Stages of life

- He comments on the human stages of life on Day 19, saying that there are three stages: childhood, the working stage and the retirement stage.
- He says that children do what they're told and workers do too, but they're paid for it. He says retired people have money, but aren't allowed to do anything.
- He makes the point that on his planet, childhood doesn't exist. He states that human children don't have a function – '*Los niños sirven para muy poca cosa.*'
- He makes fun of the elderly and states that the only things they are allowed to carry are walking sticks and newspapers.

Consumerism

- The alien uses the executive story on Day 22 to comment on the rushed lifestyle of city-dwellers in Barcelona.
- He notes the importance of money in order to survive. (Day 12)
- The lifestyles of the rich and famous are also parodied. When the alien finds Gurb, who has been socialising with some very well-known celebrities, the alien discovers that their lifestyles are both absurd and exhausting. (Day 23)

Class and racial divisions

- Even though he doesn't understand why, he notes that there are class divisions on Earth: there are poor and rich areas of Barcelona, like San Cosme and Pedralbes. (Day 11)
- The alien notes that the main difference between rich and poor seems to be this: the rich, wherever they go, do not pay, even though they acquire and consume as much as they like. The poor, on the other hand, pay for everything. (Day 11)

- The alien gives his opinion on the issue of race when he comments on the differences between blacks and whites on Day 19.

Conditions of life in the city

- While the novel specifically makes fun of the state of Barcelona as it slowly works toward the Olympics Games, it highlights issues that can take place in any city, such as poor traffic control, and social problems like drug addiction. (Day 20)
- The alien comments on problems in the city's quality of life:
  - The composition of the water: '*La composición del agua: hidrógeno, oxígeno y caca*'. (Day 10).
  - The quality of the air: '*aire infectado de partículas*'. (Day 15)
  - Dirt on the streets: '*Plastas de perro y colillas*'. (Day 15)
- He describes cities as '*tortuosas e irracionales*'. (Day 17)
- He comments on the high levels of juvenile delinquency. (Day 18)

Cultural parody

- The author, via the narrator, mocks cultural aspects of human life. On Day 13 he cannot find a room in a hotel – they are all full up because there is a 'Symposium on New Ways of Stuffing Peppers'.
- The author mocks current reading habits: '*Leo* Medio siglo de peluquería en España, tomo I (La República y la Guerra Civil)' on Day 17 and on Day 19 '*Me meto en la cama y leo Deliciosamente boba.*'
- He makes fun of the constant cycle of repairs that seem to keep museums closed. (Day 22)

Language in the novel

- There is a range of language used throughout the novel.
- The purpose of the mix of language used is to characterise the different types of people the narrator meets and also to highlight the changes he undergoes throughout the novel.
- Scientific vocabulary: this is used more frequently by the narrator at the beginning of the novel and highlights the fact that he is an alien – it is objective and unfeeling and indicates the narrator's mission on Earth.
- Educated, cultured language – this is what the narrator initially learns.
- Colloquial language and slang: used by other people like the clients in the bar and eventually by the narrator himself to show that the alien is adapting to his environment and becoming more like a human.

How to approach the questions

Question 1

Choose a sentence that is in the same or a similar tense as the one you have been given.

Many students lose marks on this question through carelessness – take care when doing it.

This question is usually divided into three parts – you are given three phrases and you must find the phrases from the extract that are equivalent (more or less) to those phrases. Usually each one is worth 3 marks.

Practise with this type of question is key – make sure to practise from your exam papers.

In preparing for this question, try to expand your vocabulary in Spanish. Learn synonyms when you come across them.

Question 2

This is also normally divided into three parts – you are give three sentences from the text and asked to translate them into English.

Like question 1 it is often worth 9 marks in total – 3 marks each.

If your English sentence does not make sense, you are unlikely to earn all 3 marks – so look back at the text and make as much sense of the sentence as possible.

Use the tenses and your grammatical knowledge to help you to translate the sentence well.

Remember when translating into English, you must produce a sentence that makes sense in English.

Questions 3 and 4

Answer in English in point form – this is not an essay-style question.

As questions 3 and 4 on this section refer directly to the extract given, you must understand the extract well. This question usually requires you to answer on the text you are given – you cannot refer to any other part of the novel.

You are often required to have at least three separate points in your answer. After you have made a statement, back it up with a relevant quote. Do not waffle or pad your answer out – refer only to what is said in the text.

Question 5

This question is usually asked in English and is to be answered in English. It is based on your knowledge of the entire novel. Therefore you **cannot** base your answer on the extract that appears on the exam paper – you must refer only to other scenes/events in the novel. This does not need to be answered in an essay style – points will suffice, usually a minimum of four are needed.

Quotes in Spanish from the novel are not necessary but statements must be backed up with an example from the novel. Be specific – do not waste time adding your own opinion – three/four specific answers that demonstrate that you know the novel well are sufficient. Do not waffle or pad your answers – stick to the facts.

VocaBulary

a pesar de	despite	ampliar	to widen
abaratar	to cheapen	añadir	to add
abiertamente	openly	(el) año académico	the academic year
(el/la) abogado/a	lawyer	(el) año escolar	the school year
aburrirse	to get bored	(la) ansiedad	anxiety
acabar	to finish, end	(el) anuncio	advertisement, announcement
(la) aceituna	olive	anteriormente	previously, before
aconsejable	advisable	apagar	to switch off
aconsejar	to advise	(el) apodo	nickname
(el) acontecimiento	event	apoyar	to support
acostarse	to go to bed	apropiadamente	appropriately
acostumbrarse	to get used to	(los) apuntes	notes
actualmente	nowadays, these days	arder	to burn
(el) acuerdo	agreement	(la) arena	sand
además	furthermore, also	arreglar	to tidy
(los) adolescentes	teenagers	arriesgar	to risk
ahorrar	to save	(el) arroz	rice
aislado	isolated	(el) ascenso	rise, ascent
agotar	to exhaust	(el/la) asesino/a	murderer
(el/la) alcalde/alcaldesa	mayor/mayoress	(la) asignatura	subject
(la) alfombra	carpet	(la) asistencia	attendance
(el) aliento	breath	asistir	to attend
(la) almohada	pillow	(el) asunto	matter, issue
(el) alojamiento	accommodation	(el) atasco	traffic jam
alojarse	to stay	atento	attentive
(el) alpinismo	mountain climbing	atraer	to attract
alquilar	to rent, hire	(el) aula	classroom
(la) amabilidad	friendliness	aumentar	to increase
(el/la) amante	lover	(los) auriculares	headphones, earphones
(el) ambiente	atmosphere	(la) ausencia	absence
(la) amistad	friendship		

(la) autoestima	self-esteem	(el) casco	helmet
avergonzar	to embarrass	castigar	to punish
(la) avería	breakdown	cautivar	to captivate
(el) ayuno	fasting	(la) caza	hunting
(la) beca	grant	(la) cifra	number, figure
(la) belleza	beauty	(la) circulación	traffic
(el) bienestar	well-being	citar	to quote
(el) bolígrafo	pen	(la) ciudadanía	citizenship
(la) bollería	pastries	(el) clima	climate
(la) bombilla	bulb	(el) cocido	stew
borracho	drunk	combatir	to fight, combat
(el) botiquín	first aid kit	comenzar	to start
(el/la) cachorro/a	puppy	(la) comida rápida	fast food
(la) cadena	channel	cómodo/a	comfortable
caducado	expired, out of date	(el/la) compañero/a de clase	classmate
(la) calculadora	calculator	comparar	to compare
(la) calefacción	heating	compartir	to share
(la) calidad	quality	(el) comportamiento	behaviour
cálido/a	warm	comportarse bien/ mal	to behave well/ badly
calvo/a	bald	comprensivo/a	understanding
(el) calzado	footwear	concentrarse	to concentrate
cambiar de opinión	to change your mind	(la) conducta	behaviour
(el) campamento de verano	summer camp	(el) conocimiento	knowledge
(el) campo	field	(el/la) consejero/a	counsellor
(la) cantidad	quantity	(el) consejo	advice
(el) caracol	snail	construir	to build
(el) cargador	charger	(el) consumismo	consumerism
(la) carpeta	folder, file	(la) contaminación	pollution
(la) carrera	career, degree course	(el/la) contable	accountant
(la) cartera	wallet	(el) contenido	contents
(el) cartón	cardboard	convencer	to convince
casarse	to get married		

(el) coraje	courage
(el) corazón	heart
(el) correo electrónico	email
(la) corrida de toros	bullfight
costoso/a	expensive, costly
crecer	to grow, grow up
creciente	growing
(el) crecimiento	growth
(la) creencia	belief
(el) crimen	crime
(la) crisis económica	the economic crisis
(el) cuaderno	copy, notebook
(la) cuerda	rope
(el) cuerpo	body
cuidar	to look after, mind
(la) culpa	blame
culpable	guilty
dar miedo	to frighten, scare
dañar	to damage
darse cuenta de	to realise
de segunda mano	second-hand
decepcionar	to disappoint
(el) defecto	fault
(el) derecho	right
el) derrumbe	collapse
(el) desafío	challenge
desarrollar	to develop
(el) desarrollo	development
desayunar	to breakfast
descansar	to rest
(el) descenso	fall, drop

(el) desempleo	unemployment
(el) desfile	parade
(la) desigualdad	inequality
desilusionado	disappointed
despedir	to sack
desperdiciar	to waste
destacar	to stress, emphasise
devolver	to give back
diariamente	daily
(el) diente	tooth
(la) dieta	diet
(el) dineral	fortune
(la) disciplina	discipline
diseñar	to design
(el) disfraz	fancy dress outfit
disfrutar de	to enjoy
disponer de	to have available, to have at your disposal
disponible	available
(la) disponibilidad	availability
distribuir	to distribute
(la) diversión	fun, enjoyment
(el) dolor	pain, hurt
dotado/a de	equipped with
(el/la) dueño/a	owner
duradero	lasting, durable
(la) edad	age
(el) efecto invernadero	greenhouse effect
(la) elección	choice
elegir	to choose
(el/la) embajador/a	ambassador
emborracharse	to get drunk

emitir	to broadcast	(las) escaleras	stairs
empeorar	to worsen, get worse	(los) escombros	rubble
empezar con buen pie	to start off on the right foot	esconder	to hide
emplear	to use	esforzarse	to make an effort
empujar	to push	(el) espacio	space
en búsqueda de	in search of	(el/la) espectador/a	spectator
en cuanto a	as regards, as for	(el/la) esposo/a	wife
en vez de	instead of	(el) estadio	stadium
(la) enfermedad	illness, sickness	(la) estancia	stay
engordar	to put on weight	estar acostumbrado a	to be used to
enamorarse	to fall in love	estar de acuerdo con	to agree with
(la) encuesta	survey	estar en paro	to be unemployed
(el) enlace	link	estar harto de	to be fed up with
(la) enseñanza	teaching	estar prohibido	to be forbidden
enseñar	to teach, to show	estornudar	to sneeze
entablar	to establish	(la) estrella	star
entender	to understand	(el) estrés	stress
entregar	to hand out, deliver	estresarse	to get stressed
(la) entrevista	interview	(el) estuche	pencil case
(el/la) entrevistador/a	interviewer	(la) etapa	stage, phase
entristecer	to sadden	evitar	to avoid
envejecer	to age, grow old	(el) éxito	success
(la) época	period, time of year	(la) experiencia laboral	work experience
equilibrado	balanced	explicar	to explain
(el) equipaje	luggage	(el/la) extranjero/a	foreigner, stranger
(el) equipo	team	extraño	strange
(la) equitación	horseriding	(la) factura	bill
equivocarse	to make a mistake	facturar	to check in
(el) escaparate	shop window	fallecer	to die
(la) escasez	scarcity	(el/la) fallecido/a	deceased person
escaso	scarce	(el) fallecimiento	death

(la) falta	lack	hacer caso	to notice, to pay attention
faltar	to be lacking	hacer la vista gorda	to turn a blind eye
(la) felicidad	happiness	hacer las maletas	to pack (the suitcases)
(la) finca	farm	(el) hambre	hunger
firmar	to sign	(la) hamburguesería	hamburger restaurant
flaco	skinny	hay que	it is necessary
fomentar	to promote, encourage	hecho/a de	made of
(la) formación	training	(la) herramienta	tool
fortalecer	to strengthen	(la) hipoteca	mortgage
fracasar	to fail	(la) hora punta	rush hour
(la) frontera	border	hoy en día	nowadays
(los) fuegos artificiales	fireworks	huir	to flee, to run away
(la) fuente	source	(el) humo	smoke
funcionar	to work, function	(el) idioma	language
(el/la) funcionario/a	civil servant	igualar	to equal
(la) galleta	biscuit	imprescindible	essential, vital
(la) gamba	prawn	incendiar	to set on fire
(el/la) ganador/a	winner	(la) incomodidad	discomfort
(el) garbanzo	chickpea	incómodo/a	uncomfortable
gastar	to spend	indignado/a	outraged
(los) gastos	expenses	infeliz	unhappy
(el) gerente	manager	(el) informe	report
(la) goma	rubber, eraser	(los) ingresos	income
grabar	to record	inolvidable	unforgettable
(el/la) granjero/a	farmer	insoportable	unbearable
(la) grapadora	stapler	(las) instalaciones	facilities
(la) grasa	fat	intentar	to try
grave	serious	(la) inundación	flood
(la) gravedad	seriousness	(la) inversión	investment
gritar	to shout	(el/la) jefe/a	boss
(la) guerra	war	(la) jornada	day
(la) habilidad	skill	(el/la) jugador/a	player

justo/a	fair	mandar	to send
(la) juventud	youth	mandón/mandona	bossy
juzgado	judged	(la) manera	the way
(el) lácteo	dairy product	(la) manifestación	protest, demonstration
lamentar	to regret	(el) manifestante	protestor
(el) lanzamiento	launch	(la) manta	blanket
(los) lápices de colorear	colouring pencils	(el) maquillaje	make up
(el) lápiz	pencil	(la) máquina expendedora	vending machine
(la) lástima	pity	(la) marca	brand, label
(la) lata	tin, can	mascar	to chew
(la) lealtad	loyalty	(la) mascarilla	mask
(el) lema	slogan, motto	(la) mascota	pet
levantar	to raise, to lift	mediano/a	medium-sized
levantarse	to get up	(la) medida	measure
leve	light, minor	(el) medio ambiente	the environment
(la) ley	law	medir	to measure
(la) libertad	freedom	(la) mejora	improvement
libremente	freely	mejorar	to improve
(el) libro	book	mendigar	to beg
(la) limpieza	cleaning	(la) mentira	lie
(la) llegada	arrival	(el) mercado laboral	job market
llevarse bien con	to get on well with	merecer	to deserve
llorar	to cry	(la) mezcla	mix
(el) litoral	coast	mezclado/a	mixed
lujoso	luxurious	mimado/a	spoilt
(la) madera	wood	mimar	to spoil
(el/la) madrileño/a	person from Madrid	(la) mitad	half
madrugar	to get up early	(la) mochila	backpack, schoolbag
maduro/a	mature	molestar	to annoy
malgastar	to waste, squander	molesto/a	annoying
malhumorado/a	bad-humoured	(el) monopatín	skateboard
(el) maltrato	mistreatment		

montañoso/a	mountainous	(el) papel	paper, role
un montón de	a load of	(la) papelera	litter bin
(la) moraleja	moral	parecido/a	similar, alike
mostrar	to show	(la) pared	wall
motivar	to motivate	(la) pareja	couple
(la) muerte	death	(el) paro	unemployment
(la) multa	fine	(el) pasillo	corridor
mundialmente	worldwide	(el) pastel	cake
(el) narcotraficante	drug dealer	(la) patada	kick
(la) nata	cream	patinar	to skate
(la) naturaleza	nature	(la) paz	peace
navegar por Internet	to surf the Internet	(el) peatón	pedestrian
necesitar	to need	(la) peca	freckle
negarse	to refuse	pecoso/a	freckly
(la) nevada	snowfall	(la) pelea	fight
(la) niebla	fog	(el) peligro	danger
(el) nivel	level	peligroso/a	dangerous
nocivo	harmful, damaging	(el/la) peregrino/a	pilgrim
(las) notas	grades	perezoso/a	lazy
(las) novedades	news	perfeccionar	to perfect, improve
(la) nube	cloud	(el) perfil	profile
(el) objetivo	objective, aim	permanecer	to remain
obligar	to force	(las) persianas	blinds
(el) ocio	leisure time	(el) personaje	character
oculto/a	hidden	(las) personas sin hogar	homeless people
(la) ola de calor	heatwave	pertenecer	to belong
(el) oleaje	swell	(la) pertenencia	belonging
ordenado	tidy	(la) pesadilla	nightmare
orgulloso/a	proud	pesado	heavy
oscurecer	to get dark	pesar	to weigh
padecer	to suffer	(el/la) pescador/a	fisherman
(el) paisaje	scenery, landscape	(el) peso	weight
(la) pandilla	gang		

(la) piel	skin		reunirse	to meet
(la) pobreza	poverty		(la) rivalidad	rivalry
ponerse a	to start, become		rodeado/a de	surrounded by
ponerse moreno/a	to get a suntan		rodear	to surround
por eso	because of this		romper	to break
por otra parte	on the other hand		(el) rostro	face
práctico/a	handy		(el) rotulador	marker
(la) preocupación	worry		(la) rueda	wheel
preocupar	to worry		(el) ruido	noise
(la) presión	pressure		(la) sábana	sheet
prestar atención	to pay attention		sabiamente	wisely
presunto/a	alleged, supposed		(el) sabor	taste
prevenir	to prevent		(el) sacapuntas	sharpener
probar	to taste, to try		saltar	to jump
(el) promedio	average		(la) salud	health
promover	to promote		saludable	healthy
proveer	to provide		sancionar	to punish
provocar	to cause		(la) sangre	blood
(la) publicidad	advertising		sano/a	healthy
quemar	to burn		saquear	to loot
(la) raíz	root		(la) sartén	frying pan
razonable	reasonable		satisfecho	satisfied
(las) rebajas	sales		secar	to dry
reciclar	to recycle		seguir	to follow, continue
recoger	to collect		(el/la) seguidor/a	follower
(los) recursos	resources		según	according to
(la) red social	social network		(la) selva	forest
regañar	to scold, give out		Semana Santa	Easter, Holy Week
(la) regla	rule, ruler		señalar	to indicate, point out
(la) renta	income		(el) senderismo	hiking
repasar	to revise		(el) sentimiento	feeling
(el) respeto	respect		(el) siglo	century

sin duda	without a doubt
sin embargo	however
significar	to mean
(el) siniestro	accident
sino	but
(el) sitio	place
(el/la) socio/a	member
soportar	to bear, put up with
(la) suciedad	dirtiness
sugerir	to suggest
suspender	to fail
(la) talla	size
(la) taquilla	locker
tardar (en)	to delay, take a long time
(el) tatuaje	tattoo
(la) tauromaquia	bullfighting
(la) temporada	season
tener en cuenta	to take into account
tener éxito	to be successful
tener ganas de	to really want to
tener lugar	to take place
tener miedo de	to be afraid of
tener que	to have to
tener razón	to be right
tener suerte	to be lucky
(la) tensión	tension
terminar	to finish, end
(el) terremoto	earthquake
(las) tijeras	scissors
tirar	to throw, throw out
(el) tobillo	ankle

tocar	to touch, to play (an instrument)
tomar medidas	to take measures
(la) tontería	silly thing, stupidity
toser	to cough
(el) trimestre	term
tranquilo/a	quiet
trasladarse	to move
(el) trastorno	disorder
tratar	to treat
triste	sad
(el) trozo	piece
último/a	last, latest
únicamente	only
(la) urbanización	housing estate
útil	useful
(los) vaqueros	jeans, denims
(el/la) vecino/a	neighbour
vencer	to overcome
(la) venta	sale
la verdad	truth
vestirse	to get dressed
(la) vía	channel
(el) violador	rapist
violar	to rape
(el) vínculo	a tie, bond
(la) vista	view
volver	to return
(la) voz	voice
(la) vuelta	return
(la) zanahoria	carrot
(la) zona litoral	coastal area

VerB taBles

Regular verbs

1. -ar verbs: e.g. trabajar = to work

Present	Preterite	Imperfect	Present Perfect	Future	Conditional
trabajo	trabajé	trabajaba	he trabajado	trabajaré	trabajaría
trabajas	trabajaste	trabajabas	has trabajado	trabajarás	trabajarías
trabaja	trabajó	trabajaba	ha trabajado	trabajará	trabajaría
trabajamos	trabajamos	trabajábamos	hemos trabajado	trabajaremos	trabajaríamos
trabajáis	trabajasteis	trabajabais	habéis trabajado	trabajaréis	trabajaríais
trabajan	trabajaron	trabajaban	han trabajado	trabajarán	trabajarían

2. -er verbs: e.g. comer = to eat

Present	Preterite	Imperfect	Present Perfect	Future	Conditional
como	comí	comía	he comido	comeré	comería
comes	comiste	comías	has comido	comerás	comerías
come	comió	comía	ha comido	comerá	comería
comemos	comimos	comíamos	hemos comido	comeremos	comeríamos
coméis	comisteis	comíais	habéis comido	comeréis	comeríais
comen	comieron	comían	han comido	comerán	comerían

3. -ir verbs: e.g. vivir = to live

Present	Preterite	Imperfect	Present Perfect	Future	Conditional
vivo	viví	vivía	he vivido	viviré	viviría
vives	viviste	vivías	has vivido	vivirás	vivirías
vive	vivió	vivía	ha vivido	vivirá	viviría
vivimos	vivimos	vivíamos	hemos vivido	viviremos	viviríamos
vivís	vivisteis	vivíais	habéis vivido	viviréis	viviríais
viven	vivieron	vivían	han vivido	vivirán	vivirían

Irregular verbs

Dar (to give)

Present	Preterite	Imperfect	Present Perfect	Future	Conditional
doy	di	daba	he dado	daré	daría
das	diste	dabas	has dado	darás	darías
da	dio	daba	ha dado	dará	daría
damos	dimos	dábamos	hemos dado	daremos	daríamos
dais	disteis	dabais	habéis dado	daréis	daríais
dan	dieron	daban	han dado	darán	darían

Decir (to say, to tell)

Present	Preterite	Imperfect	Present Perfect	Future	Conditional
digo	dije	decía	he dicho	diré	diría
dices	dijiste	decías	has dicho	dirás	dirías
dice	dijo	decía	ha dicho	dirá	diría
decimos	dijimos	decíamos	hemos dicho	diremos	diríamos
decís	dijisteis	decíais	habéis dicho	diréis	diríais
dicen	dijeron	decían	han dicho	dirán	dirían

Estar (to be)

Present	Preterite	Imperfect	Present Perfect	Future	Conditional
estoy	estuve	estaba	he estado	estaré	estaría
estás	estuviste	estabas	has estado	estarás	estarías
está	estuvo	estaba	ha estado	estará	estaría
estamos	estuvimos	estábamos	hemos estado	estaremos	estaríamos
estáis	estuvisteis	estabais	habéis estado	estaréis	estaríais
están	estuvieron	estaban	han estado	estarán	estarían

Hacer (to do/to make)

Present	Preterite	Imperfect	Present Perfect	Future	Conditional
hago	hice	hacía	he hecho	haré	haría
haces	hiciste	hacías	has hecho	harás	harías
hace	hizo	hacía	ha hecho	hará	haría
hacemos	hicimos	hacíamos	hemos hecho	haremos	haríamos
hacéis	hicisteis	hacíais	habéis hecho	haréis	haríais
hacen	hicieron	hacían	han hecho	harán	harían

Ir (to go)

Present	Preterite	Imperfect	Present Perfect	Future	Conditional
voy	fui	iba	he ido	iré	iría
vas	fuiste	ibas	has ido	irás	irías
va	fue	iba	ha ido	irá	iría
vamos	fuimos	íbamos	hemos ido	iremos	iríamos
vais	fuisteis	ibais	habéis ido	iréis	iríais
van	fueron	iban	han ido	irán	irían

Poder (to be able to)

Present	Preterite	Imperfect	Present Perfect	Future	Conditional
puedo	pude	podía	he podido	podré	podría
puedes	pudiste	podías	has podido	podrás	podrías
puede	pudo	podía	ha podido	podrá	podría
podemos	pudimos	podíamos	hemos podido	podremos	podríamos
podéis	pudisteis	podíais	habéis podido	podréis	podríais
pueden	pudieron	podían	han podido	podrán	podrían

Poner (to put)

Present	Preterite	Imperfect	Present Perfect	Future	Conditional
pongo	puse	ponía	he puesto	pondré	pondría
pones	pusiste	ponías	has puesto	pondrás	pondrías
pone	puso	ponía	ha puesto	pondrá	pondría
ponemos	pusimos	poníamos	hemos puesto	pondremos	pondríamos
ponéis	pusisteis	poníais	habéis puesto	pondréis	pondríais
ponen	pusieron	ponían	han puesto	pondrán	pondrían

Querer (to want)

Present	Preterite	Imperfect	Present Perfect	Future	Conditional
quiero	quise	quería	he querido	querré	querría
quieres	quisiste	querías	has querido	querrás	querrías
quiere	quiso	quería	ha querido	querrá	querría
queremos	quisimos	queríamos	hemos querido	querremos	querríamos
queréis	quisisteis	queríais	habéis querido	querréis	querríais
quieren	quisieron	querían	han querido	querrán	querrían

Saber (to know)

Present	Preterite	Imperfect	Present Perfect	Future	Conditional
sé	supe	sabía	he sabido	sabré	sabría
sabes	supiste	sabías	has sabido	sabrás	sabrías
sabe	supo	sabía	ha sabido	sabrá	sabría
sabemos	supimos	sabíamos	hemos sabido	sabremos	sabríamos
sabéis	supisteis	sabíais	habéis sabido	sabréis	sabríais
saben	supieron	sabían	han sabido	sabrán	sabrían

Salir (to go out)

Present	Preterite	Imperfect	Present Perfect	Future	Conditional
salgo	salí	salía	he salido	saldré	saldría
sales	saliste	salías	has salido	saldrás	saldrías
sale	salió	salía	ha salido	saldrá	saldría
salimos	salimos	salíamos	hemos salido	saldremos	saldríamos
salís	salisteis	salíais	habéis salido	saldréis	saldríais
salen	salieron	salían	han salido	saldrán	saldrían

Ser (to be)

Present	Preterite	Imperfect	Present Perfect	Future	Conditional
soy	fui	era	he sido	seré	sería
eres	fuiste	eras	has sido	serás	serías
es	fue	era	ha sido	será	sería
somos	fuimos	éramos	hemos sido	seremos	seríamos
sois	fuisteis	erais	habéis sido	seréis	seríais
son	fueron	eran	han sido	serán	serían

Tener (to have)

Present	Preterite	Imperfect	Present Perfect	Future	Conditional
tengo	tuve	tenía	he tenido	tendré	tendría
tienes	tuviste	tenías	has tenido	tendrás	tendrías
tiene	tuvo	tenía	ha tenido	tendrá	tendría
tenemos	tuvimos	teníamos	hemos tenido	tendremos	tendríamos
tenéis	tuvisteis	teníais	habéis tenido	tendréis	tendríais
tienen	tuvieron	tenían	han tenido	tendrán	tendrían

Venir (to come)

Present	Preterite	Imperfect	Present Perfect	Future	Conditional
vengo	vine	venía	he venido	vendré	vendría
vienes	viniste	venías	has venido	vendrás	vendrías
viene	vino	venía	ha venido	vendrá	vendría
venimos	vinimos	veníamos	hemos venido	vendremos	vendríamos
venís	vinisteis	veníais	habéis venido	vendréis	vendríais
vienen	vinieron	venían	han venido	vendrán	vendrían

Ver (to see)

Present	Preterite	Imperfect	Present Perfect	Future	Conditional
veo	vi	veía	he visto	veré	vería
ves	viste	veías	has visto	verás	verías
ve	vio	veía	ha visto	verá	vería
vemos	vimos	veíamos	hemos visto	veremos	veíamos
veis	visteis	veíais	habéis visto	veréis	veríais
ven	vieron	veían	han visto	verán	verían

Acknowledgements

Many people have contributed to the publication of *Español en Acción*. I would like to thank the following people: Pilar Garrido Lema, who has been the best editor I could have wished for – it has been a pleasure working with her; Sara Passas Martinez, for meticulously proof-reading my material and for correcting my mistakes so willingly; Niamh O'Sullivan, a great motivator, who expertly guided me through the early stages of the book; Tess Tattersall, for all her hard work, advice and patience when I was late meeting my deadlines; all my students, past and present, in St Mary's, Glasnevin; Suzanne Gannon, Aisling Hanrahan, Michele Staunton and everyone else at Folens who collectively made this project possible; the native speakers who contributed to the recording of the CDs: Marco Balbona Calvo, Roberto Bermejo González, Montse Calvo Velo, Eimear Kelly, Esther Moliné, José Luis Penón García.

Elaine Higgins

The authors and publishers would like to thank the following for permission to reproduce copyright material:

20 minutos (pp.13, 42, 147, 160, 222, 238, 264, 273; *El Mundo* (pp.262, 263); *El País* © María R. Sauquillo (p.205); Mundodeportivo.com © Ángel Pérez Serrano (p.186); Público © Eduardo Muriel (p.271); Madrid2noticias (p.36); Reuters (pp.131–2); UNICEF (p.58); BBC Mundo (pp.188–9); RTVE © María Menéndez (p.249); Dgirl (no. 15) (p.107); Hoypadres (p.108); Revista AR (p.140); www.pequeocio.com (p.217); *Vivan las chicas* (Editorial Marenostrum) © Severine Clochard, Cecile Hudrisier, Audrey Gessat (p.259); Cuadernodepoesia.blogia.com (Poema *La Contaminación*) (p.261); *La UNESCO y el FC Barcelona dejan al racismo en fuera de juego para marcar el Día Internacional para la Eliminación de la Discriminación Racial*, © UNESCO, URL (p.268); lasprovincias.es (p.117); andaluciainformacion.es (p.141); Noticias Orange.es (pp.161, 223–4); facilismo.com © Silvia Soleto (p.78); eleconomista.es (p.76); Mía (p.237).

Photo credits
The author and publisher gratefully acknowledge the following for the use of photographic material: Alamy, Getty Images, Glow Images, iStockphoto, Shutterstock, Thinkstock. 'I need Spain' logo on p.170 reproduced with the kind permission of Turespaña. Image p.265 reproduced with the kind permission of Ferdi Rizkiyanto.